1인분인생

진짜 나답게 살기 위한 우석훈의 액션大로망

1인분인생

우석훈 지음

상상너머

차례

유일한 자신의 삶조차
자기답게 살지 못한다면

----

2 욕망의 좌절과 존재의 상실감으로 힘들다면

3 먹고사니즘의 문제와 삶의 고민들로 불안하다면

4 상실하고 노력해도 안 되는 게 자꾸만 쌓인다면

5 의욕도 재미도 없는 무미건조한 일상이 지겹다면

6 여기 아닌 어던가,
어제와 다른 내일을 꿈꾼다면

1인분 인생에
고양이가
들어오다

1

어느 날 우연히 고양이 한 마리가 나와 아내의 삶에 들어왔다.

사연은 간단하다.

우리는 아파트에 살고 있었는데, 어느 날 아내가 주택으로 이사 가자, 그렇게 말을 했다. 사연이야 복잡하지만, 하여간 그렇게 주택으로 옮기기로 하고 드디어 이사를 했던 다음 날이었다.

우아아아아!!!

아무렇게나 이삿짐을 내려놓고 일어난 첫날, 그날은 토요일이었다. 찬장 서랍에 있던 신라면 봉지에 아무렇게나 난 찢어진 자국, 그건 누구도 부인할 수 없는 쥐 이빨 자국이었다.

우린 오랫동안 고양이를 키워본 적은 없었지만, 이 집에는 고양이가 필요하다는 것에 절대 동의, 바로 인터넷 검색을 시작했다. 동대문 어딘가에 있는 동물병원에서 고양이를 당장이라도 분양해준다는 공고와 을지로 어딘가에 있는 '혈통 좋은 고양이.' 돈만 내면 살 수 있는 고양이, 이 두 개의 해법을 찾았다. 지금 돌이켜보면, 아무 생각도 없이 단지 쥐와는 지낼 수 없다는 이유로 고양이를 찾아나선 것이었다.

그렇게 길을 떠나 집 앞에서 처음 만난 교차로에서 U턴을 하자마자 아내가, "저기도 동물병원 있다" 해서 겨우겨우 차를 돌려 그 집에 갔다.

운명이었을까, 고양이 얘기를 꺼내자마자

"애 데려가시면 됩니다."

그렇게 운명적으로, 주인에게 버려져 길거리에서 죽어가던 4개월 된 길고양이를 우리 집으로 데리고 왔다. 조금만 더 있었으면 살처분 되었을지도 모른다며 바로 데려가시라고 하던 수의사의 표정이 지금도 기억난다.

. . .

3년이 지난 뒤, '야옹구'라고 이름 붙인 고양이가 일요일부터 앓아 눕기 시작했다. 월요일 오후, 숨소리가 이상해서 죽어라 하고 병원 안 간다는 걸 억지로 들것에 실어 병원에 데리고 간 후, 겨우겨우 수액주사를 놓았고 하룻밤을 넘기고 다음 날 바로 수술에 들어갔다.

겨우 살아난 야옹구는 이틀 뒤 집에서 늘 하던 대로 오줌을 쌌고, "애, 당장 데려가세요"라는 처방과 함께 사흘 만에 집으로 돌아왔다. 마지막 주사를 맞히기 위해서 그다음 날 병원에 데리고 가면서, 정말 전쟁 같은 실랑이를 치렀다.

이 일련의 과정을 거치면서 제일 기억에 남는 것은, 야옹구를 끌고 병원에 처음 갔던 순간이었다. 사실 고양이가 꾀병이 없어서, 그렇게 수술을 받아야 할 정도로 아픈지는 아무도 몰랐는데, 치료가 가능한

지 혹은 그게 꼭 필요한지도 모르면서 검사를 받는 데 20만 원 가까이 내야 했다는 사실이다. 물론 나는 돈은 걱정하지 말고 가능한 검사는 다 해달라며, 야옹구가 잠깐 처치 받는 동안에 내가 낼 수 있는 돈은 다 냈다.

그날 오후 다시 전화를 받았는데 내장 계통이 문제인지, 생식 계통이 문제인지, 조형제 조사를 한 번 더 해야 한다는 거였다. 나는 무조건 해달라고 했다. 다음 날 아침에 드디어 문제를 찾아냈고, 의외로 간단한 수술로 야옹구는 살아났다.

경제학자로서 그 과정에서 새롭게 알게 된 문제점들은, 고양이 수술비용이 만만치 않다는 것과 함께 이명박 정권이 4대강으로 비게 된 세입을 맞추기 위해 반려동물에게도 부가가치세 '텐'을 물린다는 것이었다.

그러나 더욱 잊혀지지 않는 것은 이유도 가능성도 묻지 말고 일단 검사부터 시켜보자고 할 때 물어야 했던 20만 원…….

나는 지금도 그렇게 생각한다. 나처럼 고양이를 식구처럼 키우는 사람은 80만 원이 전체 치료비라는 것을 알면, 손해를 보든 혹은 빚을 내든 어떻게든 낼 것이라고. 그러나 묻지도 따지지도 말고 일단 검사부터 해보자고 20만 원을 내라고 한다면?

많은 사람들은, 꼭 대학생이나 알바생이나 20대 직장인이 아니더라도 그만한 돈을 선뜻 내기란 어렵고, 아마도 다시 집에 데리고 가서 생각 좀 해보겠다고 할 가능성이 높을 것이다. 반려동물이라 할지라도 그 생명 하나도 병원식 표현대로 보호자의 '능력'에 달려 있다는 것이 정말 무서웠다.

며칠 후, 깔대기를 쓴 야옹구를 무사히 집에 데리고 왔지만 얼마나 많은 사람들이 저 병원의 문턱에서 자신의 식구 같은 혹은 애인 같은 고양이를 그냥 집으로 데리고 왔을까. 그리고 그렇게 무지개다리를 건너게 했을까. 그런 게 눈앞에 너무 훤하게 보였다.

　정황상 여대생이나 알바생이 키우는 고양이었다면, 야옹구는 살아남기 어려웠을 것이다. 물론 돈이 많더라도, 꼭 살린다는 보장은 없다. 그러나 내가 가지고 있는 생명에 대한 기본적 상식이 동물병원 앞에서 "제발 애 좀 살려주세요"라고 매달리는 그 순간에도 흔들리고 있다는 걸, 난 느낄 수 있었다.

· · ·

　야옹구는 살아서 집으로 돌아왔고, 위를 누르고 있던 종양이 제거된 뒤에는 정말 맘껏 식사를 했다. 며칠 뒤 캡을 떼어낸 야옹구가 드디어 자기가 제일 안전하다고 느끼는 책장 위로 점프해서 올라가는 걸 본 순간 그래도 나는 내가 생명 하나를 구했구나, 그런 안도감을 잠시 느낄 수 있었다. 그러나 그 얼마의 검사비 때문에, 이런 기쁨을 느낄 수 없었던 많은 '캣마마'들의 아픔마저도 가슴에서 지울 수는 없었다.

　고양이의 생명마저, 보호자의 경제적 부에 의해서 결정되는 것인가? 나는 경제학자로 살아왔지만, 이 사실이 쉽게 받아들여지지 않았다. 어느 여대생과 같이 살았을 고양이가, 단지 주인이 돈이 없다는 이유만으로 '안락사'의 운명에 처해 진다면…… 나의 정서는 그걸 도저히 당연한 일로 받아들이지 못한다. 보험을 좀 더 체계화하거나 아니면 공제조합 형태라도, 즉 제도를 개선하면 벌어지지 않을 수도 있는 일 아닌가.

2

최근에 방송인 김미화 씨, 선대인 경제전략연구소장, 그리고 '나꼼수' 김용민 PD와 함께 「나는 꼽사리다」라는 팟캐스트 방송을 시작했다. 룸살롱이나 골프여행을 빙자한 국외 성매매관광 같은 문제들을 다루자, 남성들의 항의가 부쩍 늘었다. 왜 남자들의 천기누설을 하느냐? 모든 남자들을 적으로 삼고 싶으냐? 하는 항의에 시달린다.

한편으로는 반려동물 관리비에 붙여진 부가세 10퍼센트를 다루게 된 일, 20대 대학생들에게 사회적으로 과일을 챙겨 먹이자는 애기를 한 것 등은 보람된 일로 기억에 남을 것 같다.

. . .

경제학자는 세상을 돈을 중심으로 본다. 물론 나도 그렇다. 내가 분석하는 자료들은 대부분 금액 형태로 정리되어 있다. 작게는 몇 만 원 단위, 크면 경이라는 단위까지도 가게 된다. 내가 처음 다루었던 경은, 일본이 우정국을 민영화시키면서 국외로 튀어나오게 될 엔화의 규모였다. 그게 1경 원이었다. 아마 지금 막 대학생이 된 20대가 안정적인 일자리를 갖게 될 즈음에는 한국 경제의 규모도 1경 원 정도에 달하지 않을까 한다.

그렇지만 세상은 돈만으로 구성된 것도 아니고, 사람들의 일상성을 구성하는 많은 동기들이 꼭 돈이나 경제적 이유인 것만은 아니다.

선진국이 되면, 사람들의 행위의 절반 정도는 돈이 설명하지만 나머지 절반 혹은 그 이상은 돈과는 상관없는, 보람이나 가치 혹은 미학적이거나 예술적 이유로 더 많이 설명된다는 것이 나의 기본 가설이다. 물론 어느 사회에나 수전노는 있다. 경제학자라고 번역하는, economist라는 단어의 원래 의미가 바로 수전노다. 돈이면 벌벌 떠는 수전노, 사실 '가카'와 그의 친구들이야말로 대표적인 수전노들 아니겠는가?

지난 10년간, 우리는 아주 이상한 나라를 만들어놓았는데, 정작 그 속에서 떼돈 버는 작자들은 따로 있었다. 그런 얘기들을 더 많이, 더 다양한 사람들과 하고 싶었다. 그러나 내가 재미없는 피를 타고 태어난 것인지, 오래 아니면 많이 얘기하는 건 자신 있지만 재밌게 그리고 웃기게 하는 건 영…….

3

이번에 에세이집으로 묶은 글들은 마흔 살이 넘어가면서, 나의 일상성을 구성하는 것들 혹은 내가 내 또래의 친구들에게 하고 싶었던 얘기들을 모아놓은 거다. 일부는 블로그 등을 통해서 이미 공개된 것도 있고, 일부는 노트에만 적어놓은 것들도 있고, 아무튼 '마흔'이라는 모티브로 글을 쓰는 동안에 나의 신상에도 작지 않은 변화가 있었다.

첫 글을 쓸 때는 대학의 시간강사였고, 중간에 2.1 연구소라는 작은 연구소의 소장직을 맡기도 했으며, 지금은 타이거 픽쳐스라는 영화사의 자문을 맡고 있다. 영화 기획에 참여하고 있고, 시나리오 작업에도 관여한다. 이준익 감독과 그의 동료들이 요즘 나의 동료들이다.

대기업 소속 경제학자도 해봤고, 정부 소속 경제학자도 해봤고, 시민단체의 정책실장으로 집회 현장에 앉아 있는 경제학자도 해봤다. 원 없이 마이크를 잡고 대중들과 직접 만나는 일을 해왔는데, 현재로서는 가장 보람 있는 일이 영화사 소속 '이코노미스트'라고 할 수 있다. 영화라는 아주 매력적인 매체의 제작과정에 참여할 수 있고, 또 그들이 나를 기꺼이 동료로 맞아주는 일은, 돈과는 상관없이 정말로 보람을 느낄 수 있는 일이다.

아파트의 삶을 정리하고, 주택으로 이사 온 지도 이제 3년째다. 뭐, 당연하겠지만 고양이 소동, 쥐 소동, 보일러 소동, 여기에 집주인과의 크고 작은 실랑이 등 전세 사는 사람의 애환까지 일상이 시트콤 같은 일들의 연속이었다. 10년 가깝게 직장생활을 하다가, 그 후 몇 년은 녹색당 만든다고 전국을 행가래 치면서 다녔는데, 최근에는 아내가 출근하고 나는 집안을 이것저것 돌보는 일을 하고 있다.

소소한 삶을 꾸려나가기 위해서 이렇게 알아야 할 것들이 많았나, 일상이라는 것이 구성되기 위해서 이렇게 잔손질이 많이 가는 거였나, 이제야 조금 알게 된 듯싶다.

. . .

'1인분 인생', 이 질문은 나에게도 던져진 질문이다. 좋든 싫든, 나는 너무 어린 나이부터 많은 사람들을 대표해야 하는 삶을 살았고, 내가 어떻게 판단하느냐가 작게는 회사, 좀 크게는 국가, 그리고 아주 약간은 세계적인 영향을 미치게 되었다. UN 공식문서에 내 이름이 적혀 나왔을 때, 솔직히 그것 자체로도 진짜 기뻤던 건 사실이다.

그러나 내가 과연 1인분 인생을 살았던가, 혹시라도 많은 사람들의 묵묵한 희생 위에 나 혼자서만 잘난 척한 것 아닌가, 그런 걸 마흔이 넘어서야 슬슬 돌아보게 되었다.

어떤 면에서는 나도 너무 들떠서 살았던 20대와 30대에 대한 반성이기도 하고, 화려함 속에서도 결국 나 스스로를 돌아보지 못했던 나에 대한 재발견이기도 하다. 일상 속으로 들어가서 보니, 진짜로 내가 1인분의 삶을 살았는지, 그건 나도 잘 모르겠다. 때로는 이데올로기 한가운데에서, 때로는 정치 논쟁의 한가운데에서, 그리고 종종 니가 죽거나 내가 살거나 끝까지 가보자는 논쟁을 하면서, 정작 생활인으로서의 내 모습을 돌아볼 기회는 그렇게 많지가 않았던 것 같다.

· · ·

어쨌든 '40세' 그리고 '일상성'이라는 주제로 1년간 글을 쓰면서 배운 게 좀 있다.

사람이라는 게 아침에 일어나서 밥 먹고 일하고 또 그렇게 살아가는 동물적 존재라는 점, 그리고 일상의 안온이라는 게, 사실은 굉장히 불안한 균형이라는 점, 그리고 시대의 상황에서 자유로울 수 있는 자는 아무도 없다는 점, 그런 것들을 배웠다. 그리고 이런 배움조차도 무척이나 일시적이며, 불안정하다는 것 정도?

어쩌면 내가 알고 있는 그 어떤 것도 안정적이지 않고, 뭔가 안다고 하는 순간이 더 위험한 것이라는 점, 그런 걸 배운 것인지도 모른다. 따져보면, 뭔가 배웠다고 생각하는 게 더 위험한 덫이 될 수도 있다.

삶은 꾸질꾸질하고, 티 안 나는, 그렇지만 삶을 꾸려나가기 위해서는 꼭 필요한 자질구레한 일들의 연속이라는 걸, 나는 마흔이 훨씬 넘어서 그리고 아내가 출근을 시작하고 나서 겨우 조금 배웠다. 1인분 인생을 내가 살고 있지 않다는 걸 깨달은 다음, 나의 글들은 비로소 한숨 죽기 시작했다.

참 내, 산다는 게 생각보다 복잡타.

4

그래도 희망이 필요하기는 하다. 억지로라도 살면서 버텨야, 또 다음을 기약할 수 있지 않은가?

움베르토 에코가 『세상의 바보들에게 웃으면서 화내는 법』에서 서부영화에 나오는 우스꽝스러운 인디언에 대한 얘기를 한 적이 있다. 그들은 자신들이 있다는 걸 알리기 위해 마구 소리를 내면서 달려오고, 백인이 총을 쏘기 쉽게 가만히 선 표적이 되어주며, 자기 발밑의 돌멩이에 총알이 맞았음에도 불구하고 가슴을 부여잡고 쓰러지며……

이건 지난 수년간 KBS와 MBC의 9시 뉴스에서 보던 장면들과도 같다. 공무원들은 사고 친 회사들의 이름을 감추고, 시민들은 집회에 나온 사람들이 길 막히게 한다고 탓하고, 오늘도 대통령 내외분은 세계 평화를 위해 밖을 나돌고, 시민들은 여전히 꿋꿋하게 미래의 희망을 얘기한다.

2007년 이후로, 연말이 되면 보신각 타종식에 많은 시민들이 모인다. 혹시라도 그날 'MB 아웃'을 외치면 공중파에 나갈까 싶어서. 물론 2011년이 되자, 이젠 아예 연말연시에 모이는 시민들의 모습은

TV에 잡히지도 않는다. 한국 TV 공중파에 나오는 사람들은, 존 웨인과 그의 동료들이 아무렇게나 쏜 총을 정확하게 가슴에 맞고 쓰러지던 인디언들의 모습과 별로 다를 바 없어 보인다. 준비된 대사, 기획된 발언, 연출과 정제 그리고 때때로 통제, 그러나 진실은 그 안에는 없다. 어떻게든 그 안에 비록 파편적이지만, 우리가 살아가는 모습들을 밀어 넣으려고 해야 할까, 아니면 TV라는 것은 처음부터 의도된 '바보상자'일 뿐이므로 외면하는 것이 옳은 것일까?

. . .

어쩌면 우리는 모두 외롭고, 모두 불신하고, 때때로 과잉적으로 열광에 빠져들기도 한다. 그러나 돌아보면 여전히 삶은 구질구질하고, 자신의 삶에 만족하기가 어렵고, 내가 도대체 뭐 하는 걸까, 그런 의문이 들기 마련이다. 그런 생각들을 하면서 마흔 살을 넘겼는데 이제 나도 벌써 40대 중반, 한 가지 배운 것은 있다. 마흔을 지칭하는 불혹이라는 말은, 흔들림이 없다는 게 아니라, 문자 그대로 '혹시는 없다', 즉 이미 너무 많은 것들이 결정되어버렸다는 의미가 아닐까? 아직도 모르는 뭔가가 문득 튀어나와서 신데렐라 같은 스토리가 벌어지지는 않을 것이라는 것을, 너도 알고 나도 알고, 그런 삶이 마흔이라고 했던 것 아닐까?

성공, 의무, 희생, 무시, 자존감, 이런 단어들을 떠올렸을 때 문득 관통한 생각이, 나는 1인분의 인생을 살고 있는 것인가? 혹 누군가에 기대어 살고 있지는 않은가? 아내와 주변 사람들을 생각하면서 난 종종 이런 질문들을 하게 되었다. 하긴, 최소한 아담 스미스가 분업이 현대 사회의 출발이라는 걸 보여준 뒤부터 혹은 생태계의 고리 속에서 혼자 살아갈 수 있는 존재라는 것은 애당초 없다는 것을 우리가 깨달은 이후, 스스로 완결된다는 것은 애당초 환상일지도 모른다.

어쨌든 있는 그대로, 혹시 하는 생각을 끊임없이 지우면서 나를 둘러싼 삶이나 세상에 대해서 생각하다 보니, 어느덧 적지 않은 분량의 글이 되었다. 물론 이 질문에 대해서 내가 제대로 답을 찾은 건지 아직도 잘 모르겠지만, 너무나 강렬하게 다음 질문이 뇌리를 스치고 가면서, 한 번은 정리하고 매듭지을 필요가 생겨났다.

다음 질문은 '명박 시대', 우리가 비루하고 힘들게 살 수밖에 없는 가장 큰 이유가 바로 이것 때문이 아니었을까? 이 희한한 사나이는 반도에 사는 우리 모두를, 좌파든 우파든, 진보든 보수든, 좀 너저분하게 만들어버렸다. 다음 질문이, 아직도 남아 있는 앞의 질문을 밀어내는 꼴이 되어버린 셈이다.

. . .

'1인분 인생' 혹은 '혹시는 없다'라는 질문을 같이 고민하신 분들과 다음에는 '명박 시대'라는 진짜로 구질구질한 질문으로 또 만나고 싶다. 이 땅에 발붙이고 하루하루를 살아가는 사람들은 그 누구도 피할 수 없는 질문들, 이미 막혀버린 TV에서는 이런 얘기들을 아무도 안 해주니, 우리끼리라도 좀 생각을 해볼 수밖에 없지 않은가?

철학하는 고양이라는 의미의 본명, 헤게루. 별칭 쌌지 혹은 쌴나 미르달.
그러나 본인이 "진짜로" 알아듣는 이름은 야옹구, 그래서 당신 이름은 결국 "야옹구".

우리 집 야옹구는 늘 더러운 물을 노린다. 그리고 그걸 정말 맛있게 먹는다.

화분에 물 주고 나면 화분 받침에 고이는 물, 이게 선호도 1번이다. 설거지통에 남아 있는 물, 이 것도 엄청 좋아한다. 고양이 등쌀에, 일단 설거지를 시작하면 한 번에 끝내야지, 깜빡하고 세제가 남아 있는 물을 방치하면 고양이에게 풍풍을 먹이게 되는 사단이 벌어진다. 그러나 뭐니뭐니해도 야옹구가 별미로 생각하는 물은 변기에 있는 물…… 어쩔 수 없이 변기 뚜껑을 꼭꼭 닫아놓고 다녀야 한다만. 잠시 방심해서 뚜껑을 열어놨다가 똥물 먹고 있는 장면이 딱 보였다. 황급히 뚜껑 을 닫았는데, 완전히 쭈쭈바 먹다가 쭈쭈바 뺏긴 다섯 살짜리 표정을 짓는다.

간만에 맛있는 걸 좀 먹는데, 어른이 그걸 뺏어?

오늘도 녀석에게 당한 난 새로운 별명을 하나 붙여주었다.

똥 고양이.

똥 고양이, 똥 고양이, 뭐라고 핀잔을 주니 딴청을 피운다.

진짜 다섯 살짜리 혼내면 딴청 피우는 것과 똑같은 표정이다.

똥 고양이.

유일한
자신의 삶조차
자기답게
살지 못한다면

낮은 곳으로,
낯선 곳으로

　　　　　　　　살다보면 중요한 전환점이 되는 해가
누구에게나 한두 번은 있기 마련인데, 내 경우에는 2002년이 그랬
다. 당시 나는 총리실에 파견근무 중이었는데, 진짜로 공무원으로 살
아가야 할지, 아니면 원래 있던 학자의 자리로 돌아가야 할지, 한 번
쯤은 결정을 해야 했던 순간이었다. 그러나 생각을 시작한 첫 순간
은, 그런 큰 눈이나 혹은 체계적인 생각으로부터 나온 것은 아니었다.

　핸드폰 사용이 지금처럼 빈번하지 않던 당시, 신년이 되면 새 수첩
에 연락처를 옮겨 적는 게 한 해를 맞는 큰 행사였던 시절이었다. 그
때 이름과 전화번호를 옮겨 적으면서 가만히 보니, 내 수첩에 적힌
사람 중 절반 이상이 다 박사들이었다. 당연한 게 여러 연구소의 일
들을 조율하는 게 내 일이었고, 공무원들도 연구관 같은 사람들이 많
았으니, 나는 박사들과 고위급 공무원들 그 사이에서 일상을 보내고
있었던 것이다.

　순간 내 머리를 꽝하고 지나간 생각이 있었으니…… 뭔지는 몰라
도, 내 인생이 어딘가 단단히 잘못되어 있다는 생각이 들었다. 상사

와 파트너들은 물론이고, 내 부하직원들도 만만치 않은 학력들을 가지고 있는, 나름 국제업무를 위해 고르고 골라 뽑은 친구들이었는데, 나는 너무 좁은 곳에서, 너무 높은 곳에서, 이 사회와 떨어져 고립되어 있다는 것을 문득 느끼게 되었다. 그러고 나서 지난 6개월간 나와 함께 저녁식사를 하거나 술을 마신 사람들을 떠올려보니 정말로 대부분의 시간을 박사들과 보냈고, 파트너로 일하는 공무원들도 중앙부처 사무관, 과장, 국장, 그냥 딱 봐도 힘 꽤나 쓸 만한 사람들이었다. 아니면 대기업 간부이거나.

생각해보니, 고등학교 친구들이나 대학교 친구들 만날 때 아니면 학부 졸업생들을 만날 기회도 별로 없었고, 당시 내 주변에는 고졸한 명 없었다. 간단히 말하면, 교수와 연구원 그리고 공무원들 사이에서 살아가는 내 삶은 기괴한 것이었고, 진짜로 '우리들만의 리그', 그 한가운데에 들어가 있었던 셈이다. 내가 만나는 시민단체도 중앙단체와 같이 아주 큰 것들이었고, 그 안에서도 창업자에 해당하는 지도자들을 접할 뿐.

나는 이렇게 살려고 공부한 것은 아니었다.

내가 만들고 싶은 사회도, 이렇게 높은 곳의 잘나신 분들이 더 편하게 사는 사회, 그런 것은 결코 아니었다. 그런데 내 주변에는 고졸도, 평범한 주부도, 10대도 없었다. 그때부터 삶에 대한 고민이 다시 시작되었다. 결국 나는 총리실 근무를 정리하고, 다음 해에 노무현 정부의 인수위원회가 구성되는 걸 보면서 결정적으로 사직을 결심했고, 그만두게 되었다. 내 주변에서는 그 결정을 지지해준 사람이 한 명도 없었지만, 난 내 삶에서 가장 잘 한 선택 중 하나가 그 선택이라고 생각한다.

· · ·

어느덧 그때로부터 10년이 지났는데, 내 주변에는 그때만큼이나 많은 사람들이 모여 있다. 많지는 않지만 지인 중에 고졸들도 좀 생겼고, 연구 작업 중에 만나는 10대들도 좀 된다. 한 달에 몇 번씩 만나는 사람들 중에는 진짜 그냥 순수 주부들이 많아졌고, 고학력자들은 이제 눈에 띄게 줄어들었다. 예전에는 정말 잘 몰랐지만 이젠 아는 농부들도 하나둘 생겨났다. 그리고 대학생을 포함해서, 20대들이 내 주변에 아주 많아졌다.

이런 변화는 내게 무엇을 가져다주었을까? 일단 마음이 아주 편해졌고, 삶에서 평온을 되찾았다. 높은 곳에 있거나, 쉬이 만나기 어려운 사람들과 지내는 것은, 그 자체로 긴장도가 아주 높은 일이다. 인위적인 관계를 유지하기 위해서는 긴장도도 높고, 뭔가 자연스럽지 않은 일들을 계속 해야 하기 때문이다.

오래된 친구들에게는 미안한 일이지만, 난 고등학교나 대학교 친구들이 모이는 모임을 안 나간 지 꽤 된다. 고등학교 때 내 주변의 친구들 그리고 대학 때 친구들, 모두가 그렇지는 않지만, 동창 모임이나 동기 모임에 나오는 녀석들은 그런대로 내세울 만한 게 있는 녀석들이다. 나이 먹을수록 고등학교 친구들밖에 남지 않는다고 말하는 성공한 중년 남자들을 보면서 그 말이 지닌 문제점들을 몰랐는데, 깨닫고 보니 그야말로 수컷들, 사냥꾼의 논리에 적합한 말들이다.

이젠 어린 시절을 같이 보냈던 친구들이 내 주변에 없지만 그 대신에 내 도움이 필요하거나, 뭐라도 좀 도와야 하는 사람들, 예를 들면 농촌이나 과수원으로 시집간 활동가, 그런 사람들이 많아졌고, 글 쓰는 것이나 책을 읽는 것으로부터 약간의 도움을 받고 싶어 하는 주부들을 포함한 여성들이 아주 많아졌다. 내 인생에서 한 번은 주변 사람들이 완전히 바뀌는 경험을 한 셈이다. 물론 오래된 친구들을 일부러 안 만나지는 않지만, 될 수 있음 동창 모임이나 동기 모임 같은 데, 특히 성공한 남자들이 줄줄이 모이는 그런 자리는 안 가려고 한다.

· · ·

영화 「사운드 오브 뮤직」을 보면 "신은 한쪽 문을 닫을 때 반드시 다른 한쪽 문을 열어놓는다"라는 대사가 나온다. 이 영화를 난 초등학교 6학년 때 처음 보았는데, 이 대사가 아직까지 기억에 남는다.

살면서 한 사람이 만날 수 있는 지인, 주변에 같이 머무를 수 있는 사람의 숫자가 그렇게 무한대인 것은 아니다. 그걸 너무 상층부, 특수계층으로 채우고 나면, 점점 더 세상의 보편적 변화와 일반적 흐름과는 무관한 삶이 되어버린다. 자신을 '강남 사람' 혹은 '여의도 사람'으로 규정하고 싶어 하는 것은 폐쇄적인 우파들만 그런 건 아니다. 힘들고 어려운 길을 걷기로 결심한 좌파들도, 스스로 노력하지 않으면 운동권 엘리트 그룹의 한가운데에서 동창과 친구를 통해 일을 처리하고, 결국은 그렇게만 우정을 나누는 일이 종종 벌어진다.

누구를 만나는가, 누구와 우정을 나누는가, 그런 게 어느 순간부터는 자신의 생각과 삶 그리고 영혼의 무게를 결정한다. 그건 진짜 맞는 말이다. 대체적으로 마흔쯤에 사람은 누구와 생의 후반부를 같이 지낼 것인가, 한 번은 그런 것을 결정하게 된다. '네트워크 사회'라고 사람들이 설레발치는 얘기들은 사실 중세시대, 귀족들의 끼리끼리 놀이의 현대판에 다름 아니다.

선택이다. 나는 더 낮은 곳으로 그리고 더 낯선 곳으로, 그걸 선택했다. 아마 대다수의 사람들은 그것과는 정반대의 원칙을 세울 것이다. 더 높은 곳으로, 더 익숙한 곳으로.

두 가지 길이 있을 때 무엇을 선택할 것인가? 더 낮은 곳, 더 낯선 곳, 그걸 선택할 수 있는 마지막 나이가 마흔쯤이 아닐까 생각한다. 그때에도 위로 올라가려 하고, 더 신분을 높이려 하고, 더 동질적인 끼리끼리의 삶을 추구한다면, 결국에는 한나라당에 투표하는 사람이 되지 않을까 싶다.

지금 한국의 주류 사회는 사람들에게 '더 높은 곳으로, 좁게 그리고 끼리끼리', 그렇게 지내라고 한다. 그게 명박 세대의 사람들이 우리에게 펼쳐 보여준 삶을 살아가는 방식이다.

쉘 실버스타인의 『아낌없이 주는 나무』에는 소년과 나무의 평생에 걸친 길고 긴 우정에 관한 얘기가 나온다. 물론 나무는 주기만 하고, 소년은 별로 고마운 줄도 모르고 받기만 한다. 어린 시절, 누구나 한 번쯤은 이 얘기를 접하게 되는데, 물론 소년의 시선에 눈을 맞추고 본다. 그러니 그 시절 우리는 모두 어린이였던 거다. 마흔이 되면, 사실 우리는 이제 누군가에게 나무가 되어주어야 한다. 정신적인 것이든 물리적인 것이든, 이제 받아야 할 것보다 주어야 할 것이 더 많아진다. 그런데도 무엇인가를 계속 받으려는 소년처럼 게걸스럽게 손에 쥐려고만 하면, 정말 추한 꼰대로 늙어갈 뿐이다.

한 번쯤 자신의 주변을 돌아보시라. 골프 같이 치는 사람들, 술 같이 마시는 사람들, 자신과 정치적 견해가 같은 사람들 혹은 동창과 동기들, 그렇게만 구성되어 있다면 좀 문제가 있는 거다. 지나치게 힘을 숭상하는 것이고, 비판을 듣는 귀를 닫고 있는 것이며, 자신을 돌아볼 수 있는 기회 자체를 차단하는 것이다.

· · ·

인생은 길다.

그 나머지 시간을 허무하게 안방 도련님처럼 지내고 싶지 않다면 늘 낮은 곳으로, 늘 낯선 곳으로, 그런 마음과 자세로 주변을 구성하는 것이 좋다. 낮은 것은 사회를 위한 것이고, 낯선 것은 자신을 위한 것이다. 그래야 늙어가는 인생이 허무하지 않은 여행의 연속과 같아질 수 있다.

사람은 스스로 성찰할 수 있는 존재가 아니라, 주변 사람들에게 거울처럼 비친 자신의 모습을 보고서야 비로소 성찰이 가능한 존재다.

너무 비슷한 사람들끼리 '덩더쿵 덩더쿵', 그렇게 보내다가는 어느 날 문득 한나라당 할아버지들처럼 바뀌어버린 자신의 모습을 발견하고 놀랄지도 모른다.

나는 누구인가,
피부인가,
정신인가?

사람은 사춘기를 겪으면서 어른이 되고, 어른이 되는 순간에 제일 처음 갖게 되는 질문이 '나는 누구인가?', 이 질문일 것이다. 물론 답은 없다. 언제나 묻고 또 물어도 답은 없거나, 아니면 임시적이고 잠정적이다.

나는 누구인가? 처해진 상황과 조건에 따라서 답은 변한다. 그런 질문 따위는 하지 말라고 하거나, 아니면 네가 걸치고 있는 옷이나 핸드백이 네가 누군지 말해준다는 그런 시절이 우리에게도 있었다. 지난 10년을 경제 근본주의 혹은 속물들의 시대라고 부르는 것은, "네가 가진 돈이 얼마인지가 바로 너야, 그리고 그 돈으로 구매할 수 있는 최대한의 구매가 바로 너야", 그렇게 말하던 시기였기 때문일 것이다.

한 가지 확실한 것은 신의 이름을 빌린 신성한 답변이든, 아니면 벤츠와 샤넬로 표상되는 속물적 답변이든, '내가 누구인가?', 이 질문을 품지 않고, 거기에 답하려고 하지 않는 사람은 성인이 되지 못한다는 사실이다. '엄마 아들', '아빠 딸', 이런 것으로 내가 누구인지 설명이 될까? 물론 설명되지도 않지만, 그렇게 간단하게 이 질문을 넘어가는 사람들에게 삶의 성숙이란 존재하지 않을 것이다. 답은 없지만, 그래도 그 질문을 던지고 스스로 답해보려고 시도하는 게 정말 중요하다.

· · ·

디디에 앙지유Didier Anzieu라는 프랑스 심리학자는 '피부적 자아(le moi-peau)'라는 개념을 통해서 미성숙한 사람들이 살아가는 방식을 얘기해 한때 센세이셔널한 돌풍을 일으킨 적이 있다. '피부적 자아'라는 테제는 비교적 간단하다. 생물학적으로 우리가 자신을 구분하는 것은 바로 피부라는 것인데 피부 안쪽은 자기, 피부 바깥쪽은 자기가 아닌 것, 그렇게 생각하는 것이다. 물리적으로 생각해보면 더 단순하다. 특별히 우리는 자신의 존재에 대해서 고민해보기 전에는, 사실 껍데기를 중심으로 자신을 생각하게 된다.

그렇다면 사회적으로는 어떨까? 사회적 존재로서 자신을 규정하는 피부를 만들어내지 못한다면? 이 경우에는 '사회적 피부'를 가지지 못한 경우인데, 피부 없이 살아갈 수는 없으므로 결국 남이 만들어놓은 피부를 자신을 규정하는 틀로 여기고 살아가게 된다. 민족, 국가, 거대 조직, 이런 것들이 사회적으로 미성숙한 사람들이 빌려 쓰는 사회적 피부라는 게 디디에 앙지유의 테제인 셈이다.

대기업이나 공기업에서 평생을 지냈던 사람들 중에는 은퇴 후에도 자신이 소속된 기업의 일원이라는 생각 혹은 그 시절의 문화를 가지고 여생을 살아가는 이들이 종종 있다. 국가를 피부로 사용하는 사람들은 종종 극단적 쇼비니스트가 되거나, 국가와 개인이 분리되는 지점을 잘 구분하지 못한다. 국가의 번영과 개인의 행복이 기계적으로 일치하지 않아도, 그냥 국가를 자신과 동일시하는 것이다. 즉, 미처 자신만의 피부를 만들어내지 못한 사람은 국가에게서 자신의 희로애락을 찾는다. 일종의 미성숙인 셈이다. 국가에 개인의 행복과 기쁨 혹은 슬픔 같은 것을 기계적으로 적용할 수 있을까?

이런 거대 조직으로부터 자신의 사회적 피부를 빌리는 사람은 그래도 좀 낫다. 자신이 소비하는 것 혹은 걸치는 것으로부터 사회적 피부를 빌리는 사람들의 삶은, 개개인으로 들어가서 보면 엉망진창인 경우가 더 많다. 원체 자본주의 사회는 이런 경향이 있지만, 2000년대 이후는 '마케팅 사회'라고 불릴 만큼 유통 자본의 힘이 커지고, 독과점 경향이 강해지면서 마케팅이 한 사회의 움직임을 규정할 정도로 특징적인 상황이 되었기 때문에 그 경향이 더 심하게 나타났다. 자신이 타고 다니는 차나, 자신이 걸치고 있는 옷이 자신의 피부라고 믿게 된다면…… 정신적으로도 황폐해질 뿐만 아니라, 경제적으로도 황폐해진다.

그래서 자신의 소비가 만들어주는 사회적 피부가 자신의 존재 의미이자 동시에 자존심이라고 생각하는 분들에게, 그리고 한 번도 그런 것을 의심해본 적이 없는 분들에게 헨리 데이빗 소로우의 『월든』이라는 책을 권해드리고 싶다. 그는 미국을 대표하는 지성 중 한 사람으로 전쟁에 사용되는 세금은 거부하겠다며, '시민불복종'이라는 개념을 최초로 실천하기도 했다. 그가 월든 호숫가에서 머무르면서 세상과 자연에 대해서 생각했던 것들을 담은 책이 바로 『월든』인데,

쇼핑중독 속에서 자신이 소비하는 게 자신의 사회적 피부라고 생각하는 사람들에게는, 어떤 종교적 대화나 심리 상담보다도 많은 것을 생각하게 해줄 것이다.

. . .

우리는 때때로 애국자이고, 때때로 민족주의자이며, 때때로 효자이거나, 때때로 불효자이기도 하다. 또, 우리는 때때로 자식에게 자신을 투영하는 지독한 극성 부모이거나, 때때로 자식의 결정권을 박탈하는 청소년 학대자이기도 하다. 그리고 때때로 지름신의 강림에 따라 뭔가를 구매하지 않으면 미칠 것 같고, 다른 사람들이 나를 어떻게 볼까, 그런 것에 잠 못 이루기도 하는 약한 존재이기도 하다. 그러나 그 어떤 것 중 하나가 자신의 영혼을 온전히 가져가서, 완벽하게 자신의 피부가 된다면, 그에게 삶은 매우 고단하고 피곤한 날들의 연속이 될 것이다. 그리고 나이를 먹으면 먹을수록, 더욱더 유아적 퇴행 현상을 겪게 될 것이다.

프랭크 허버트의 기념비적인 SF소설 『듄Dune』에서는 악마에 대한 정의를 이렇게 내린다. "악마란 자신의 기억 안에 있는 어떤 특정한 존재가 자신을 완전히 지배하는 것." 좋은 사람이건 나쁜 사람이건, 무엇인가 혹은 어떤 사상이 자신을 100퍼센트 설명할 수 있게 되면, 그게 바로 악마라는 얘기다.

인간이 어른이 된다는 것은, '나는 누구인가?', 그 질문을 시작하면서 더욱 복합적이고 다면적인 존재가 된다는 것을 의미한다. 인간은 때때로 사악하고, 때때로 고결하고, 때때로 순진하며, 대체적으로는 생각을 귀찮아하는 존재가 아니든가. 아무리 나쁜 사람이라도 24시간 내내 악마의 속성만을 가지고 있지는 못한다. 아무리 좋은 사람이라도, 24시간 내내 순수함만 가지고 있지도 못한다. 그러나 어느 한 극단에 사로잡히면 악마가 되거나 미치거나, 그러다 보면 주위 사람들이 너무너무 피곤해서 같이 있는 걸 꺼려할 것이고, 결국 그는 외롭게 고립된다. 삶이 원래 그런 것이다.

. . .

나이 마흔, 단순함과 복잡함이 교차하는 순간이 오는 듯하다. 복잡하게 생각했던 것은 의외로 별 거 아니라는, 마치 뭔가 깨달음의 마음이 한편에 있다. 그러나 동시에 단순하다고 생각했던 것들은 의외로 복잡하게 느껴져서 세상은 역시 어렵다고, 다시 마음 한편이 무겁다. 그런 게 교차하는 게 나이 마흔이 아닐까 싶다. 철석같이 자신의 피부로 사용하고 있던 조직에서는 슬슬 나가라고 하고, 그렇다고 태극기를 흔들면서 국가대표팀을 응원한다고 해서 마냥 행복한 것은 아닌 듯싶고.

아마 매번의 나이 대를 거치면서 사람이라면 응당 '나는 누구인가?', 그런 질문을 해볼 것이다. 10대 사춘기를 시작으로 20대, 30대 때에, 각각의 버전으로 한 번쯤 그런 질문을 던졌을 때 돈이나 벌자, 취직이나 하자, 그렇게 단순하게 그 질문에 답했을지는 몰라도, 그 질문 자체를 하지 않는 사람은 없다.

마흔 살이 되면, 이 질문을 한 번 더 하게 된다. 이젠 주변에 같이 지내는 식구들이 늘어나서 대답하기가 더 복잡해지고, 이 나이에 새삼 무슨 그런 질문을, 이렇게 뭉개고 싶을지 몰라도, 돈이 우리 가치를 대체하지 못한다는 걸 한 번쯤은 생각해보았으면 한다. 마흔이 넘었는데도 역시 돈이 자신을 설명한다는 생각이 들면, 아직 사회의 주축이 될 만큼 충분히 성숙하지 못한 것인지도 모른다. 그 나이가 되었는데도, 나의 탈 것이 나를 설명한다며 벤츠를 타야 한다고 생각한다면, 장난감 권총을 들고 신났던 초등학생 단계에서, 결국 조금도 벗어나지 못한 것인지도 모른다.

나는 누구인가? 무엇이 자신에게 중요한 것이고, 무엇이 나의 피부인가? 그 질문을 피하지 않았으면 한다. 답은 없다. 그러나 그 질문을 그냥 피하려고 한다면…… 20년이 지나, 이제 새로 무엇인가를 하는 게 아주 어려운 예순 즈음에 그 질문과 다시 마주할 수밖에.

· · ·

혹 마음의 여유가 되면, 누구도 절대 피해갈 수 없는 이유도 논리도 없이 찾아오는, 존재의 물음에 관한 영화, 잉그마르 베르히만 감독의 「제 7의 봉인」을 보면 좋을 것 같다. 스물두 살 때에 나는 이 영화를 보면서 영화관에서 졸았다. 서른 살 때에는, 그래도 좀 즐기면서 봤다. 마흔이 넘어 다시 보니, 이제 남의 일 같지가 않았다. '십자군에서 돌아오던 어느 중년 기사의 고뇌', 그게 우리들이 한 번씩 만나게 되는 질문일 것이다. 과연 우리의 사회적 피부는 무엇일까?

　　　　　　　최근에 중고등학생 자녀를 둔 부모들
과 간단한 자리를 가진 적이 있다. 자식을 위해서 무엇을 해주어야
하느냐는 질문에 망설일 것도 없이 나는 "스무 살에 독립시킬 준비
를 해주세요", 그렇게 대답했다.

　나는 일반적인 한국인들과는 조금은 다른 가정의 모습을 그리는
데, 즉 스무 살에 집을 나와 결혼이 아니라 동거를 하는 그런 독립적
삶을 지지한다. 실제로 나 역시 스무 살에 집에서 나왔다. 스무 살이
되어서도 부모와 생각이 잘 맞는 아주 독특한 유형의 사람들도 있겠
지만, 아마 정상적인 사람이라면 그게 그렇게 쉽지가 않을 거다. 꼭
정치적 견해의 차이가 아니더라도 문화적으로나 정서적으로나, 스
무 살이 넘으면 부모와 본격적인 갈등이 시작된다. 참을 수도 있지
만, 세상에 공짜는 없으므로 참는 만큼 자기도 뭔가 대가를 치르고
있는 셈이다. 그게 바로 '미성숙'이라는 대가 아닐까? 자신이 스스로
의 삶을 책임지지 못하는 것, 그것은 경제적 의미로서의 미성숙이자,
동시에 문화적 의미로서의 미성숙이기도 하다.

내가 성인이 된 것도 대학에 들어간 순간이 아니라, 집에서 나온 그 순간이었다. 그때야 비로소 '1인분'이 된 셈이고, 부모나 선배 혹은 기타 등등에 의탁하지 않고 스스로 판단을 내린 것 같다. 사회의 모순이니, 한국 사회의 비극이니, 그런 것들을 나는 책에서 배운 것이 아니라, 사실 집 나오고 나서 몸으로 부딪혔던 현실에서 배웠다. 『88만원 세대』로 시작된 경제대장정 12권 시리즈는 처음 집을 나와서 학교 앞 독서실에서 살았던 그 시절의 나에게 보내는 한국 사회의 대안과 같은 내용이기도 하다.

　그건 사회주의에 대한 꿈 혹은 자본주의에 대한 비판 위에 세워놓은 것도 아니고, 계급이론이나 자본론 위에 세운 것도 아니다. 그 출발은 첫 섹스와 동거에 관한 이야기로부터 시작된다. 시리즈 1권인 『88만원 세대』에서 그 얘기를 20대 버전으로 했지만 사실은, 전체적으로는 나의 스무 살에 바치는 사회적 대답이었다.

　그 시절, 나는 돈도 없었고, 늘 배가 고팠다. 집을 나오면, 누구나 그렇게 된다. 그때 난 내가 하고 싶은 게 진짜로 무엇인지, 독서실에서 의자를 붙여놓고 쪽잠을 자면서 곰곰이 생각해보았다. 나는 공부를 하고 싶었다……. 그게 아마 내가 최초로 찾은 답이었던 것 같다.

　중고등학생 자녀를 둔 학부모들에게, 그래서 내가 꼭 해주고 싶은 얘기가 바로 자식을 스무 살에 독립시킬 준비를 하라는 것이다.

　한국은 개떡 같은 나라다.

　자식 혼자 바깥으로 나가면, 정말 개고생 하는 것은 사실이다. 그래도 자식을 스무 살에 독립시킨다고 생각하면, 자식이 10대일 때부터 독립하기 위해 필요한 것들을 가르쳐줄 수 있을 것이다. 혼자서 살아가기 위해서 필요한 것들, 그건 대치동이나 목동에서 절대로 가르쳐주지 않는 것이다. 그리고 그런 생각을 하기 시작해야, 비로소 남의 자식도 눈에 들어오고, 사회도 눈에 보일 것이다.

탈무드의 말이 맞다.

"고기를 잡아주는 게 아니라 고기를 잡는 법을 가르쳐줘라."

그러나 한국의 부모들은 자식들에게 고기를 쥐어주려고만 한다. 내 몫의 고기가 있다는 생각이 자식을 부패하게 만들고, 불의로 이끈다는 생각은 전혀 고려치 않는다. "불의에 타협하지 말라"고는 못 가르칠망정 자기 자식을 '시대의 불의'로 만드는 것은 우리 모두에게 불행한 일이다. 10년이 지나 우리가 명박 시대를 아주 어두웠던 과거로 회상하게 될 때, 그 어둠의 기준은 과연 무엇일까?

나는 20대에 독립하는 청춘이 많아지고, 자신이 사랑하는 사람과 동거하는 대학생과 청춘들이 많아지면 우리가 잘 살게 될 거라고 생각한다. 부모 없으면 스스로 세상을 살아갈 수 없는 청춘이 많다는 건, 그게 바로 사회가 망해가고 있고, 망할 것이라는 증거 아닌가?

스스로 삶을 살아갈 수 있는 힘을 키워주는 것은, 사교육이나 학원이 할 수 없는 부모만의 고유역할이자 책임이다.

나는 정말 무엇을 하고 싶은가? 그 질문이야말로 독립한 상황에서 처음 맛보는 욕망이라고 생각한다. 스스로 삶을 살아가는 순간이 와야 자신이 정말로 무엇을 하고 싶은지, 그야말로 자기 내면의 욕망을 알게 된다. 그전에 자기가 진실이라 믿었던 것들은, 지독할 정도로 잔인한 현실 앞에 서면 다 거짓말이 된다.

정말로 소망하는 것을 스스로 찾아낼 수 있도록 스무 살에 자식을 독립시킬 준비를 부모가 해주는 것, 나는 그게 부모와 자식이 정상적으로 행복을 찾을 수 있는 길이라고 생각한다.

. . .

행복은 진실로, 돈이나 지위나 학위나 그런 게 만들어주는 것이 아니다. 내 경우를 보더라도, 내가 가장 돈이 많고 가장 높은 위치에 있던 그때, 나는 우울증 중증이었고 가장 불행했었다.

자신이 정말 하고 싶은 일을 할 때 행복하고, 누군가를 돕고 있을 때 행복한 것, 사람은 원래 그렇게 디자인되어 있는 존재다. 헤겔의 말을 빌리자면 '유적 존재', 즉 개별적이 아니라 하나의 무리로 인간으로서의 의미를 가지게 되는 존재, 그게 바로 인간이다.

처음으로 독립하고, 스스로 삶을 살아가면서 진짜로 하고 싶은 것을 생각하는 순간, 그 순간이 우리 모두에게 와야 할 것이다. "오늘 나는 대학을 그만둔다, 아니 거부한다"고 외친 '김예슬 선언'을 내가 축하해준 것은 그런 의미에서였다. 그는 스스로 성인식을 치렀고, 이제 그가 정말로 원하는 것을 찾기 시작할 것이다. 누구나 그렇게 선언할 필요가 있다고는 생각하지 않는다.

그러나 누구나 1인분의 삶을 살 자격이 있고, 그 권리가 있다는 것을 잊지 않았으면 좋겠다.

혼자
떠나는 여행,
처음으로

　　　　　　　사람이 성숙해진다는 건 정말 복합적
인 의미인 것 같다. 경제적 독립, 정신적 독립, 이렇게 객관적으로 보
이는 것도 있지만, 크고 작은 경험들이 사람을 성숙하게 만들기도 한
다. 물론 너무 극한의 경험을 하게 되면, 거기에 마음이 갇혀 더 이상
나오지 못하는 경우도 있긴 하지만.

· · ·

　　마흔 살 먹은 아빠들과 가끔 자녀들의 교육에 대한 얘기를 할 때가
있다. 그들은 정말 자녀의 삶에 대해서 제대로 알고 있는 경우가 거
의 없다. 그야말로 대화 부족 혹은 집안에서의 소외와도 같다. 만약
아빠들이 나선다면 중고등학생 교육에 조금 도움이 될까? 그런 생각
을 가끔 해본다. 과연 아빠들도 사교육에 대해서 찬성할까? 그렇지
않은 경우도 많지만, 이미 자녀교육에 관한 권한은 엄마에게로 넘어
간 지 오래고, 학원에 가지 않고 놀 수 있게 해주고 싶어도, 엄마의
권능에 밀려 도무지 발언권이 없다고 하는 아빠들이 많다.

아빠는, 집안에서 지워진 존재다. 돈 많은 우파 아빠들은 바깥에서 돈 벌어오고, 사실상 골프 아니면 룸살롱이 전부인 작은 정치하느라고 아주 바쁘다. 돈 없는 우파 아빠들은 자신이 벌어다주는 돈이 너무 적어서 그런지 집에서 영 목소리를 내지 못하는 것 같다. 돈 없는 좌파 아빠들은 2퍼센트 지지 받는 정치운동을 하거나, 아니면 도저히 모이지 않는 시민들을 모으는 일을 한다고, 집에서 대화할 시간이 없는 것 같다. 돈 많은 좌파 아빠, 조국 교수 말고는 거의 본 적이 없는 것 같다.

자녀들에게 엄마만 필요하고 아빠는 필요 없는 존재일까? 그렇지 않을 테지만, 어쨌든 한국에서 40대 남성들, 아빠라 불리든, 아버지라 불리든, 자녀들에게 존재감 없어진 지는 정말로 오래된 것 같다.

엄마가 교육을 전담한다고 해서 반드시 나쁘다고 생각하지는 않지만, 지금의 엄마공동체, 특히 강남이나 목동과 같은 아파트를 모집단으로 하는 엄마들의 교육공동체, 이건 좀 무서울 정도다. 초등학교에서 축구팀 만드는 작은 행위에도 지나치게 많은 의미를 부여해서 그때 친구들이 평생을 간다고, 자기들끼리 똘똘 뭉치는 걸 보면서 솔직히 무서웠다. 목동 엄마들이 교육을 놓고 하는 얘기를 보면서, 나는 내가 사람을 보고 있는 건지, 엄마라는 이름의 악마를 보고 있는 건지, 그런 생각이 들 정도였다(대치동 엄마들도 살벌하기는 마찬가지이지만, 지독할 정도의 폐쇄성은 오히려 목동이 더한 것 아닌가 싶다).

인생에 도움이 될 거란 생각에 이렇게 묶어놓고 엄마표 프로그램을 돌리다 보면 딸이든 아들이든 오히려 미성숙을 강화시키고, 정신적 독립을 늦출 뿐이다.

엄마와 아빠가 똘똘 뭉쳐서 죽어라 하고 학원 보내야 한다는 어느 부부를 본 적이 있는데, 이 사회가 그렇게 무서운 집에서 자라는 자녀들에게 어떤 프로그램을 제시해줄 수 있을까? 그런 고민이 문득 들었다. 부모의 지나친 관심은, 때로는 자녀의 미성숙, 정신적 발육부진을 낳게 된다고, 그렇게 공익광고라도 돌려야 하는 것일까? 자녀교육을 너무 방치하는 것도 학대이지만, 지나친 교육열도 부모의 정신세계의 궁핍함을 자녀를 통해 보상받으려 하는, 다른 의미의 학대인 셈이다.

. . .

이렇게 바꿔서 질문을 해보자. 자신의 자녀가 몇 살에 혼자 여행을 떠나는 것이 좋을까?

우리에게는 모두 처음으로 혼자서 여행을 떠나는 순간이 온다. 그게 언제면 좋을까? 내 경우는, 좀 늦었던 것 같다. 대학생이 되어서야 혼자 여행을 떠날 수 있었으니 말이다. 대학교 1학년 겨울방학 때 눈이 하얗게 내린 어느 겨울, 세상이 너무 답답하고 이것저것 다 귀찮고 아무 생각도 하기 싫어서 삭발을 하고는 무작정 강릉으로 떠난 적이 있다. 강릉에서 속초까지 정말 아무 생각하지 않고 걷기만 했는데 그때가 아마 크리스마스 이브라고 기억한다. 국도 변의 빈 초가집에서 잠깐 눈을 붙이고 그렇게 그냥 걷기만 했는데, 아마 그날 내가 어른이 되지 않았을까 싶다.

중3에서 고1 사이, 그 시기에는 혼자서 여행을 떠날 수 있고, 그럴 수 있도록 도와주는 게 아빠가, 혹은 부모가 해야 할 최소한의 의무가 아닐까. 요즘은 그런 생각이 든다. 기차를 타고 작은 간이역을 거치면서 완행열차를 타는 2박 3일짜리 여행, 그걸 중학교를 졸업하고 고등학교에 들어가기 전, 한 번쯤 거칠 수 있다면…… 그게 너무 이를까?

긴 인생을 놓고 보면, 소년이든 소녀든 혼자 기차를 타고 어딘가 여행을 가봤다는 사실 자체가 큰 자산으로 남을 것 같다. 성적 등수 쪼가리, 이건 인생에서 아무것도 아니다. 눈 내린 간이역에서 혼자 앉아서 자판기 커피라도 한잔 마시면서 소년은 어른이 되고, 소녀는 자유를 느낄 것 같다. 사람은 그런 작은 경험들과 기억들을 가지고 어른이 되는 거지, 학원 한 구석, 공장 틀에 찍어내는 듯한 그 밀폐된 공간에서 어른이 되어가는 건 아니다.

품 안의 자식이라, 한국의 엄마들은 자식을 품으려고만 하고, 아빠들은 아무 관심이 없다. 그러나 중학교를 졸업하는 그 시점 정도에서, 자연스럽게 품 바깥으로 나갈 수 있게 해주는 게 진짜 가정교육이 아닐까 싶다. 처음으로 혼자 떠나는 여행, 그런 걸 부모들이 준비해주고, 혼자 살아갈 수 있는 성년을 준비해주는 것, 우리의 교육 프로그램이나 가정교육 내에, 그런 식의 성숙된 삶을 위한 고려가 너무 없었던 것 아닌가? 우리는 미성숙을 강화시키는 방향으로 줄곧 달려온 거 아닌가?

경제적 부가 행복을 만들어준다고 지독할 정도로 믿었던 경제 근본주의의 시대에, 정작 우리는 어떻게 하면 성숙한 삶을 살 수 있는지, 뭐가 인간을 강하면서도 동시에 부드럽게 만들어주는지, 그런 기억들을 너무 잊고 지냈던 것 같다.

돈이 삶을 풍요롭게 만들 것 같지만, 사실 그렇지가 않다. 기억, 추억, 경험, 이런 것들이 길게 보면 인간의 삶을 풍요롭게 만들어준다.

. . .

난 40대 아빠들에게, 자녀들이 혼자 떠날 수 있는 여행을 준비해주자는 얘기를 하고 싶다. 학원 빠지면 큰일난다고 믿고 있는 엄마들에게, 삶은 그런 게 아니라고 아빠들이 한 번쯤 말하는 순간, 자녀들의 운명이 바뀌고, 우리 사회의 운명이 바뀔 수 있다.

학원 이틀 안 가도 아무 일도 안 벌어진다. 그러나 혼자 여행을 떠나본 10대, 그들의 삶은 확실히 바뀐다.

여행, 그것은 일상으로부터의 단절이며, 동시에 익숙한 것으로부터 멀어지는 것이다. 그럴 수 있는 기회를 자녀에게서 원천적으로 박탈하는 것, 가난이 아니라 풍요가 오히려 사람들을 어렵게 하는 것인지도 모른다.

주말여행의
로망

사람들에게 보이는 것과 진짜 자신의
삶은 종종 괴리가 있다. 새로운 천 년이 시작된다는 2000년의 첫날
을 나는 혼자 방에서 소주를 마시면서 맞았다. 우울증 중증이었고,
대인기피증도 있었다.

2002년부터는 그래서 주말여행을 시작했다. 주5일제 근무가 아직
자리를 잡지 않았고, 나는 팀장이라서 토요일에도 출근을 해야 했는
데, 토요일 오후에 집에 돌아오자마자 잠부터 잤다. 새벽 1시쯤 일어
나서 움직이기 시작하면, 아침밥 먹기 전엔 우리나라의 어느 곳이든
갈 수 있었다.

총각 시절, 토요일 밤에 누구랑 놀아야 하나, 그런 고민을 하기 싫
어서 충동적으로 떠난 여행이었는데, 맨 처음 갔던 곳은 강진의 다산
초당이었다. 전국의 어디든, 새벽에 떠나면 해 뜨기 전에 도착할 수
있었고, 아침밥 먹고 몇 시간 산책하다가 다시 집으로 출발하면, 아
직 길이 막히기 전이라 오후에는 돌아올 수 있었다. 그렇게 집에 돌
아오는 길에 강남 교보에 들러 DVD 몇 장과 음반을 사면, 일요일 오

후에는 보고 싶었던 영화 몇 편과 음악을 들으면서 즐거운 시간을 가질 수 있었다.

. . .

그때 갔던 곳 중에서 가장 기억에 남는 곳이 탄금대다. 고속도로가 아니라 성남을 지나는 3번 국도를 따라가면 조령이 나오고, 임진왜란 때 조선의 육지 정규군이 몰살당했던 탄금대를 만나게 된다.

가끔 신립 장군에 대한 생각을 해본다. 내가 만약 그 시절의 신립이었다면, 어디에 진을 폈을까, 어떤 식으로 전투에 임했을까, 그런 생각 말이다.

처녀귀신에게 홀려서 '배수진'을 쳤다는 얘기가 민간설화로 남아 있기도 한데, 당시 조선 정규군은 급히 모인 거라 제대로 훈련도 되어 있지 않았고, 그래서 기마병만이 제대로 된 정규군이었다고 한다. 일본의 조총을 기마병으로 뚫겠다는 게 신립이 세운 작전의 기본이었는데, 그날따라 비가 와서 땅은 진흙으로 바뀌었고, 조선의 기마병은 한 발씩 쏘아 대는 조총의 화망을 뚫기에는 속도가 나지 않았다는 게, 그날 몰살당한 정규군의 사연이다.

영화 「카게무샤」를 보면 토요토미 히데요시(임진왜란을 일으킨)의 부대에 맞서, 신립과 같은 전략으로 조총의 화망을 뚫으려다 실패한 타케다의 기마부대가 전멸하는 장면이 나온다. 신립은 처음부터 잘못된 작전을 세운 것일까, 아니면 그도 그건 알았지만 중과부적으로 또 다른 선택이 없었던 것인가?

이 장면을 모티브로 데뷔작 『아픈 아이들의 세대』 후속편을 썼는데, '자동차 경제유표'라는 제목을 붙였지만 결국 출간하지는 못하고 원고가 그냥 쓰레기통으로 간 일도 있다.

아무튼 그 후에도 탄금대를 몇 번 더 갔는데, 처음 갔을 때의 애잔함은 점점 사라지고, 인근이 아스팔트로 덮이고 아파트가 죽죽 밀고 들어선 걸 보며 또 다른 아픔을 느끼기도 했다.

또 기억에 남는 장면은 아침을 맞게 된 진도의 한 장면.

진도에는 여러 번 갔는데, 혼자 갔던 여행들이 특히 기억에 남는다. 그때 기분이 그래서였는지 왠지 더 애잔하게 다가온다.

. . .

밖에서 자고 오는 걸 싫어하기도 하고, 주중에는 나도 먹고살기 위해 출근해야 하니까, 어쩔 수 없이 주말 새벽에 떠나서 오후 일쩍 돌아오는 여행을 한동안 했다. 여행의 효과인지, 그런 건 아직도 잘 모르겠다만……. 그렇게 1년 이상을 보내고 나니까, 우울증이 사라졌는지는 모르겠어도 극심했던 자기혐오는, 내가 그런 적이 있었는지도 잘 기억나지 않게 되었다.

자기 안으로 들어가면 자기를 보게 된다는 자기성찰, 사실 너무 날 것의 자기를 직접 대면하면, 더더욱 자기혐오를 하지 않을까? 지나치게 미화할 필요도, 지나치게 신성화할 필요도 없이, 그냥 세상의 많은 모습을 보고, 가슴속에 그런 많은 장면을 담아놓으면 어쩌면 자신에게 별 관심이 없어질지도 모른다.

사실 주말여행을 떠난 데에는 그렇게 큰 동기가 있지는 않았다. 주말에 누군가와 놀기 위해서 밥값과 술값을 내는 것도 아깝고, 또 매주 그렇게 시간을 보내는 것도 무의미했을 뿐더러, 일요일이면 불쑥 찾아와서 빨리 결혼하라고 종주먹을 들이대는 어머니와 대면하는 것이 싫었을 뿐.

그게 10년 전 나의 모습이었는데, 어쨌든 그 주말여행이 끝나게 된 것은, 곧이어 아내와 결혼을 하게 되었고, 불규칙한 생활을 하는 나와는 달리 일찍 자고 일찍 일어나는 아내는 밤새 차를 타고 여행을 가는 것은 꿈에도 생각하지 말라고……. 그렇다고 집에서 쉬는 아내를 그냥 두고 여행을 갔다가는, 인생 다 산 줄 알 정도로 혹독한 보복이…….

· · ·

지금 가만히 생각해보면, 아무것도 안 하고 도서관에서 책만 보던 시절, 매주 전국 구석구석을 뒤지면서 여행하던 시절, DVD 대여점에 출퇴근하면서 영화만 보던 시절, 그랬던 기억들이 아주 좋았다.

그래도 여행 중에 내가 싫어했던, 그래서 한 번도 해보지 않았던 것은 맛집 기행이다. 그래서 한식 세계화가 '여사님 관심사업'이 되어버린 이 시대를 더더욱 혐오하는지도.

여행이 목적이 된 사람들이 있다. 그것도 하나의 삶이라고 존중한다. 어차피 삶이라는 게 긴 여행 아니겠나? 삶의 한때, 자기만의 여행을 어떤 식으로든 떠나보는 순간이 많을수록 나중에 도움이 될 것 같기는 하다.

위인전과 전기

모든 사람에게는 고유한 스타일이 존재하는 것 같다. 글에도 스타일이 존재한다고나 할까? 진중권의 『교수대 위의 까치』라는 책을 읽고 있는 중인데, 결국 진중권의 질문은 '자화상'을 중심으로 펼쳐지는 것 같다. 중앙대에서 했던 진중권의 마지막 강의도 '화가의 자화상'이 주제였고, 또 내가 마지막으로 진중권을 봤을 때, 그때도 자화상 얘기를 들은 것 같다. 자화상이라는 모티브로 최소한 1년 동안은 진중권이 이것저것 생각을 했던 것 같은데, 여기에서 진중권의 삶과 스타일이 조금은 보이는 것 같다.

나는 자화상에 대해서 고민해본 적은 없다. 정확히 얘기하면, 나는 사진 찍히는 것, TV에 나오는 것, 신문에 나오는 것, 즉 이런 종류의 온갖 자화상에 해당하는 것들을 별로 좋아하지 않는다.

이렇게 생각해보면 조금 더 명확한 것 같다. 문학을 꿈꿨던 많은 사람들이 청년기에 대개 소설가가 되고 싶어 하는데, 나는 가슴에 손을 얹고 생각해봐도 소설가가 되는 것을 꿈꾼 적은 없다. 물론 소설을 연재한 적은 몇 번 있다. 그런대로 반응이 괜찮았지만, 한 번도 완결 짓지 못했다. 소설가가 꿈이었던 적이 없으니까, 대개는 바쁜 일들이 생기면 연재를 중간에 그만둔 것이다.

나는 소설보다는 위인전이나 전기 쪽을 훨씬 좋아했고, 정말로 전기 작가가 되었으면 좋겠다고 생각한 적도 있다. 내가 소설을 쓰면 어떻게 쓸까라고 생각하면서 세상을 보는 것과 내가 전기 작가가 된다면 어떻게 쓸까라고 생각하면서 세상을 보는 것은 분명 미묘하지만, 시선의 차이가 있을 것 같다.

같은 전기라도 남이 써주는 것과 자서전의 차이도 역시 있을 것 같다. 어른이 되면서 내가 나와 했던 약속이 몇 가지 있는데, 그중에 상당히 중요한 게 자서전은 절대로 쓰지 않겠다고 한 것이다. 자서전이든, 자화상이든, 아마 나는 그런 종류의 것들과는 정반대의 방향으로 나가게 된 것 같다.

인류학이라는 학문이 내게 편하게 다가온 것 역시 인류학은 소설보다는 전기를 쓰는 것과 유사한 방식으로 세상을 관찰하는 것이기 때문이다. 지금도 나는 상당히 많은 경우, 전기를 쓰는 것과 같은 시선으로 세상을 바라본다.

만약 아주 재수 없게, 명박에 관한 전기를 쓰게 된다면, 어떻게 쓸 것인가? 아니면 노회찬이나 심상정 같은 사람들에 관한 전기를 쓰게 된다면? 이런 눈이 내게 가장 익숙한 눈이다.

경제 문제에 접근할 때에도 "시장은 우수하다" 혹은 "사회주의가 실현되어야 한다"라고 그렇게 하나의 명제를 놓고 보지만은 않는다. 이야기 만드는 걸 좋아해서 그 안에 스토리를 집어넣고, 플롯을 만들어서 이해하는 것을 더 좋아한다(이건 딜타이에게 배운 것이다. 그리고 내게

49

딜타이를 공부할 기회를 제공한 사람은 폴 리쾨르이다. 그래서 리쾨르에게 늘 감사하며, 리쾨르를 통해서 만난 딜타이를 늘 가슴에 품고 세상을 살아간다).

. . .

누군가를 전기의 형식으로 기록하게 된다면, 그 사람을 가장 오래 본 사람이 나을까? 아니면 작정을 하고 그 사람에 대한 자료를 모으거나 해석하려고 하는 사람이 유리할까? 나는 후자가 더 유리하다고 생각한다. 너무 가까운 사람은, 사실은 잘 모를 확률이 더 높다. 내가 우리 아내를 잘 알까? 물론 다른 사람보다 아내를 잘 알겠지만, 그걸 객관적으로 잘 쓸 사람은 내가 아니라 다른 사람일 것이다. 그런 눈으로 세상을 보면, 아주 재밌는 결과들이 나온다.

나는 현대그룹의 그 누구도 정주영을 이해하지 못했다고 생각한다. 내가 아는 바로는 그렇다. 예수의 제자들이 예수가 살아 있던 당시에는 그를 잘 이해하지 못했듯이, 부처의 제자도 부처를 잘 이해하지 못했다. 스승이 너무 위대해서 그렇다고 생각할 수도 있지만 꼭 그게 아니라 가까운 사람은 객관적으로 보지 못할 가능성이 높기 때문이다.

이해라는 것은, 단절과 거리두기 그리고 객관화 같은 것들이 필요한 작업이다. 난 위인전을 써보고 싶은 사람이, 현재로서는 두 사람 정도가 있다. 장정일과 류승완. 난 이 두 사람과 같은 하늘 아래 숨쉬고 살아간다는 사실 자체가 너무 고맙다(나는 그냥 이 두 사람의 팬이다. 그렇다고 팬클럽 회장까지 할 그런 정도는 아니지만). 이 두 사람의 책과 영화를 통해서 한국을 보고, 또 두 사람의 인도로 세상을 이해할 수 있다는 게 정말 고맙다. 아마 20년쯤 지나면, 살아서 위인전을 바치고 싶은 사람이 내겐 벌써 두 명이나 있는 셈이다.

그러나 정말 쓸 수 없다 생각이 드는 사람도 있다. 전또깡이 그렇다. 아무리 내가 학자여도, 아무리 객관적으로 평가할 수 있다고 생각해도, 전또깡의 전기만큼은 정말로 못 쓸 것 같다. 나도 사람이니까.

자신이 전기 작가라고 생각하면서 세상을 바라보면, 정말 재밌다. 한국은행 총재를 생각해보자. 역대 한국은행 총재 중에 위인전이나 전기가 필요할 정도로 극적인 사람이 있을까? 잘 생각나지 않는다. 그렇다면 「조선일보」 편집국장들은? 음…… 우리는 그렇게 「조선일보」를 증오하고 미워하긴 하지만 정말로 위인전을 쓰면서까지 분석해봐야 할 사람은 잘 드러나지 않는 것 같다. 그렇다면 「조선일보」의 사주들은? 조사하면 재밌는 것들이 엄청 드러나기는 하겠지만, 꼭 위인전까지 써야 할까?

그리고 눈을 좌파로 돌려보자. 우리와 같이 동시대를 살았던 사람 중에, 중고등학생들에게 이 사람의 삶은 꼭 알아야 할 것이라고 가르쳐야 하는 사람이 과연 있을까? 모르겠다(다만 인민노련이라는 조직은, 그것이 사람이 아니더라도 꼭 알았으면 하는 대상은 된다고 생각한다. 그게 내가 『이상한 나라의 인민노련』이라는 책을 만들어보고자 하는 진짜 동기다).

내가 살았던 이 시대를 관찰하고 기록하는 일은, 생각보다 재미있는 일이다. 어디 한국 같이 이런 기가 막힌 소재를 또 찾을 수가 있으랴!

또한 전기를 쓰기 위해서 필요한 덕목들을 스스로 갖추어가는 것, 그게 나쁘지는 않은 훈련이라고 생각한다. 이게 진짜 좋은 점은, 돈이 들지 않는다는 거다.

우리는 서로를 너무 무시하고, 너무 막 대하는 사회에 살고 있다. 좌파끼리도 그렇고, 우파끼리도 그렇다. 우리의 다음 세대에게, "이런 사람은 이런 점을 좀 존경하고 배웠으면 좋겠다", 그렇게 말하지 않는 사회가 한국 사회다. 그래서 나는 전기를 통해 이 사회에 그래도 우리가 배울 사람들이 많이 있다는 말을 전하고 싶었던 건지도 모른다.

...

내가 그리는 미래의 한국은, 좌파도 우파들에게 인정할 것은 인정하고, 우파도 좌파들에게 인정할 것은 인정하고, 그래서 훌륭한 사람들이 좋은 사회를 만드는 것, 결국 그렇게 힘을 모아 행복이 넘쳐나는 공간을 만드는 것이다.

우리는 어쩌면 「조선일보」 하나만 없어지면 우리나라 좋은 나라 되고, 한나라당만 망하면 우리나라 좋은 나라 될 거라고, 너무 오래 그렇게 생각하면서 살아온 것 같다. 그러나 좋은 나라를 만들기 위해선 해야 할 일들이 무수히 많다.

이제 곧 새로운 시대가 열릴 것이다. 지나간 시절에 강력한 민족주의와 국가 재건의 꿈으로 평가했던 사람들에 대해서 이제 민족주의는 조금 줄이고, '국가만이 살 길이다'라는 국가주의도 조금 줄여서, 새롭게 전기를 쓰는 일을 해야 하지 않을까.

문과쟁이니까!

2010년 7·28 보궐선거 때 사회당 금민의 선거유세 현장에 간 적이 있다. 그때 시인 최영미를 처음 만났다. 최영미가 금민의 선거유세 현장까지 오게 된 가장 직접적인 사연은, '형광등' 때문이라 한다. 형광등 갈 때마다 달려와서 도움을 주었던 후배가 금민의 선거대책본부장이란다. 그리하여 춘천에 살고 있는 시인 최영미가 은평까지 오게 된 셈이다.

나도 형광등을 갈 때면 때때로 난감함을 느끼고는 한다. 형광등 가는 데 곤란함을 느끼던 또 다른 선배가 있었는데 그가 항상 입에 달고 다니던 말이, "문과쟁이라니께……."

. . .

생각해보면, 나도 천상 문과쟁이다. 내겐 'C급 경제학자'라는 별명이 있는데, 그 별명은 현대 시절에 생겼다. 나한테는 사실상 환경공학 스승이자, 공기집진기의 원리에서 활성오니법의 작동방식과 야금학 같은 것을 가르쳐준 사람이 늘 자신을 'C급 엔지니어'라고 불렀다. 인천제철의 그 말 많던 전기로를 오랫동안 관리했던 사람이고, 그 과정에서 특허도 몇 개 가지고 있는 사람이니까 내 눈에는 아주 훌륭한 엔지니어로 보였는데, 그는 늘 자신을 C급 엔지니어라고 했다.

A급은 이론을 만드는 사람
B급은 이론을 수정하는 사람
C급은 이론을 적용하는 사람

그런 기준에 의해 나도 C급이 된 셈이다. 현대그룹에서 같이 월급 받고 있던 처지라서 이것저것 많이 배우기도 했는데, 엔지니어와 경제학자는 살아가는 길이 좀 다르다는 걸 그때 처음 알았다.

현대 같은 대기업에서 일하면 엄청 멋있는 걸 할 거라고 생각하는 사람들도 가끔 있지만, 내가 입사해서 처음 수행한 일은 비용에 대한 전표를 처리하는 일이었고, 그다음에 한 일은 설날 연휴를 맞아 환경부에서 날라온 공문을 58개 계열사에 팩스로 보내는 일이었다. 생전처음 보내보는 팩스, 그것도 발신지가 58개인 곳의 공문 헤드를 만드느라고 진짜 간만에 머리를 굴렸다. 처음 생긴 연구소에서 행정이 정리될 때까지 그런 일들을 좀 했는데 그때 사람들이 내게 한 얘기.

"문과쟁이니까."

엔지니어들이 많은 곳에서 살다보면, 문과쟁이라는 사실이 더 티난다. 공무원 만나는 일, 발표하는 일, 글을 쓰는 일, 그런 일들을 도맡아서 했다. 물론 그런 일들 중에서 내가 혼자 한 건 아주 조금이고,

대다수의 일들은 엔지니어들과 토론하면서 진행된 일들인데 마지막에 발표하는 귀찮은 일은 문과쟁이인 니가 하라고, 그런 게 내가 현대에서 일하던 시절의 분위기였다(껍닥만 보는 사람은, 어떻게 과장 혼자서 저렇게 많은 일을 했나 싶지만, 사실은 그게 아니었다).

입사한 지 좀 지났을 때의 일이다. 종기실장이, 임원회의 중인데 연구원에서 누가 좀 와야겠다고 긴급호출을 보냈다. 누가 가야 하나? 그런 긴박한 논의가 있었다. 연구원 돈줄은 왕 회장 직속인 종기실에서 쥐고 있으니, 그야말로 우리 입장에서는 알랑방귀를 뀌어야 하는 상황이었다. 그때도 엔지니어들이 나더러 가라면서 했던 말.

"니가 문과쟁이니까⋯⋯."

그때 종기실장이 전무 시절의 이계안이었는데, 그 후로 지금까지 그와는 악연이 끊어질 듯 끊어질 듯, 계속되는 중이다. 하긴 이계안한테도 그 인연은 악연일 것 같다. 현대가의 '집사'라고 불리던 양반이 나 따라다니면서 온갖 집회 현장과 시민단체와 민중단체로 끌려다니는 중이니까. '배신자'라는 소리도 가끔 듣는다고 한다.

현대를 그만둔 뒤에도 엔지니어들과 주로 일을 같이 하는 상황이 내내 펼쳐졌다. 총리실에서 당시 이한동한테 했던 보고 중에서 가장 중요했던 보고가 '연료전지에 관한 보고'였는데, 그 시절에도 내 주변에는 온통 엔지니어들이었다. 한전과도 꽤 오랫동안 일을 했는데, 한전의 파트너들도 소수를 제외하면 대부분 엔지니어들이었다.

가만히 돌이켜보니, 중학교 시절의 내 취미는 세운상가 돌아다니면서 부품을 구해다가 전자기기 만드는 것이었다. 6학년 때 처음 전기인두를 사고 난 뒤로는, 납땜하는 데 푹 빠져 중학교 때에는 앰프도 만들고, 스피커도 만들고. 또 다른 취미는 컴퓨터 프로그래밍이었다. 그래서 고등학교 때 친구들은 전부 문학반이었는데, 나만 전산반을 했고, 학교 축제 때에는 전산 프로그램을 전시하는 게 그 시절 내가 주로 즐겨하던 일이었다.

• • •

지금 와서 생각해보니, '문과'와 '이과'라는 인위적 구분이라는 게 사실 아무것도 아닌데, 고등학교 시절부터 30대 중반까지 나는 문과와 이과의 구분이 엄청 본질적이라는 그런 바보 같은 생각을 했던 것 같다. 사람이라는 것은 생각보다 훨씬 더 총체적인 존재인데 말이다. 문과와 이과라는 구분 자체도 근대적인 것이고 한국에 도입된 것이 채 100년도 되지 않은 일인데, 우리는 이 구분을 너무나 당연하게 입는 옷처럼 생각해서 마치 수만 년 전부터 인간은 문과와 이과로 구분된다고 생각하는 것 같다.

프랑스에서는 대학입학자격시험 바깔로레아를 A, B, C, D로 구분하는데, 최근에 의대가 포함된 과학계열과 공학계열이 합쳐져 S(과학), L(문학), ES(경제사회)의 세 가지 분야로 나누어졌다. 이처럼 3개나 4개 혹은 실업교육을 포함해서 그 이상으로 구분되는 다른 나라의 경우를 생각해보면, 사람을 이과와 문과로 구분해서 생각한다는 것이 다분히 임의적이며, 파편적인 것이라는 걸 알 수 있다.

최근 들어 이공계 살리기와 함께 인문학 살리기라는 표현이 등장하는 것을 보면서, 세상 참 덧없다는 생각이 때때로 든다. 한국에서는 의대와 상대, 딱 두 가지가 학부의 '적자'가 된 것 같다. 거기에 맞추어서 10대들은 벌써 자신의 유형을 스스로 선택하거나 아니면 주위의 강요로 선택당하거나.

. . .

구조라는 것이 인간에게 아무것도 아니라고 생각하는 사람도 종종 있지만, 문과쟁이와 이과쟁이, 이 간단한 구분조차도 벗어나기 힘든 사람들에게, 구조는 플라톤이 말했던 '동굴의 비유'가 정말 딱 맞는 것 같다.

사회에는 "인간이란……" 이렇게 시작하는 수많은 이데올로기가 있다. 문과, 이과, 그런 것도 그중의 하나일 뿐이다. 대체 언제부터 한국 사람들이 문과형, 이과형, 이렇게 나뉘었다고…….

"나는 다 안다", 이게 적이다

나의 마지막 시험은 박사 코스워크 시험이었다. 그걸 끝내고 나니, 정말 초등학교 때부터 치렀던 그 수많은 시험들이 살짝 주마등처럼 머리를 스쳐갔다. 정말 나도 시험 많이 봤구나! 경제학을 전공하다 보니 나도 엄청 시험을 본 셈인데, 특히 프랑스에서의 박사과정 시험은 한 번 보고 나면 진이 죽 빠질 정도였다. 4시간 동안 시험을 보는데, 재수 없게 하루에 시험 두 개 치르는 날이면 정말 삭신이 쑤신다.

프랑스의 시험은 보통 두 문제가 나오는데, 둘 중 하나를 선택하게 되어 있다. 하나는 기술적 분석이고, 하나는 그야말로 한 학기 동안 배운 것을 관통하는 개방형 질문이다. 예를 들면 "경제와 제도의 관계에 대해서 논하시오" 하는 식이다. 4시간 동안 시험을 치르다 보니 중간에 화장실도 가고, 커피도 마신다. 물론 커피 마시면서 동료와 토론해도 된다만. 뭐, 토론해봐야 어차피 서로 별 도움은 안 된다.

대학 강사 처음 시작했을 때에는 나도 읽을 자료 엄청 준비해서 나눠주고 문제출제도 좀 하곤 했는데. 학생들 답안지 보면서, 도대체

한 학기 동안 내가 뭘 가르쳤나, 이런 회의감이 많이 들어서 결국에는 시험을 보지 않고 최종 리포트를 받는 쪽으로 채점방식을 바꿨다. 여기에도 좀 변천사가 있는데, 이번 학기에 성공회대에서 시도한 건, 한 달에 걸쳐서 전부 발표를 하게 하고, 그 발표를 토대로 스크립트 형태의 보고서를 받는 거다. 수업 끝나면 그걸 묶어서 대학원생들과 한 부씩 나눠 갖는 방식으로 하기로 했다. 토론도 많이 할 수 있고, 다른 사람들이 어떻게 최종 결론을 냈는지를 보는 것도 좀 도움이 될 것 같아서다.

이렇게 어느덧 시험 보던 입장에서 출제하는 입장으로 바뀌었다만, 여기에 나는 무서운 함정이 있단 생각을 가끔 한다. "아는 것 같다", 내 생각에는 이게 제일 큰 문제다. 아는 것 같지만, 사실은 하나도 모르고 있는 게 더 많다. 글을 써보면 이게 확실히 드러난다. 알면 뭔가 틀리더라도 쓸 수 있고, 모르면 하나도 쓸 수가 없다.

그다음에도 문제는 생긴다. 아는 것만 생각하면 뭔가 많이 아는 것 같은데, 그걸 조금만 벗어나거나 혹은 보는 각도를 뒤집으면 사실 제대로 아는 건 없거나 잘못 생각한 것들이 많다는 걸 알게 된다. 그래서 주기적으로 "나는 아무것도 모른다"라는 상황을 만들려고 하는 편이다.

. . .

정말 아무것도 모르겠다는 느낌을, 15년 전에 강하게 받은 적이 있다. 아무 생각도 없이 『조선왕조실록』을 한문으로 보겠다고 턱 복사해서 책상 위에 가져다 놓았는데…… 첫 문장부터 읽을 수가 없었다. 뭐가 이렇게 복잡해? 이틀을 고민했는데, 대왕으로 끝나는 이 긴 문장이 이성계의 이름이었단 말인가? 와, 진짜 아무것도 모르겠네. 결국 한 달 동안 세 페이지 보고 포기했다.

올해도 그런 느낌을 한 번 받은 적이 있다. 호주사 공부를 하려고 호주에 대한 책과 자료를 보기 시작했는데, 일반적으로 내가 알던 나라들과는 작동방식이 전혀 달랐다. 이 색다른 나라를 접하며 느낀 건…… 와, 하나도 모르겠네. 내가 호주에 대해서 거의 모르고 있다는 사실을 새롭게 알게 되었다.

모르는 건 사실 문제가 안 된다. 누구든 세상의 모든 것을 다 알 수는 없으니까. 그렇지만 뭘 잘 모르고 있다는 사실조차 모르는 것, 그때가 제일 위험한 순간이 아닐까 싶다.

· · ·

명박, 그도 나름 해본 게 많았던 인생인 것 같다. 그렇지만 "해봐서 아는데", 이게 얼마나 위험한 순간인지, 우리도 그를 겪어보고서야 그것을 알게 된 것 아닌가? 그가 알긴 뭘 알겠나, 사기 치는 법이나 알겠지.

개인이든 사회든 세상이든 학문이든 아니면 우리 자신이든, 아직 우리는 충분히 알고 있지 않다. "나는 이제 좀 알겠다", 그 생각이 들 때, 그때가 제일 위험한 순간이고, 그게 바로 우리가 물리쳐야 할 적일지도 모른다.

결국은 동기의 문제

관공서 같은 곳에서 뭔가 개인적인 일을 처리하려고 하다가 당황스러운 순간은, 집 전화번호를 물어볼 때다. 이걸 난 못 외운다. 도대체 뭐 이런 사람이 다 있나, 사무원들이 내 얼굴을 빼꼼히 쳐다보지만, 못 외우는 걸 어떻게 해. 지금도 아내 것 외에는 아무런 전화번호도 못 외우고, 우리 집 전화번호도, 부모님 댁 전화번호도 못 외운다. 아파트 살 때에는 현관번호를 종종 까먹어서 집에 못 들어가는 일도 종종 벌어졌다. 번호만 못 외우는 게 아니다. 사람 이름, 상호, 이런 단답형 이름들은 지독할 정도로 외우질 못한다. 도대체 누가 이걸 대가리라고 내 몸에 붙여놓은 거야?

지독하게 암기를 못 하니까, 공부하기가 참 힘들었다. 대학 들어가서 생물학과 시험지와 간호학과 시험지 같은 것들을 본 적이 있는데, 경악을 금치 못했었다. 교과서의 각주 그것도 한 코너에 나온 얘기들을 외워서 쓰는 게 버젓이 시험에 나오는데, 그걸 푸는 친구들이 참 대단하다고 느껴졌다. "인간 제록스야", 그들은 자신들을 그렇게 불렀다.

다행히 경제학과에는 외울 게 거의 없었지만 선생들은 수학도 엄청나게 많이 외워야지 응용할 수 있는 거라고 가르쳐서 나는 어차피 외우는 건 못하니까, 남들보다 조금 더 많이 문제를 풀어보는 걸로 때웠다.

자료 정리도 잘 못한다. 학위과정 때까지는 꼼꼼하게 독서카드도 만들고, 인용문도 하나씩 전부 카드로 만들어놓기는 했었다. 귀국할 때 책과 자료만으로 큐빅 40개쯤 되었고, 관세청에서는 1톤이라며 그 짐을 하나씩 전부 뜯어서 결국 난장판을 만들어놓았다. 그래봐야 책과 복사물 그리고 수백 권의 노트들이 전부였는데, 그 짐을 풀어놓을 곳이 없어서 결국 몇 개는 아직도 박스 채로 있다. 회사도 몇 번 바뀌고 근무지도 몇 번 바뀌면서, 어느 순간인가 난 정리하는 걸 포기했다.

책도 정리를 포기했다. 유학을 끝내고 돌아오자 내 책에 관심을 가졌던 선생들이 꽤 많았는데, 수년째 모아놓은 저널과 분류별로 수집된 책들을 여러 선생들이 빌려갔다. 강사 시절엔 힘이 없어서 돌려달라고 못 했는데, 먼저 돌려주겠다고 하는 그런 선생은 와, 진짜 한 명도 없었다. 꼭 필요한 저널 몇 개는 결국 몇 년 후에 다시 가서 돌려받기는 했는데, 눈초리가 좀 싸늘했다. 뭐 이런 강사가 다 있나 싶은, 그런 눈치였다.

책 나오자마자 급해서 런던까지 가서 채워놓은 그런 콜렉션들이었는데, 그런 책들이 뿔뿔이 흩어질 때, 가슴이 좀 아팠다. 한때는 책장에서 책이 한 권만 제자리에 있지 않아도 결국 밤중에 그 책들을 다 다시 정리하고 사라진 책 한 권을 찾아야 잠이 올 정도로 책에 대한 집착도 엄청났는데…….

돌아오지 않는 책들을 생각하면서, 마음이 아팠지만 결국 해결책을 찾았다. "내 머리에 없는 책은, 내 책이 아니다! 그래, 책 껍데기를 가지고 있다고 해서 그게 내 책이겠나?"

현대 시절에는 자료실을 직접 관리할 수 있는 위치에 있어서 원서들까지 원 없이 사들이면서, 언젠가는 후학들을 위한 생태경제학 자료실을 만든다며 정말 꼼꼼히 장서관리를 했었다. 나중에 내가 퇴사하고, 따로 돌보는 사람이 없어서 아마 그 책들은 그냥 폐기되었을 것이다. 공 많이 들여서 꼼꼼하게 모아놓은 책들이었는데……. 에너지관리공단 시절에도 자료실을 관리할 수 있는 위치에 있었는데, 이때에는 공익들이 자료실에 배치되어 있어서 나름 재미있게 자료실을 꾸미기도 했다. 내 머리에 없는 책은 내 책이 아니라는 생각은, 어차피 내가 가질 수 없는 자료실이라도 꼼꼼하게 꾸미는 것을 즐겁게 만들어주었다.

· · ·

암기 능력은 심각할 정도로 문제 있고, 자료들을 꼼꼼하게 분류하고 정리해놓는 것도 아니니까, 공부를 잘할 수 있는 가능성은 거의 없는 셈이다. 그래도 내가 잘하는 게 딱 한 가지가 있다. 난 그걸 '순간 집중력'이라고 표현하는데, 집중 하나만큼은 잘한다. 집중해서 뭔가 읽거나 생각하거나 아니면 쓰거나, 그런 상태로 전환하는데 몇 초도 걸리지 않는다. 그리고 그 상태를 몇 시간을 유지할 수 있다. 한

시에 시계를 봤는데, 다음 번 정신을 차려보니 아침 해가 떠오르는

그런 일이 거의 일상적 경험이다.

음악을 틀어놓고 영화를 틀어놓은, 그런 어수선한 분위기에서도 집중은 잘한다. 유일하게 집중하기 어려운 때는 아스팔트를 깨는 시끄러운 소리를 내며 바로 옆에서 공사할 때, 그 상황에서는 짜증이 갑자기 팍 난다.

30대 때에는 그런 나의 집중력이 암기력을 포기한 대가로 생겨난 것이 아닐까, 그런 생각을 좀 해본 적이 있다. 암기도 전혀 못 하고, 그렇다고 직관력이 남달리 뛰어난 것도 아니고, 그러다 보니 어쩔 수 없이 몸이 알아서 집중력을 높이는 형태로 간 거 아닐까 하고.

마흔이 넘어서 다시 한 번 생각해보니까, 그건 아닌 것 같다. 나도 늘 집중할 수 있는 건 아니고, 정말 하기 싫은 일이거나 쓰기 싫은 글 같은 경우에는 몇 주일을 붙잡고 있어도 전혀 진도가 안 나가는 경우가 많으니까.

· · ·

결국은 동기의 문제가 아닐까? 그게 요즘 내가 생각하는 이유다. 뭔가 해야 할 동기가 생기고, 그 동기가 선한 것이라면 집중이 훨씬 잘된다. 동기가 없는 경우에는, 나는 때려 죽여도 뭔가를 만들어내지 못하는 편이다. 해야 할 동기가 있더라도 그 동기가 선한 것이라고 잘 생각되지 않는 경우, 예를 들면 뭔가 '가라'로 만들어내야 하는 경우, 목적이 뻔한 정부보고서처럼, 그런 경우에는 몸이 먼저 알아서 잠이 쏟아지거나, 몇 년 만에 새로 나온 스피커의 성능이 갑자기 궁금해지거나, 몇 년째 들여다보지도 않던 JBL 스피커의 스펙을 곰곰이 들여다보는, 그런 짓을 하게 된다.

어떻게 생각하면 집중력은 양날의 칼이기도 하다. 하고 싶은 일을 잘할 수 있게 해주면서 동시에 집착을 만들어내기도 하니까. 뭔가 새로 시작하는 일은 언제나 즐겁고, 새로운 분석은 가슴을 설레게 한다. 그러나 그게 몇 번 반복되면, 이제 그 설렘은 단순반복형 삽질에 대한 짜증으로 돌변하게 된다.

집중력과 집착, 과연 근본적으로 구분되는 것일까?

그런 질문들이 최근에 새롭게 생겨나기 시작했다.

부모에게도
설명을 못하는데,
어떻게 사람들에게

사람은 너무 가까이에서 보면 서로 상처를 받는 것 같다. 반면 가끔씩 보면, 싫은 사람이라도 이상한 그리움이 생기는 것 같다. 여러 가지 이유로 나는 사람들 만나는 걸 별로 좋아하지 않는다. 20대를 지나면서 대인기피증이 강하게 생겼기 때문이기도 하고, 그래서 먹고살기 위한 일 아니라면 되도록 사람들을 만나지 않고 살았다. 술을 많이 마신 것도, 술을 마시지 않고는 도저히 사람들을 볼 수가 없어서였다. 어떤 사람들은 술이 좋은 게 아니라 사람이 좋아서 술을 마신다고 하지만 나는 술이 좋아서 술 마시려고 억지로 사람들을 만난 것 같다.

녹색당을 만들면서 다시 사람들을 만날 수밖에 없었고, 남들 앞에 설 수밖에 없었다. 역시 사람들 만나는 건 괴로운 일이었고, 배 내밀고 앉아 있는 사람들에게 녹색당 당원이 되어달라고 구걸조로 얘기하고 집에 돌아와서는 정말로 말술을 마셨다.

사람들을 별로 보고 싶지는 않았지만, 그래도 우리에게 녹색당이 필요하지 않나 하는 생각으로 돌아다니던 그 어느 순간에 갑자기 떠오른 질문 하나가 있었다.

"부모에게도 설명할 수 없는 내용을 사람들에게 얘기하고 있는 것 아닌가?"

우리 집은 평생 「조선일보」 보는 사람들로 가득하다. 나는 「조선일보」 애독자로 가득한 그 공간에서 처음 나온 빨갱이다. 그러니 집안 식구들하고 할 수 있는 대화라고는 사실상 없다.

어머니는 내가 현대에 있거나 총리실에 있던 시절을 가장 자랑스러운 시간으로 생각하시며, 내가 다시 그런 곳으로 가기를 여전히 원하신다. 가끔 꿈을 꾸더라도 내가 가장 자주 꾸는 악몽이 그 시절로 돌아가서 출근 준비를 하는 건데 말이다.

살아온 삶이 그래서인지, 내 주변은 정확히 좌파 인사 절반, 우파 인사 절반 그렇게 딱 나뉘어서 구성되어 있다. 상공회의소나 전경련에는 직장 시절 생사의 길을 같이 넘었던 오래된 지인들이 있는데, 그런 사람들과 하는 얘기들 대부분은 나의 부모님도 이해하지 못하는 얘기고, 아마 동감시키기도 어려운 얘기들일 것이다(여전히 부모님과는 정치적 견해를 나누긴 어렵지만, 평생 한나라당 찍었던 아버지가 지난 지방선거에서 나를 위해 노회찬에게 투표한 정도가 얘기할 수 있는 경계선이 된 것 같다).

그래서 난 마흔이 되던 그 시절, 그동안 익숙했던 레토릭을 많이 버렸다. 입만 열면 이윤율의 경향적 저하의 법칙이나 사적 소유, 사유제, 화폐의 법칙, 그런 얘기들을 하던 시절이 내게도 있었는데 그런 레토릭부터 버렸다.

뭘 다시 채울 수 있을지는 잘 몰랐지만, 평범한 사람들과 정답은 다르더라도 같이 나눌 수 있는 얘기가 아니라면 어쩌면 이 모든 게 위선이거나 현학일지도 모른다는 고민을 그때 많이 했던 것 같다. 다수 편에 서고 싶은 생각은 없었지만, 같이 대화하거나 최소한 고민하는 이유에 대한 공감이라도 구할 수 있는, 조금은 더 보편적인 얘기를 해야 식구들하고도 얘기할 수 있을 거란 생각을 했던 것이다.

· · ·

10년 가까이 주요 업무라는 게 보고서를 쓰는 거였다. '찍땡체'로 왕 회장이나 총리한테 올라갈 폰트 16의 한 장짜리 요약보고서를 만드는 게 주로 내가 하는 일이었다. 그런데 누구와 얘기할 것인가에 대한 고민은, 나에게 월급을 주는 사람들이나 상급자가 아니라 길에서 만나게 될지도 모르는 사람들로 얘기의 대상을 바뀌게 만들었다. 언어가 바뀌면 언어만 바뀌는 게 아니라 대상도 바뀌고, 보는 방향도 바뀌는 것 같다. 실제로 연구 주제도 그 후로 많이 바뀌었고, 관심 주제도 많이 바뀌었다. 특히 10대에 대한 연구는, 그 직후에 시작된 것이다. '10대들과 대화하기'라는 주제로 시작이 되었는데, 그땐 정말로 중고등학생들 앞에 섰을 때, 내가 할 수 있는 얘기가 하나도 없었을 뿐더러 그들에게 전달하는 방법도 몰랐는데, 지금은 많이 나아진 셈이다.

그래도 여전히 부모님께는 내가 생각하는 것과 내가 하고 싶은 것을 설명하기가 어렵다. 언젠가는 설명할 수 있을까? 아직도 부모님께 「조선일보」 좀 그만보라는 말도 못 하는데. 「시사IN」에 매주 연재를 하던 시절에도 부모님은 「시사IN」을 사보지 않았고, 수년째 「한겨레」에 칼럼 연재를 하고 있지만, 여전히 「한겨레」는 읽지 않으신다. 내가 사람들에게 "이런 잡지나 신문 좀 봐주세요", 그렇게 입이 떨어지지 않는 건 부모님께도 그 이유를 설명하지 못하는데 어떻게 사람들에게 그런 얘기를 할 수 있을까, 그런 고민 때문이다.

어떻게 보면 20대 때에는 난 내 자신이 날선 칼날 같아야 한다고 생각했던 것 같다. 그래서 온통 내 주변에는 생각이 비슷한 사람들만 있었고, 또 그 안에 있어야만 편안했다. 그러다 "부모님께도 설명하지 못하는데, 어떻게 다른 사람들에게 그 얘기를 할 수 있는가?" 하는 이 질문을 품은 다음부터는 칼날과 같은 삶은 좀 버린 것 같다.

처음 경상도 연구를 시작한 다음, 가슴이 딱 막히는 듯한 느낌을 받은 적이 있다. 시골 어느 식당에 갔는데, 뉴스가 나오면 무조건 돌리고 강호동 나오는 프로그램만 보는 식당 할머니를 만난 것이다. 그런 할머니에게 무슨 얘기를 할 수 있을까? 혹은 한나라당은 자식과 같은 존재라고 하는 할머니와는 무슨 얘기를 할 수 있을까? 그 질문에 답을 찾고 싶지만 도대체 어떻게 말머리를 풀어야 할까 아직도 그런 고민이 든다(차라리 평생 「조선일보」와 사신 부모님의 경우는 좀 낫다).

* * *

너무 같은 편, 같은 생각을 공유하는 사람 그리고 같은 언어를 쓰는 사람, 그렇게만 있으면 어느 순간 더 이상 새로운 생각을 끌어낼 수 없는 순간이 오는 것 같다.

나는 마흔을 앞두고 그런 생각을 하기 시작했다.

어느 날 만년필로 쓰지 않으면 내가 쓴 글자도 못 읽는다는 걸 느낀 날,
노안은 그렇게 왔고, '혹시는 없다' 의 의미를 배우게 되었다.

공자는 마흔을 불혹不惑이라고 불렀다.
세상일에 정신을 빼앗겨 판단을 흐리는 일이 없다고.

아닐 불, 혹시 혹.
혹시 나는 잘될지도 몰라,
그럴 일이 마흔이 되면 없어지는 것.
그게 내가 마흔이 되면서 이해한 불혹이다.

혹시라도 로또에 당첨되는 일,
혹시라도 기가 막히게 기쁜 일이 생겨날 일,
혹시라도 내가 고아라고 밝혀질 일,
혹시라도 내가 노벨상을 타는 일,
혹시라도 내가 50년짜리 경제 시뮬레이션 모델을 개발하는 일,
그런 게 없어지는 것.
그게 내게 온 불혹이다.

오늘도 혹시는 없이,
띵한 머리로 하루를 시작한다.
그리고 여전히 명박 시대다.

혹시는 없다.

2

욕망의 좌절과
존재의
상실감으로
힘들다면

마흔,
다시 시작하는
습작

사회과학이나 경제학 책이 가지는 장점들이 많이 있지만, 한국 상황에서는 어쩔 수 없는 단점도 있다. 농민과 얘기하려 할 때, 책을 놓고 얘기하기란 어렵다. 그럴 땐 직접 찾아가서 막걸리 마시면서 얘기하면, 몇 시간 후에는 진짜 솔직한 얘기들을 들을 수 있다. 가만히 얘길 들으며 묵묵히 김치 조각에 막걸리를 마시는 게, 농민과 소통할 수 있는 가장 빠른 방법이다. 다음 날 농사일도 좀 거들고 나면, 조금 더 속 깊은 얘기를 들을 수 있다. 책으로 얘기한다, 이건 그들과 얘기하지 않겠다는 것과 마찬가지다.

사회과학이라는 게, 이런 한계를 가지고 있다. 어쨌든 우리는 온 국민이 니체와 쇼펜하우어를 읽는다는 농담이 존재하는 그런 프랑스가 아니기 때문이다. 태어나서 죽을 때까지, 단 한 번도 사회과학 책을 보지 않는 국민이 얼마큼 될까? 1년에 한 권도 사회과학 책을 보지 않는 국민은? 1년에 한 권쯤, 진짜로 우리가 책이라고 부르는 것을 읽는 국민은 현실적으로 10퍼센트 정도라는 게 내 추정이다. 그렇다면 나머지 90퍼센트의 국민과는 어떻게 얘기를 해야 할까? 이런 고민이 있다. 즉, 이건 판매부수의 문제가 아니라, 대상에 관한 문제다.

인류학 차원에서 하는 고민이 또 한 가지 있다. 경제인류학을 한국에 소개하고 싶단 생각을 예전부터 했었는데, 그렇다고 해서 지금 당장 마르셀 모스Marcel Mauss의 텍스트를 이렇게 저렇게 해석하는 건 좀 아닌 듯싶고……. 사회당 당원으로서 모스가 했던 고민은 그 맥락 안에서 의미가 있는 것이지, 그 얘기를 21세기의 한국에 텍스트 그대로 풀어놓는다면 훈고학이 되게 하지 않을 자신도 별로 없었다. 이런저런 고민을 하다가 결국 생각이 모아진 게, 40대에 관한 얘기를 하는 수필집 형식이었다.

40대는, 내 친구들에 관한 이야기들이다. 어쩌면 나에 관한 이야기이기도 하고. 모든 사람들에 대한 얘기를 하기는 쉽지가 않지만, 내가 마흔 살이 되면서 겪었던 얘기들 그리고 내 친구들에 관한 얘기들, 혹은 동료들에 관한 얘기들을 써보고 싶었다. 그 독특한 정서와, 내가 그들에게 해주고 싶었던 얘기들 그리고 진짜로 내가 마흔이라는 나이를 지나면서 겪었던 생각의 변화와 몸의 변화…… 흰머리, 노안, 대머리 그리고 몸무게, 그런 얘기들 말이다.

이래라 저래라 하는 건 사실 내 취향은 아니다. 그러나 경제인류학, 정확히는 마르셀 모스의 얘기들에 비추어 생각해보면, 내 친구들의 삶은 사실 좀 문제가 있다.

모스는 경제적 행위는 많은 경우 종교적, 문화적 행위에 귀속된다고 보았다. 우리는 누군가에게 선물하는 것을 경제적 필요에 의해서라고 설명하기도 한다. 그러나 모스는 물건에 영혼이 있다고 생각했고, 남한테 선물을 받고도 다른 선물을 하지 않으면 그 영혼이 벌을 내리기 때문에, 미신과 신화가 결국 다시 선물을 하게 만든다고 설명했다. 인간은 착하지도, 합리적이지도 않고, 신화나 미신 혹은 문화에 의해서 많은 행위를 한다는 거다.

예전에는 그랬겠지만, 지금은 안 그렇다고? 지금도 그렇다. 사교육 시장에 자식을 맡기는 것이 자녀에게 도움이 되지 않는다는 것은 어지간한 사람이면 다 알지만, 그걸 마치 미신이나 신앙과 같이 받아들이고 있지 않은가? 그 얘기의 일부를 『88만원 세대』에서 하긴 했는데, 사회과학 형식으로 하는 것과 친구들에게 얘기하는 수필 형식으로 하는 것 사이에는 수용성에서 차이가 좀 있을 것 같다.

386의 정치적 취향에 관한 얘기는 신문에서들 많이 했지만, 삶 속에서 그들이 잘못하고 있는 것에 대한 얘기는, 거의 없었던 것 같다. 신문사 데스크가 들여다보는 것과, 내가 친구로서 말할 수 있는 것 사이에는 아무래도 어조와 어투에서 차이가 있을 것이다. 어쨌든 그런 의도를 가지고, 습작 형식으로 조금씩 글을 써서 모아온 게 그럭저럭 1년쯤 되는 것 같다.

"Dans La Vie Quotidien", 이런 불어 표현을 난 아주 좋아하는데, 하루하루의 일상성이라는 의미를 지니고 있다. 나도 그렇게 일상성으로부터 출발하는 것을 아주 좋아한다. 한국의 학자들은, 글만 읽어보면 꼭 한국에 안 사는 사람들 같다. 마치 뉴욕 시민이나 시카고 시민이 쓴 것 같다. 글 안에, 우리의 삶이 전혀 없다. 오히려 영국에 있는 장하준이 쓴 책에 우리의 일상성이 더 많이 녹아 있는, 이 비루한 현실을 어쩌면 좋을까? 그런 게 내가 늘 하는 고민이다. 어쨌든 한국에서 사회과학이라는 형식에 일상성을 담는 데는, 일정한 한계가 있는 것 같다.

. . .

2011년을 비루하게 살아가는 한국의 40대가 가지고 있는 일상성, 그리고 그들의 문화적 측면에 관한 얘기, 그런 걸 좀 써보고 싶다는 게 이번 수필집을 준비할 때의 처음 생각이었다. '젊은 오빠'가 아닌 '40대 아저씨', 그게 내 삶이기도 하니까. 그렇게 얘기했더니, 막 쉰을 넘은 어느 선배 왈, "야, 너 엘리베이터에서 꼬마가 '할아버지'라고 부를 때의 당혹감을 아냐?"

이 양반, 젊어서부터 이마가 일찍 나갔는데, 정말 슬펐다고…….

'마흔 살'이라고 범위를 좁히면, 딱 내 친구들과 몇 살 어린 후배들의 얘기가 된다. 『마시멜로 이야기』에 열광했고, 『시크릿』을 열심히 보던, 정치에는 관심 없다고 하면서도, 집값 떨어진다고 한나라당을 찍는 고런 친구들과 같이 하고 싶은 얘기 말이다.

내 고등학교 친구 중에선 실제 한나라당 의원 보좌관도 있다. 어느 날, 여의도 대로변에서 근사한 차가 갑자기 서더니, "야, 오랜만이다", 그렇게 만났던 친구에게 느꼈던 당혹감, "취직해서 축하한다"고 해야 하나, "야, 겨우 한나라당 보좌관이냐", 이렇게 말해야 하나. 고등학교 친구한테, 그런 게 어디 있나? 좌우, 그런 건 모르던 시절의 짝꿍인데. 그냥 반가운 거다.

이런 내 친구와 후배들을 비롯한 한국의 40대는 정신적으로나 문화적으로나 비루하게 사는 중이다. 그러나 그 비루한 일상 속에서도 우리 좀 유머를 찾고, 명랑을 회복하자, 그런 얘기들이 있으면 좋겠다고 생각했다. 친구라서 할 수 있는 얘기들을 하고 싶었다.

"우린 남이 아니잖아? 너네도, 좌파 친구 한 명쯤 있는 게 좋잖아?"

이 시대를 같이 살아가면서, 방사능비 내리면 같이 맞고, 구제역 고기도 같이 먹고, 우리는 그렇게 일상을 공유하는 중이다. 그런 친구들의 얘기가, 한국에는 없다. 다정한 얘기는 거의 외국 책에 있고.

40대 남자는, 한국에서 문화적으로 없는 존재에 가깝다. 그들의 얘기를 무대 정면에 올리고 싶었다.

니들이 잘해야, 이 나라가 안 망한다, 친구!

슈트를
벗다

8년 만에 슈트 형식으로 생긴 옷을 샀다. 2002년에 마지막으로 정장을 산 후로는 제대로 된 옷이라는 것을 거의 사지 않고, 청바지 몇 벌, 등산복 몇 벌 그리고 티셔츠 몇 개로 거의 8년 가까운 시간을 버틴 셈이다. 그 기간 동안에는 양복도 입지 않았고, 꼭 필요하면 자켓 몇 벌 가지고 버텼다.

나는 가난하니까……. 츄리닝과 티셔츠, 그냥 그걸로 8년을 버텼다. 책 살 돈도 없는데, 무슨 옷 살 돈은.

정말로 내가 시도해보고 싶은 패션은 중요한 자리에도 츄리닝 입고 가는, 그 대신 맞춤 츄리닝, 그렇게 츄리닝 정장이라는 것을 해보고 싶었다.

옷장에는 아직도 몇 년째 입지 않은 오래된 슈트 정장, 조끼까지 딱 맞춰져 있고 바지까지 여벌로 하나 더 있는, 그런 쓰리피스 정장들이 켜켜이 준비되어 있다. 나도 10년 가까이 양복을 입고 넥타이를 매는 생활을 했었으니까. 그중에 가장 비싼 옷은, 면으로 된 입생로랑 슈트다. 슈트를 입는 게 너무 싫어서 총리실 시절, 면으로 된 옷을 입고 싶었는데 양복 안 입는다고 지랄할 것이 뻔한 국장이나 실장들 눈초리가 싫어서 나 혼자서는 '짜가 슈트'라고 불렀던 면으로 된 슈트를 구해다 입은 적이 있다. 그래도 비싼 거라는 걸 보이기 위해서, 입생로랑을 입고 다니던 그 시절.

UN 회의장에 갈 때에는 제일모직 옷을 입었다. 물론 그것도 로얄티 내고 외국 브랜드를 달고 있지만, 천만은 제일모직 천이니까. UN 기후변화협약의 분과의장 하던 시절에는 어지간해서는 외국 브랜드를 입고 싶지 않아서, 제일모직 옷 중에서 제일 비싼 거를 사서 입었다. 그 시절은 쓰리피스가 유행이라서, 조끼까지 딱 맞춰서 그렇게 제일모직 옷을 입고 다녔었다(LG 것도 한 벌 있는데 내가 옷걸이가 별로라서 그런지, 영 품새가 나질 않았다).

그 대신 넥타이는 외교적으로 선택을 했었다. 프랑스 사람들과 협상할 때에는 프랑스 넥타이, 영국 사람들과 협상할 때에는 영국 넥타이, 그렇게 매고 나갔다. 아무래도 한국은 줄 것보다 받을 것이 많은 나라니까, 옷은 국산 천으로 된 옷을 고집했지만, 넥타이는 가능한 한 상대편 국가에서 만든 넥타이를 매고 가려고 했다.

도대체 이런 넥타이를 어디에서 샀느냐고 물어볼 정도로 유명해진 007넥타이도 하나 있다. 영국 리즈에서 처음으로 학회 데뷔할 때, 준비해간 넥타이가 없어서 리즈 우체국 앞에서 산 넥타이였는데, 그게 마라케쉬 회의에서 영국 환경부 대표들의 마음을 흔든 넥타이가 된 것이다.

"이런 리즈에서나 파는 꼴통 넥타이를 매는 걸 보니, 너는 토니 블레어 총리의 팬이 분명하군……."

넥타이를 벗은 것은 2001년부터다. 공식행사가 아니면 넥타이를 매지 않았는데, 국제협상이나 장관회의 같은 격식을 차려야 하는 자리 아니면 넥타이를 매지 않고 개졌다. 그 대신 밤을 새워서라도 보고서나 제안서 같은 것만은 최고의 품질을 유지하겠다고 약속했다.

슈트를 벗은 것은 2003년의 일이다. 에너지관리공단을 퇴직하면서 더 이상 나는 슈트를 입을 일이 없어졌고, 글을 통해서 누군가를 대변하지, 슈트를 통해서 누군가를 대변하는 일은 하지 않겠다고 생각했다. 물론 가끔은 공식적인 행사에 나가거나 일본 등 외국 언론과 인터뷰를 할 일이 생기기도 하는데, 그냥 자켓으로 버틴다.

결혼식 때에는 어쩔 수가 없어서 연미복을 입었다. 이재영 선배는, 지금도 나에게 그건 배신이라고 그 얘길 종종 한다. 아내란…… 그런 것이다. 아내를 위해서는 가끔 슈트를 입을 수도 있다. 회사를 위해서 국가를 위해서도 입었던 옷인데, 아내를 위해서 가끔 입는 것 정도 못할 리는 없다.

청바지를 입거나 등산복 바지를 입고, 고급 건물의 주차장에 전혀 세차되지 않은 1,600cc 국산 해치백 승용차를 몰고 가면, 수위나 주차 보조원들과 실랑이를 하게 되는 경우가 종종 생긴다. 사실은 좀 즐기는 편이다. 한국에서, 옷이나 승용차로 어떻게 사람들을 평가하는지를 직접 몸으로 확인할 수 있는 드문 기회니까 말이다. 들어가지도 못하게 할 때도 가끔 있다. 보통 그러면 "아, 네, 그러세요" 하고 집으로 돌아가버린다. 국회의원들 조찬모임 때, 그렇게 그냥 가버린 적이 몇 번 있다. 나야, 최고다! 밤새서 뭔가 쓰다가 약속 때문에 억지로 간 건데, 수위가 못 들어오게 했으니, 핑계치고는 대단하다. 사실 너무 졸립고 피곤해서, 안 갈 핑계만 있으면 안 간다였는데.

. . .

슈트는 다신 안 입는다고 생각했는데 아내가 가고 싶은 파티가 있어서, 아내를 위해 오랜만에 슈트를 샀다. 부부동반으로 가야 하는 파티에 혼자 갔다 오라고 하고 싶지도 않았고, 밖에서 기다린다고 말하고 싶지도 않았다.

세일 기간이고, 나도 별스럽게 뭔가 따지는 편이 아니라서, 그냥 아무거나 손에 잡히는 대로 샀다. 그러고는 간만에 아내랑 하루 종일 싸웠다. 청바지 입듯이 입겠다는 내 얘기에, 아내는 그럼 청바지처럼 아무렇게나 매일 '똥 싼 바지' 모양으로 버려둘 거냐며…….

여기에는 약간의 오해가 있기는 하다.

내가 얘기한 '청바지처럼'이라는 얘기는 아내가 사준 옷이라서 청바지처럼 매일 입겠다는 얘기고, 아내는 들어오자마자 대충 벗어두는 그런 모양새로 슈트를 입겠냐는 얘기다. 하여간 최근에 이런저런 이유로 나도 신경이 곤두서서, 오후 내내 아내와 싸웠다. 나와 아내의 싸움은 보통은 5분을 넘지 않고, 내가 무조건 꼬리를 내리는데, 한나절 이상 싸움이 계속된 것은, 결혼하고 7년 만에 처음이었다.

그러나 곰곰이 생각해보면 이 싸움과 이 갈등은 슈트의 문제는 아니고, 세일에서 시즌 끝난 슈트를 조금 저렴하게 산, 그런 문제는 더더군다나 아니다.

나는 20대 내내 32인치로 바지를 입었고, 30대 내내 33인치로 바지를 입었다. 그동안 겁나서 치수를 재지 않았는데, 마흔이 되고 난 후에 나의 허리 치수는 어느덧 34인치가 되어 있었다. 몇 년 동안 장롱에 모셔두고만 있던 나의 33인치 슈트 바지들은, 더 이상 내가 입을 수 있는 바지가 아니다. 그러니까 꼭 슈트를 입어야 하는 날이 오면, 이제부터는 "옛날 것들은 잊어주세요" 하고 새로 사야 하는 상황이 된 것이다.

그렇다고 그 1인치를 줄이자고, 오바마처럼 매일 헬스클럽에서 운동하는 것도 웃기는 일이다. 하여간 늘어난 그 1인치를 받아들이려 하지 않는 나와, 남편이 그새 허리가 1인치가 늘었다고 신경을 바짝 곤두세우는 아내, 그 사이의 신경전이 마흔이 넘어 처음 산 슈트를 둘러싸고 벌어진 열전의 진짜 핵심 본질인 셈이다.

10년에 1인치씩 허리가 늘어나는데 마흔이 되니 대학 시절과 비교해 2인치가 늘어난 셈이다. 그게 세월인가? 아니면 망각인가? 혹은 경륜인가? 청바지나 등산바지는 그렇게 치수를 정확히 재지 않아도 되는데, 슈트를 맞추거나 살 때면, 슈트의 특성상 정확하게 신체 치수가 드러난다.

. . .

"꼭 내가 배가 나와서 더 이상 양복을 안 입으려고 하는 게 아니라니까……"라는 말을 아내에게 하고 싶은데, 아내는 그걸 배 나온 남편의 말도 되지 않는 변명으로 이해하는 것 같다.

마흔 살의 슈트, 나에게 그것은 1인치 늘어난 바지 치수에 대한 철학적 고찰과 같다.

넌 배부르니,
산 배고픈데

사람들은 많은 경우, 메이저의 위치에 서고 싶어 한다. 만날 욕하면서도 대한민국 어머니들의 '자식 좋은 대학 보내기'를 향한 피 끓는 난동에 대해 선뜻 비난하기 어려운 것은, 그들의 인식이 한국의 현실과 아주 다르지는 않기 때문일 것이다.

나는 좋은 사회는 '필승카드'가 존재하지 않는 사회라고 생각한다. 혹 그런 게 존재한다면, 다른 장치에 의해서 균형을 이루게 되어, 결국 기댓값이 어느 정도는 평준화된 사회가 되어야 한다는 게 나의 지론이다.

프랑스는 귀족이 현실적으로 존재한다. 공공연하게 5퍼센트가 나머지 95퍼센트를 끌고 가는 사회라고 내부에서 얘기한다. 프랑스가 평등주의적이라는 말은, 내가 경험한 바에 의하면 개뻥이다. 그러나 그 5퍼센트가 제대로 못 했다고 생각되는 경우, 상층부에게 가해지는 사회적 압력은 대단하다. 그냥 도덕적 비난이 아니라, 루이 16세를 단 한 표의 차이로 유죄판결 내리고 길로틴에서 목을 댕강 잘랐던 그 전통처럼, 언제든 혁명은 재발할 수 있다.

"넌 배부르니? 난 배고픈데."

이 한 문장이 파리의 여인들을 베르사이유로 향하게 만들었고, 그들의 행진이 루이 14세 이후로 황금기를 구가했던, 그리고 실제로도 상당한 개혁정치를 했던, 그 부르봉 왕조를 종식시켰다. 배부르다고 함부로 행동했다가는 엄청난 세금을 때려 맞게 되거나 사회적 맹비난을 감수해야 한다. 그래서 귀족들의 교육은 더욱 엄격하다. 접시에 남은 약간의 소스도 빵으로 찍어서 접시를 깨끗하게 비우도록 그들의 에티켓이 형성된 것은, "난 배부르지 않아"라는 것을 보이기 위한 장치라고 이해할 수도 있다.

"넌 배부르니?"

이 질문은 치명적인 질문이다. 적어도 프랑스 사회에서는. 배부르다고 대답했다가는 언제 단두대에 올라갈지도 모르는 긴장감 팽팽한 사회. 프랑스가 평화와 낭만의 국가라고? 개뻥이다. 피와 피를 통한 균형, 그게 프랑스라는 국가를 움직이는 실체다. 독일 나치에게 협력했던 부역분자 '콜라보collabo'에 대한 처리만 봐도 그들은 정말 지독할 정도였다.

. . .

한국은 오랫동안 필승카드가 존재했다. 왜정시대에는 '1고', '2고'라고 불리던 경기고와 경복고 같은 필승카드가 있었고, 박정희에서 전또깡의 시대에는 해사, 공사가 아닌 꼭 '육사'여야 하던 시기가 있었다. 그리고 그 뒤로는 서울대 법대의 전성시대가 잠깐 펼쳐지기도 했다. 그 필승카드들 중 최상위였던 경기고는 대통령 한 번 배출하지 못해서 한이 되었다고들 한다. 이회창이 대선에 출마해 떨어졌을 때, 그때 경기고의 실력과 한계를 보았다고들 얘기한다(정운찬 그리고 그와 정치적으로는 대척점에 서 있는 노회찬, 이런 사람들이 경기고 출신이다).

한국에서 경기고, 육사, 서울대 법대, 이런 것들이 문제를 일으키는 것은 개인의 문제라기보다는 그런 특혜를 상쇄하는 균형조건을 찾아내지 못한, 제도의 미성숙 같은 것에 관련 있지 않을까? 그들은 모든 것을 다 가질 수 있지만, 그에 비해서 내놓는 것은 아무것도 없다. '사회가 준만큼 사회에 돌려준다', 이것이 귀족 사회를 지탱하는 제도적 균형조건인데, 우리는 그걸 만들지 못했다. 의무와 책임 없이도 권리와 특권을 누릴 수 있는 사회이다 보니 그러니 누구든 '프레스티지'를 가질 수 있는 곳으로 진군할 수밖에.

참여연대가 처음 만들어져서 막 자리를 잡아갈 때, 시민단체 내에서 공공연히 참여연대 흉보는 것 중의 하나가 서울대 엘리트들의 운동이라는 말이었다. 빠르게 효율적으로 움직이기 위해서 초창기에 그런 성격이 있었던 것은 사실이지만, 사실 참여연대를 실제로 움직이는 사회적 힘은 꼭 그런 것은 아니었다. 그러나 비슷한 시기에 역시 시민단체의 한 축을 형성하던 환경운동연합과 비교하면 확실히 구성 면에서는 차이가 좀 있는 것 같다. 환경운동연합은 중앙조직이 아니라 전국조직의 연합체로 형성된 단체다. 그래서 소위 지방대 출신들이 많은데, 당연한 게 지역조직이니 그 지역 출신이 더 많을 게 아닌가. 내가 관찰한 단체 중에서 '학벌주의'가 제일 없었던 조직이 바로 환경운동연합이었다. '학벌 없는 사회'가 주요 모티브 중의 하나인 하자센터보다도 환경운동연합에서 학벌과 더 상관없는 양상이 벌어졌던 것으로 기억한다. 묘하게도 그렇다.

. . .

어쨌든 한국은 메이저라는 것들이 시대마다 등장했고, 그 메이저 끼리의 경쟁으로 조금씩 균형을 맞춘 사회라고 할 수 있다. 육사는 결국 서울대 법대가 잡았고, 서울대 법대는 음, 아마 서울대 경영학과가 결국 잡게 될 것 같다. 그러나 어른들이 뭐라고 생각하든, 요즘 10대들은 의대와 약대 손을 들어주었다. "당신들이 뭐라고 얘기하든, 나는 의사 될 거야!" 지금은 공대고 법대고, 혹은 경영학과고 간에 10대들이 선택하는 필승카드는 '의사'다.

그렇다면 한국에서 경제 메이저는 누구일까? 조순, 정운찬으로 내려오는 서울대 경제학과라고 애기들 하는데, 20년 전에는 모르겠지만, 지금은 택도 없는 애기인 것 같다. 그들은 케인지언(케인즈학파)이고, 비주류가 된 지 오래다. 1980년대부터 시카고학파가 케인즈학파에 뒤이어 주류 자리를 넘겨받았는데, 일반인들이 생각하는 것처럼 시카고 출신이 경제학과 내에 그렇게 많은 것은 아니다. 또 시카고 출신들은 머리에 뿔 두 개쯤 달린 신자유주의의 맹폭자 같은 이미지를 가지고 있지만 한국 현실에선 꼭 그런 것도 아니다. 사실 시카고에서 공부하신 분들 중에는 상당히 합리적인 사람들도 많고, 맑스 애기를 하든 생태계에 대한 얘기를 하든 적절한 논리로 논쟁을 하게 되면, "당신 말이 맞네"라고 어느 정도 대화가 가능한 것도 사실이다. 참고로 1996년 대학 강사 시절의 나에게 생태경제학이라는 전공을 버리지 말라고, 언젠가 빛 볼 날 있을 것이라고 얘기해준 선생도 시

카고 출신이었다. 또, 『생태요괴전』, 『생태페다고지』로 이어지는 생
태경제학 시리즈가 너무너무 힘들고, 그럼에도 불구하고 안 팔릴 것
이 너무 뻔해서 시리즈를 접고 포기하려고 할 때 이 시리즈를 절대로
포기하지 말라고, 어떻게든 생태 이야기를 해야 한다고 격려해준 사
람도 시카고 출신이었다. 많은 사람들이 시카고학파의 괴수 정도로
알고 있는 분들이 아이러니하게도 내가 하는 얘기가 중요한 얘기라
고 격려를 해준 것이다.

　사실, 한국에서 진짜 경제 메이저를 얘기할 때 빠지지 않는 개념이
모피아(금융계 내 재정경제부 출신들을 지칭하는 말로 재정경제부Ministry of Finance
and Economy와 마피아의 합성어다)다. 나도 모피아가 정말 나쁜 사람들로
일치단결, 용감무쌍 그리고 부패 공무원 1등들이라 한때 믿었다. 그
러나 여기도 안을 들여다보면 아주 복잡하다. 경제기획원(EPB) 출신,
재무부 출신, 이런 게 복잡하게 얽혀 있고, 서로 상대방에 대한 피해
의식이 쩐다.

· · ·

　이렇게 몇 개의 메이저로 구성된 한국 사회에서 어쨌든 '좌파'라는
것을 철학적 입장이든, 사회적 입장이든, 아니면 삶의 자세든, 그걸
선택하는 순간부터는 이제 국민의 2퍼센트에서 10퍼센트에 속하는
마이너의 위치에 서게 된다. 그건 어쩔 수 없다. 확률론적으로 보더
라도, 우파를 선택하는 게 더 유리하다는 부모님과 지도교수의 설득
이, 아무런 근거가 없었던 것은 아니다. 한국에서 좌파를 선택한다는
것은 온갖 종류의 핸디캡을 감수하겠다는, 그야말로 '고난의 선언'과

마찬가지다. 1980년대에도 그랬지만, 지금은 그때보다 더 심해진 것 같다.

좌파를 선택한 후 나에게도 역시 고난의 파노라마가 주옥같이 펼쳐졌다. 내가 좌파임에도 불구하고 현대의 어느 연구소의 특채 1호로 들어가게 된 희한한 일이 벌어진 것은 내가 우리나라에 생태경제학이라는 틀을 소개한 1호였기 때문이다. 그 1호의 혜택도 아마 내가 마지막이었을 것이다. 내가 알기로도 내 뒤로는 좌파가 같은 사무실에 들어간 적이 없었으니 말이다. 나보다 먼저 현대에서 일했던 사람들 중에는 나보다 더 심각한 좌파들도 있었고, 그들 중에는 아주 높은 위치까지 올라간 사람들도 종종 있었다. 그들은 내가 기억하는 바로는, 정말로 뼈가 부서지도록 열심히 일했다.

좌파들이 술을 많이 마시거나, 한 얘기를 계속 반복하는 그 무한 루프에 빠져 있는 경우가 많은 이유를 난 충분히 이해할 수 있다. 어쨌든 메이저가 될 가능성이 있었는데, 마이너의 길을 선택한 것은 평생을 따라다니며 되돌아보는 출발점 같은 것이기 때문이다.

좌파를 선택했는데, 그중에서도 생태나 여성을 선택했다면, 이젠 정말 '마이너의 마이너'로 분류된다. 아, 이건 답 안 나온다. 그런 마이너의 마이너 중에서 가장 용기 있고, 또 가장 매력적인 삶을 산 사람을 한 명만 꼽자면, 『리뷰』의 편집장이자 게이 액티비스트인 서동진을 들어야 할 것 같다. 한국 사회 최초였던 서동진의 '커밍아웃'은 한편으로는 그를 스타로 만들어주기도 했지만, 실제로는 그가 움직일 수 있는 공간을 완전히 협소하게 만들어버렸다. 정말로 마이너의 마이너였던 서동진과 같이 죽어가는 『당대비평』을 살리기 위해 머리

를 맞대던 그때를 나는 아직도 즐거운 논의를 해보던 시절로 기억한
다. 결국 『당대비평』을 살리는 데에는 실패했지만, 나는 서동진이 얼
마나 매력적인 사람인가를 근거리에서 볼 수 있었던 것만으로도 충
분히 행복했다.

돌아보면, 마이너 중에서도 마이너의 삶을 산다는 건, 이제는 아주
익숙해져서 몸에 딱 맞는 옷처럼 느껴지는 핸디캡을 안고 살아가는
일이다. 물론 그래봐야 정말 핸디캡이 많은 사람들에 비하면 그래도
나는 중무장에 해당되고, 그래도 최소한 내 한 몸 서 있을 공간을 부
비적거리면서 만들어내는, 딱 거기까지는 그런대로 걸어온 것 같다.
그러나 때때로 서 있는 것만으로도 힘에 부칠 정도로 '마이너의 마
이너'라는 것이 사실 고되기는 하다.

· · ·

몇 년 전에 책 작업을 하면서 한국에서 누가 가장 힘들까에 대해
간단하게 핸디캡 조건을 상정해본 적이 있다.

20대 * 여성 * 지방거주자 * 고졸 * 장애인

느낌이 오는가? 여기에 조건 하나를 더 추가해보자.

20대 * 여성 * 지방거주자 * 고졸 * 장애인 * 농민

실제로 모델을 이렇게 설정해놓고 여기에 해당하는 사람들을 찾아

나서서 몇 명은 직접 만났고, 몇 명은 삶에 대한 크로키 같은 것들을 만들어보았다.

참, 기이하게도 이런 기가 막힌 핸디캡들을 달고 있는 여성 농민들이 오히려 대체적으로 행복하고 건강하다(이게 내가 농업이 지닌 사회적 가치를 다시 한 번 생각해본 결정적 계기 중의 하나가 되기도 했다)는 느낌을 받았다.

반면, "내가 참 운이 없다"며 자신을 가장 박복한 사나이로 생각하는 사람들 중에 의외로 서울대 출신들이 많았고, 서울대에서도 마이너 전공 혹은 좌파를 선택한 사람들이 많다는 사실을 알게 됐다. 또 하나 느낀 점은 여성들의 울분이 상상을 초월한다는 것이었다. 어느 정도 상상은 했지만, 한국 여성들이 경제적 삶과 사회적 삶에 대해서 가지는 구조적 불안감과 불만, 이것들은 정말로 상상초월이었다. 한결같이 경제적으로 불안했고, 사회적으로도 우울했다.

솔직히 고백하자면, 현대를 다니던 시절부터 나는 한국에서 살기가 너무 불편해서 외국에서 지내는 것에 대해서 오랫동안 생각했었다. 내가 외국에 가서는 안 된다고 결정적으로 마음먹게 된 계기가 바로 여성들에 대한 조사과정 때문이었다. 난 언젠가는 꼭 딸을 가지고 싶은데, 내 딸에게 이런 사회를 물려주고 싶지 않고, 이런 조국을 조국이라고 물려주고 싶지 않기 때문에 한국에서 내가 할 수 있는 일을 하자는 것, 그게 내가 마지막으로 받은 외국 컨설팅회사의 제안을 돌려보낸 이유였다.

· · ·

정말로 좋은 사회를 다원화된 사회라고 정의해보자.

이 사회는 마이너의 마이너들로 구성되어 있는 사회이고, 그 누구도 메이저 중의 메이저로서 특권을 가지고 있지 않은 사회라고 할 수 있을 것이다. 구성원 각자의 특수 기호, 특수 문화 그리고 특수 철학을 인정해준다면, 마이너의 마이너들도 다 평온하고 행복할 수 있지 않을까?

내가 분석해본 여러 국가 모델 중에서 이런 모습에 가장 유사한 게 스위스였다. 나는 한국에서 천국을 구현하고 싶은 건 아니다. 다만, 마이너의 마이너들이 울분에 쌓이지 않고, 알콜중독이 되지 않고, 충분히 행복하게 살 수 있는 그런 나라의 모습을 꿈꾼다.

한국에 마이너는 누구냐고?

마이너는 좌파만 있는 게 아니다. 지금은 서울대 법대, 상대, 의대, 이들을 제외한 모든 국민들이 한국에서는 마이너고, 과 수석 정도가 아니라면 전부 마이너의 마이너들이다. 1퍼센트 대 99퍼센트의 불평등 체제, 이래서는 어느 누구도 행복하기 어렵다.

주류와 비주류

'비주류의 비주류'라는 표현이 있다. 지금은 민주당 정책위원장 하는 박순성 선배한테 들었던 얘기인데, 어느 시대에나 주류(courant)와 비주류(anti-courant)가 있는데, 그 비주류 내에서도 다시 주류와 비주류로 나눠진다는 그런 뜻으로 '비주류의 비주류'를 말하셨다.

동구가 붕괴되고 경제학설사 하던 사람들이 스스로를 그렇게들 표현하기도 했단다. 맑스경제학은 경제학 내에서도 비주류인데, 여기서도 노동경제학이 아니라 학설사나 경제사 같은 데로 빠지면 아주 힘들어진다. 공부 시작하면서 제일 처음 하는 일이, 먹고살기는 아예 날 샜다고 결심하는 일이리라. 나는 사상사나 경제사만 이러는 줄 알았는데, 나중에 보니 수리경제학 전공하는 사람들도 영 만만치 않은 삶을 살더라. 친했던 친구 한 명은 결국 게임회사에 취직했고, 또 다른 선배는 헤매고 헤매다가 결국 전경련에 들어갔다.

현실은 어떤지 잘 몰랐지만, 나는 그 '비주류의 비주류'라는 표현이 매우 인상적이었고, 그래서인지 비주류를 그냥 내 삶으로 받아들였다. 난 주류가 되려고 했던 적도, 주류가 되려고 생각한 적도 없다. 그래도 찌질하게 살고 싶지는 않았고, 어차피 비주류로 사는 것, 재밌는 걸 재밌게 해보자는 생각이 컸던 것 같다. 좋은 건, 잠시만 뒤처져도 밀려날 거라는 그런 초조함 같은 걸 가지지 않아도 되고, 승진이나 성공을 위해 줄을 서는 노력도 안 해도 된다는 점이다.

몇 년 전, 환경운동연합에서 10주년 기념행사를 하면서 "녹색의 주류화Mainstreaming of Green"라는 구호를 내걸었던 적이 있다. 환경이 더 이상 비주류의 변방에서만 머물지 말고, 주류화를 이루자는 얘기였는데, 그게 그렇게 어색해 보이지는 않았다. 그런 식으로 변화를 만들어가는 것도 나쁘지는 않다고 생각이 들었고(물론 환경운동연합은 그후에 아주 어려워졌고, 여전히 반전의 흐름을 잘 못 잡고 있기는 하다).

단순하게 보면, 혁명이나 정권교체 혹은 개혁과 같은 것들은 사람으로 치면 '주류'를 교체하는 것이기도 하다. 지배세력이나 주류를 교체한다고 해서 상황이 나아진다는 보장은 없지만, 그래도 그렇게 교체를 하다 보면 또 다른 흐름이 나올 수 있고, 최소한 진화의 속도는 빨라질 수 있기 때문이다.

• • •

난데없이 비주류와 주류 얘기가 생각난 건 소설가 박범신 때문이다. 나중에 명박 정권의 '문화 5적' 같은 걸 누군가가 정리한다면 그안에 들어갈 정도는 되지 않을까? 그렇게 권력이 좋더냐, 그런 생각을 잠시 했었다. 명박의 당당함이 과연 어디에서 나오나 늘 궁금했는데, 저렇게 손들고서 나 좀 시켜달라는 사람이 많으니…… 힘을 가질 자리만 생기면 서슴없이 나서겠다는 아저씨들이 또 한 트럭은 줄을 서 있는 것 같다.

얼마 전 서울시에서 운영하는 세종문화회관 안에 아예 전문 식당가까지 들어선 걸 보고, 서울시 욕을 딥따 하다가 까맣게 잊고 있던 서울문화재단이라는 존재가 떠올랐다. 한때 나의 주적이었던 서울문화재단(초대 대표이사가 유인촌이었다), 여기랑 참 많이 싸웠었는데 몇 년 지나 돌아보니, 그 시절에 하이서울 페스티벌 등으로 유인촌과 싸우던 사람들은 지금은 흔적도 없다. 나도 이제 현장 싸움은 떠났고, 당시 총사령관 격이던 문화연대의 지금종 선배는 제주도로 낙향했고, 문화연대 살림이 어려워지면서 실무진들도 다 흩어지게 되었으니. 우리가 조용한 틈을 타 여긴 요즘 뭐 하나 봤더니 박범신이 툭 튀어나오는 게 아닌가.

생각해보면 한나라당의 진짜 개국공신은 이문열이 아니던가? 정작 자기가 정권을 열어놓고 본인은 요즘 야인처럼 사는 것 같다. 하긴, 문화부 장관을 한다고 더 영광이 있겠는가? 이미 살아서 영광은 볼 만큼 본 사람인데……. 이문열, 생각보다 재밌고 소탈한 구석이 많은 사람이긴 하다. 2001년, 진보시민단체들의 활동을 '홍위병'에 비유했다가 '책 장례식', '책 반납운동'을 겪고, 2008년에는 "촛불 시위에 대항하는 의병 활동이 일어나야 한다"라는 발언으로 분서焚書와 불매운동에 시달리기도 한 그는 지나치게 이데올로기에 집중해서 '시대와의 불화'가 된 셈이다. 어쨌든 높은 자리는 이문열에게나 가는 게 맞는 것 같은데, 엉뚱한 사람들이 주류 노릇을 단단히 하고 있는 것 같다.

사실, 대통령이나 지자체장이 갖고 있는 자리들이 문화계 쪽에 몇 개 있는데 특히 한국문화예술위원회가 그렇다. 문화인들이 공무원 밑에 있기 싫다고 해서, 노무현 대선 공약으로 생겨난 기구인데 나름대로 요지경이다. 며칠 전에 이곳 위원 명단을 봤는데, 여기도 상당히 재밌다.

한국에서 남자들은 나이 오십이 넘어가면 그 전에 안 그러던 사람들도 엄청나게 자리 욕심을 내는 것 같다. 이유를 물어보니, 죽고 나서 '학생부군신위'라고 쓰기가 싫다나? 스스로 높은 자리에서 내려온 사람은 한예종 총장 그만두면서 더 유명해진 황지우 시인 정도 아닐까 싶다.

난 사람들이 훈장 욕심내는 것도 영 못마땅하게 생각한다. 영광을 국가가 만들어주는 것이라는 생각이 이제는 좀 누그러질 법도 한데, 아직까지는 우리나라에서 훈장을 거부한 사례를 보질 못했다. 사르트르가 노벨상 거절했다는 얘기가 오히려 더 오래가는 것처럼, 국가가 주는 훈장이 아니라 민중들이 자신의 글을 기억하는 걸 더 자랑스럽고 명예롭게 생각하는 그런 사람이 우리나라에서도 한 명쯤 나오면 좋겠다 싶다.

. . .

정권이 이제 올해 말이면 끝난다. 그간의 전례를 보면 공무원들은 끝나가는 정권에서 한자리 했다가는 다음 정권 내내 구박이라며 몸 사리는 동안에, 개국공신들 중에 아직도 한자리 차지하지 못한 사람들은 정권이 끝나기 전에 자기 몫을 챙기기 위해 기를 쓰고 달려들 것이고, 또 그 밑에는 박사들이나 교수들이 열심히 줄 댈 시점이기도 하다.

30년이 지나서 지금의 20대들이 50대가 되면 세상은 어떤 모습일까? 장관을 비롯한 각종 자리들이 30~40대로 대거 낮춰지는 경천동지할 일이 한국에서 벌어지기 전에는 지금의 20대 중에서 대통령도 나오고, 장관도 나오게 될 거다. 결국 지금 살아남은 20대들에게 그 자리가 갈지, 아니면 비주류의 비주류로 현장을 지키는 미래의 젊은 활동가들에게 그 자리가 갈지, 그런 걸 생각해보는 것도 재밌는 일이다. 세상이라는 게 늘 고정되어 있는 것 같지만, 가끔은 전혀 예기치 못한 흐름에 의한 반전도 생기는 법이니까.

콩세알

좀 오래된 우리말 중에 '콩세알'이라는 말이 있다. 농부가 밭에 콩을 심을 때 하나는 땅의 것, 하나는 새의 것, 또 하나는 사람의 것, 그렇게 세 알을 같이 심는다는 뜻에서 나온 말이다.

녹색당 시절, 결국 남은 조직은 유기농업을 실험하는 CSA(Community -Supported Agriculture) 농가 약간이다. 이천에 있는데 시민들이 회원제로 직접 운영한다. 3년째 돌아가는 중인데, 아직은 초기라서 문제점들이 꽤 있다. 원래는 회원이 된 시민들이 여러 가지를 직접 결정하는 방식으로 가야 하는데, 운영위원회도 제대로 꾸려져 있지 않다. 게다가 이천이 땅값이 워낙 비싸서 농장을 확대하는 것도 아직은 힘에 부친다. 이 시민지원농업 조직이 '콩세알'이라는 이름을 가지고 있다.

나는 이 '콩세알'이라는 것을 일종의 정신이자, "끝까지 해먹지 않는 것"이라고 생각한다. 이와 비슷한 말들은 생각보다 많다. 나도 경제학과 졸업생인 셈이라서, 내 옛날 친구들은 거의 한 명도 안 빼놓고 금융과 관련된 일들을 하는데, 그들이 즐겨하는 말 중에 "상투까지 먹을 생각하지 마라"가 있다. 유사한 말로는, "목에서 먹어라" 정도.

머리끝까지 전부 올라갔을 때 이득을 보면 100퍼센트가 되겠지만, 인간의 능력으로 그렇게까지 기가 막히게 맞추기는 어렵다. 대충 80퍼센트 정도 선이라고 생각할 때 팔라는 게 증권쟁이들 사이에서는 유명한 얘기다.

15년을 이 바닥에서 지내다 보니, 별의별 증권쟁이들의 사연을 다 접하게 되는데, 아직까지 손해 본 적 없다는 사람들은 별로 못 봤다. 10년에 한 번씩 큰 주기가 있고, 3~4년마다 작은 주기가 있는데, 한때 엄청난 수입을 올렸다고 하는 사람들도 평균 수익률을 따져보면, 망하지 않고 버티는 게 대단한 셈이다.

그래서 증권가 사람들은 이렇게 말한다.

"누구나 결국에는 돈을 잃게 되지만, 오래 버티는 것이 실력이다."

그런 걸 뭐 하러 해?

서른 살을 넘기며 내가 손에 쥔 원칙은, 수입은 노동소득으로만 올린다는 거다. 증권, 부동산, 이런 것은 일절 하지 않고, 커미션 같은 것에도 절대로 손대지 않겠다는 생각을 서른 살 되면서 했다. 물론 회사에 있거나 정부에 있으면, 어떤 주식이 금방 올라갈 건지 알게 되는 경우가 좀 있다. 토건쟁이들이 알면 눈 뒤집힐 정도의 개발에 대한 고급 정보도 알게 되는 경우가 있다. 사업예정지가 어디인지, 어느 아파트에 시설 좋은 인프라가 주변에 깔리게 되는지, 내가 제일 먼저 알게 되니 말이다. 그런 순간이 몇 번 내 삶에도 찾아왔었지만, 노동소득 외에는 소득을 올리지 않는다는 작은 원칙으로 그냥 살았다. 위험이 없으면 큰 소득도 없지만, 그렇게 살면 씀씀이도 커지지 않는다.

가늘고 길게…….

쉽게 온 것은, 쉽게 사라지는 법이다. 쉽게 오는 것을 찾아서 삶을 부평초처럼 낭비하다 보면, 결국 자기 영혼이 투전판 한가운데를 헤매고 있는 것을 발견할 것이다.

할 수 있어도 하지 않는 여지를 만드는 것. 그게 물질적으로는 개인을 행복하게 해주진 않아도, 마음만은 풍성하게 해준다. 그러면 딱 굶고 살 것 같지만, 살아보면 또 그렇지도 않다. 하루에 세 끼 밥 들어가면, 그 이상 뭐 바랄 게 있을까?

. . .

내가 기억하는 1970년대와 1980년대의 한국은 소년들과 소녀들에 대한 교육을 엄격히 분리해서, 소녀들은 방구석에 묶어 놓는 대신, 소년들은 투사로 키운 것 같다. 승부욕이라는 것을 집단적으로 주입시킨 셈인데, 남한테 조금이라도 지거나 조금이라도 손해 보면 낭패라는 그런 얄체 승부사 교육을 시킨 것이다.

"밖에 나가서 지고 들어오면, 집에서 죽는다."

아마 꽤 많은 집과 학교에서는 '남에게 양보해서는 안 된다'는 교육을 한국의 소년들에게 시켰던 것 같다. 그런 시기가 오래 지속되다 보니, 누군가에게 양보하거나, 자신이 할 수 있어도 남겨 놓는 그런 생각을 그 시절의 소년들은 배울 기회가 없었던 것이다.

승부사, 투사, 그런 사람들도 사회에 필요하기는 하다. 그러나 모두 승부사가 될 필요는 없고, 투사가 될 필요도 없다. 우리는 압축성장을 통해서, 소년들을 투사로 만들면서 그것을 한국의 힘이라고 포장하는 데 너무 익숙해진 것 같다. 그러나 한국의 힘이 과연 그런 것일까?

오래 시간을 가지고 차분하게 노력하다 보면 조금씩 나아지는 것, 너무 교과서적인 말이라고? 그러나 그게 바로 교육이다. 자판기에 동전 넣고 금방 뭔가 뽑아먹는 것, 사교육 시장에 자식을 몰아넣고 성과가 나올 것을 기대하는 것, 그건 자식을 자판기처럼 생각하는 것과 같다. 농업의 특징과는 아주 거리가 멀다. 농부의 정성과 기다림이 담긴 농업, 그것이야말로 교육의 특성을 잘 보여주는 것이다. 공업화와 산업화…… 결국 우리는 교육을 자판기로 이해하는 모자란 부모들을 잔뜩 만들어낸 것이다.

농부가 밭에 콩 세 알을 뿌리면서 가졌던 미덕, 그런 미덕을 우리는 너무 오래 잊고 살아온 것 같다.

「백지연의 끝장토론」 팀에서 대학생 토론배틀을 한다고 심사위원 요청 공문이 왔다. 짧은 시간이지만, 이것저것 참 많은 생각이 들었다. 이번 봄 개편 때 짧은 TV 뉴스 한 꼭지를 맡기로 했었는데, 방송 시작하기 전날 출연이 없던 일이 되었다. 그런 일이 한두 번이 아니라서, 이젠 뭐 익숙하다. 심사위원으로 출연은 당연히 거절했다. 원래도 TV에 나가는 걸 좋아하지 않는 편인데 별다른 이유는 없고, 그냥 싫다. 그러다 보니 나를 납득시킬 만한 이유가 없는 방송은 어지간하면 안 나간다. 특히 살면서 내가 지금까지 한 번도 하지 않은 게 심사위원인데, 그건 앞으로도 하지 않을 생각이다. 고사할 때마다 고색창연하게, 다양한 핑계를 댔지만 진짜 본심은 심사의원은 안 한다는 거다.

  심사라는 게 일종의 권력이다. 그런 걸 하다 보면 감당할 수 없는 권력을 가지게 되고, 그런 걸 자꾸 탐하다 보면 '작은 정치' 같은 걸 하게 된다. 원래 사람은 큰일로 분노하는 게 아니라, 작은 일에 더 분노하는 그런 존재다. 그래서 작은 정치가 큰 정치보다 더 무섭다.

대학 가서 문학하는 동네에 들어가자마자 도망쳐 나온 게, 이 세계가 그런 작은 정치가 난무하는 곳이라는 것을 너무 일찍 알았기 때문인지도 모른다. 끈적끈적하면서도 뒤끝 작렬인 동네, 교회나 학교 같이 작은 정치가 이루어지는 공간은 다 그렇다. 그럼 산업계는 좀 다를까? 제일 처음 업계 조정회의를 주간해본 게 석유화학 분야였는데, 진짜 끝내줬다! 전기공학 전공자들이 중심이 된 한전 등 전기 동네, 거기도 작은 정치 작렬이다.

그렇게 작은 정치가 움직이는 공간에서는 심사위원이나 평가위원의 권한이 생각보다 강하다. 그리고 그런 것들을 모으는 '대부'의 역할을 하는 사람이 꼭 등장하고, 그런 것들이 모이면 여기저기에서 소왕국 현상이 생겨난다. 이문열의 소설에서 보았던 크고 작은 소왕국들은 꼭 종교 집단에서만 생기는 건 아니다. 정부의 돈이 많이 들어오는 토건이나 도시공학 관련된 학회들에서도, 작은 정치로 점철된 왕국들이 많다.

큰 흐름과 줄기가 한국을 움직일 것 같지만, 실제로는 이런 작고 작은 것들이 모여서 한국이라는 거대한 덩어리를 형성한다고 볼 수 있다.

시민단체에서 하는 회의에 내가 잘 안 나가는 게, 여기서도 작은 정치 작살, 뒤끝 작렬인 경우가 많기 때문이다. 지형지물을 잘 살피지 않고 이 얘기 저 얘기 막 했다가는, 진짜 순수한 사람 가슴에 멍들게 하기도 하고, 또 밤길 조심해야 하는 지경에 이르기도 한다.

그래서 심사위원은 하지 않겠다고, 몇 년 전에 나하고 약속했다. 권력을 탐하지 않겠다고. 권력이라는 게, 조그만 권력이라도 익숙해지기 시작하면, 점점 더 큰 부패에도 무감각해진다. 권력을 자꾸 쥐면 힘이 생길 것 같지만 그게 살아보니, 진짜로 모래 위에 지은 성이더라. 살면서 추구해야 할 건 돈도 아니고, 권력은 더더군다나 아니다. 자신에게 권력이 붙을 수 있는 걸, 처음부터 야멸차게 뿌리치지 않으면, 점점 더 작은 정치 속으로 들어가게 된다. 권력으로부터 자유로울 수 있는 제일 좋은 길은, 아예 근처에 가지를 않고, 그게 얼마나 달콤한지 아예 맛을 보지 않는 것이다.

· · ·

산다는 것은, 어쩌면 하루하루가 유혹과의 싸움 혹은 단절의 연속인지도 모른다. 자꾸 영광을 탐하다 보면, 정말로 명예롭지 않은 순간을 만나게 된다. 그게 세상의 이치다.

내가 되고 싶은 것이 아니라 내가 살고 싶은 세상을 중심으로 생각하는 게 정신건강에는 더 좋을 것 같다. 혼자서 잘 먹고 잘 사는 삶을 추구하다 보면, 그때부터는 불법과 탈법의 묘한 경계를 탈 수밖에 없다. 그러나 자신이 원하는 게 이 세상에서 구현될 수 있도록 추구한다면, 그때에는 권력이 중요한 게 아니라 변화가 중요하고, 어떤 세상을 우리 자식들에게 물려줄 것인가, 그런 생각을 더하게 된다.

가지면 가질수록 더 갖고 싶은 게 인간이다. 권력의 속성 역시 이만하면 되었다 하는 그 순간이 없다. 그래서 종국에는 사람이 신도 꺾고, 자연도 꺾으려 하는 거 아닌가?

대선에서 대승을 거둔 명박이 제일 먼저 하고 싶었던 것도, 반도가 생긴 이후로 자연이 창조해놓은 강줄기를 바꾸는, 그런 자연대개조

사업이었던 건 어쩌면 너무 당연한 일인지도 모른다. 하나님의 이름으로 자연을 이겨 마시는 것, 그건 그가 이미 이 땅에서는 더는 이겨 마실 사람이 없다고 생각했기 때문일 것 같다.

. . .

사람이 나이 마흔이 되면 조금 더 자연에 가까워지고, 조금 더 순리에 가까워진다는 건, 한국에서는 개뻥이다. 마흔이 되면 점점 더 갖고 싶은 욕심에 빠지는 것 같다. 명분이야 국가를 위해서든, 민족을 위해서든, 혹은 신념을 위해서든, 그거야 갖다 붙이는 거고 결국은 "내가 뭐라도 되어야 쓰겠다"이다. 그런 큰 명분을 찾지 못한 사람은, "내 노후를 대비해야겠다"는 그런 소탈한 명분이라도 찾아서 손에 조금이라도 더 쥐는 법을 좇는다. 즉, 자신과 가족 혹은 자신의 노후를 위해 더 탐욕스럽게 갖고, 더 악착같이 승진해야 할 이유를 사회적으로 찾고 있는 것이다.

내가 마흔이 되면서 생각한 건, 이제는 조금씩 내려놓을 시간이라는 거다. 옛날 나이로 치면, 마흔이면 해볼 만큼 해보고 누릴 만큼 누린 나이다. 이때부터는 내려놓기 시작해야, 나머지 삶이 즐거워질 수 있고 평온해질 수 있다는 게 내 믿음이다.

진리라는 게 돈의 법칙이나 권력의 법칙과는 다르다는 게 참 다행이라고 생각한다. 내려놓으면 내려놓을수록, 진리를 조금이라도 볼 수 있는 가능성이 더 높아지는 것, 이게 삶의 오묘함이다.

맨 위에 올라갔을 때 만날 수 있는 제일 좋은 선택은 허무함이지만, 진짜로 무서운 것은 그 위에는 누구도 제어하지 못하는 광기가 있다는 사실이다. 명박과 오세훈, 그들이 맨 위에 올라서서 만난 게 광기가 아니더냐? 권력의 속성이란 게 원래 허무함이다. 그러나 허무함을 참을 수 있을 만큼의 인성을 갖추지 못한 사람들이 맨 위로 올라가면 결국은 광기로 빠져든다. 그게 세상의 이치인 것 같다.

...

이런저런 핑계로 심사위원이 되는 자리에 아직 한 번도 가지 않았다. 영광이 너무 크고, 권력이 생기는 자리는 가지 않아도 아무런 거리낌이 없는데, 최근 심사위원과 관련해서 고민이 하나 생기기는 했다. 한국 독립영화와 관련된 영화제의 심사를 부탁받았는데, 이거야 뭐 생기는 것도 없을 뿐더러, 겨우겨우 만든 특별한 자리라서 피할 명분이 별로 없었다. 다행히 지난해 부산영화제에서 독립영화 시상식은 시간이 겹쳐서, 지금껏 지켜오던 걸 지킬 수가 있었지만, 올해는 어쩐다……

시대정신은 있는가?
혹은 변화는?

　　　　　　　　하늘 아래 무한한 게 없다고 하더니,
영원히 갈 것 같던 청계천의 대통령은 결국 4대강의 대통령이 되어
버렸고, 사람들에게서 멀어졌다. 삶이란 원래 그런 것이다. 무한할
것 같지만, 언젠가 다 끝이 있다. 지독하게 퍼붓던 장마도 때가 되면
개인 하늘에게 자리를 내어주기 마련이듯이.

. . .

　'시대정신'이라고 많은 철학자들이 썼던 단어와, '국론분열'이라는
조중동이 주로 쓰는 단어는 그 의미상 유사한 점도 많지만, 맥락은
정반대일 것이다. 철학에서 시대정신은 대개, 역사를 움직이는 힘이
자 그 시대 사람들의 의식을 지배하는 정신으로 약자들의 지지를 받
거나 소수자들 편에 서 있단 느낌이 강하다. 반면, 국론분열은 이승
만의 냄새를 짙게 풍기고, 외부에서 들어온 집권자의 느낌이 강하다.
한때는 일본을 등에 업고 판쳤던 조선의 지배자들 그리고 지금은 미
국을 등에 업은 통치자들, 이들의 입에서 나오는 말이 국론분열인 경

우가 많다. '국익'이라는 말도 마찬가지다. 국가가 국민을 살뜰히 보살피지 않는데, 그런 국가의 이익을 위해서 복무하라는 얘기는, 나라의 아버지가 아들들에게 요구하는 통치술과도 같다.

"뭉치면 살고, 흩어지면 죽는다."

뭉쳐? 계급투표가 없는 한국에서, 뭉치라는 건 술 마시자고 할 때 사용되는 경우를 제외하면, 가난하고 배고픈 사람들이 한나라당에 투표하라는 것과 같은 의미다. 이걸 좀 더 인간적인 얘기로 바꾸면 '친구에게 투표해라', 즉 고향사람밖에 네가 믿을 사람이 또 누가 있겠냐, 그런 것과 마찬가지가 된다.

국론분열이라는 말은 국론이 통일된 나라가 잘 산다는, 민주주의와는 아무 상관없는 단어다. 마치 국론이 분열되어 4분5열 된 베트남이 그래서 망했다는 얘기와 마찬가지다(한국의 지배층은 베트남을 다시 경제적으로 수탈해야 한다는 끓는 욕망과 함께 통일 베트남의 정치적 실체를 아직도 인정하지 않는 듯하다).

국론분열과 시대정신이 갖는 공통점이 있긴 있다. 하나의 사안이나 하나의 흐름에 사회 구성원 모두가 동의하지는 않는다는 것이다. 어떠한 경우에도, 전체가 다 같은 생각을 가질 수는 없다. 그것을 힘으로 누르든, 폭력으로 막고 있든, 사람들의 의견이나 지향점이 같을 수는 없기 때문이다. 국가가 아무리 강력하더라도 국론은 통일될 수 없고, 애당초 분열되어 있을 수밖에 없는 것이다. 시대정신 역시 마찬가지다. 특정한 정신이 한 시대를 대표한다고 해도, 그게 전체의 정신이 될 수는 없다.

만약에 한 시대를 대표하는 정신이 있다면, 그게 좋은 것인지, 아니면 나쁜 것인지, 그런 걸 판단하기는 언제나 어렵다. 청계천 복원을 가지고 생각해보자. 이걸 처음에 발상했던 사람들은 상류 쪽 복원, 즉 북악산부터 내려오는 그 시냇물들을 다시 흐르게 해서 서울 자체에 원래의 물들을 찾아오자고 생각했었다. 근데 이명박 서울시장을 만나면서, 상류 대신에 한강에서 모터로 그냥 물을 끌어오는 조경사업으로 변했다. 미완의 혹은 불완전한 생태복원인 셈인데, 사람들은 여기에서 도시가 지역 생태계와 어떠한 관계를 맺을 것인가를 읽을 수도 있었을 것이다. 인간이 하는 행위는 언제나 불안하고 미완이기 때문에, 불완전한 것에서 무엇인가를 배운다는 것은 어쩌면 너무 당연하다.

그러나 그 당시, 사람들이 청계천에서 읽은 것은 '일하는 사람'이라는, 1970년대로의 복귀, 즉 한국 경제가 아직 노동의 신화에 서 있던 그 시절이었다. 한 사물의 두 가지 측면에서 어느 쪽 얼굴을 볼 것인가, 그거야말로 복잡미묘한 문제다. 청계천의 시대는 생태나 녹색의 시대라기보다는, 새마을로 대변되는 자연대개조, 강력한 카리스마, 점퍼 입은 대통령, 그런 미학적 상징들로 대변되었던 것 같다.

인간은 많은 경우 이성적 사고나 합리성보다는 상징과 미학적 속성에 의해 판단을 내린다. 즉, 합리적으로 무엇인가를 판단한다고 생각하지만 실제로는 습관화된 판단인 루틴(routine)이나 관성과 같은 것으로 매번의 의사결정을 가늠하는 경우가 많다. 매 순간 지독할 정도의 계산을 하고 있다가는 신경쇠약으로 버티지 못할 뿐더러, 인간이라는 것은 그렇게 강한 존재가 아니다. 대개 습관의 도움을 통해서 판단하고, 그게 잘 안 되는 경우에만 심사숙고해서 판단을 내린다.

명박 대통령은 "해봐서 안다"라는 말을 많이 쓴다. 과거의 경험에 비추어서, 검은 거래를 하고 친구와 측근들에게만 이익이 가게 한다는 말의 다른 표현이기도 하다. 대통령이 되어도, 검은 거래의 '습관'이 사라지지 않은 대표적 경우 아닌가?

매번의 판단에서 「조선일보」가 얘기하는 대로 말하고, 그렇게 판단하는 사람, 쉽게 말하면 이건 '루틴'이다. 자신이 스스로 정보를 모으고 판단하면 좀 더 나은 판단을 내릴 수 있지만, 그러기에는 돈과 시간이, 즉 에너지가 많이 드니 대부분의 판단을 「조선일보」에 맡겨두고, 그걸 믿는 사람들을 「조선일보」 루틴에 의한 행위자라고 부를 수 있을 것이다. 이런 사람들이 아마 국민의 10~15퍼센트가 되지 않을까. 아직도 이명박을 열렬히 지지하는 극렬 지지층 15퍼센트, 요 정도가 「조선일보」 루틴을 갖춘 사람들이 아닐까 싶다. 물론 그들에게도 시스템적 합리성이 없는 것은 아니다. 「조선일보」가 매번 맞는 것은 아니지만, 비록 틀렸다고 하더라도 「조선일보」가 그렇게 말했으니, 그것은 곧 현실이 될 것이다. 이런 자기실현명제의 현실화를 알고 있는 셈이다. 좀 점잖게 표현하면, 이걸 우리 사회에서는 '의제설정능력'이라고 부른다. 「조선일보」가 비록 해석에 있어서 틀렸거나 정의롭지 않다고 하더라도, 아예 혼자 다른 생각을 해서 고립되는 것보다는 낫다, 그런 게 「조선일보」 루틴을 움직이는 힘이라고 할 수 있다. 틀린 걸 알아도 같이 틀리면 절대로 한국에서 따돌림 당하는 일은 없다, 그런 집단행동 중 하나가 「조선일보」 루틴인 셈이다. 딴에는 그렇다. 한나라당에 입당하기도, 그렇다고 대형 교회의 외피를 빌리기도 힘든 사람들이, 단번에 한국에서 가장 규모가 큰 의견 그룹에 포함되는 방법이 바로 「조선일보」를 읽고, 「조선일보」가 시키는 대로 하는 것이다. 그게 「조선일보」가 자랑하는 열독률의 경제사회적 배경이기도 할 것이고. 스스로 생각하고 판단할 수 없는 사람들에게 「조선일보」는 소위 주류 사회로 열려진 가장 저렴하고도 쉬운 길이다. 저렴, 이보다 더 저렴할 수는 없다. 신문만 보면 자전거도 준다는 거 아니냐?

. . .

친일에서 친미로 전환된 한국의 지배층, 여기에 반북 이데올로기에서 신자유주의로까지 넘어가는 시장 근본주의, 오히려 이것은 이데올로기라기보다는 친미를 포장하는 외피에 불과할 뿐이다. 한국에서 신자유주의는 강력해 보이지만, 사실 이념으로서 신자유주의는 이념 근처에도 가보지 못한 것이라 할 수 있다.

신자유주의가 강력하다는 그 어떤 나라에서도 한국과 같은 규모로 아파트 분양시장을 키워서 만들지도 않은 상품을 팔아먹는 일은 벌어지지 않았다. 신자유주의로 대표되는 그 어떤 나라에서도 그 나라의 지배층이 자기 자식을 초등학교 혹은 중등교육 단계에서부터 미국으로 집단적으로 유학시키는 그런 일은 일어나지 않았다. 자신의 자식은 한국이 아닌 미국 시민이 되기를 바라는 우리 정치인들의 모습은 중남미가 아주 어려웠던 시절, 민중을 배신한 지도자들과 비슷하긴 한데 그러한 중남미도 지금 우리의 지배자들처럼 집단적으로 조기유학을 보내지는 않았다. 매년 2~3만 명씩 조기유학을 보내는 부모들, 물론 그거야 자기의 판단이라고 할 수 있지만 그런 사람들이 통치를 한다는 거, 이건 신자유주의하고 아무 상관없는 일이다. 신자유주의? 한국에선 신자유주의가 정상적으로 운용된 적이 없다.

세계 최대의 에너지회사였던 엔론, 한때 투자은행의 패러다임을 이끌었던 리만 브러더스, 이런 회사 모두 신자유주의가 강력했던 미국에서 분식회계 문제로, 파생상품 발행으로 파산한 회사들이다. 이런 일은 한국에서, 적어도 지난 10년 동안 벌어지지 않았다. 기업하기 좋은 나라하고, 부패해도 좋은 나라가 동치어는 아닌데 말이다.

마치 암 덩어리가 점점 자라서 신체의 일부처럼 자리를 잡는 것처럼, 우리에게는 신자유주의도 아니고 그렇다고 진짜 경제 근본주의도 아닌, 자신의 자식은 미국 사람을 만들겠다는 지배층과 「조선일보」 루틴파들이 묘하게 결합되면서, 정말 기묘한 사회가 만들어졌다. 경제적으로 효율적이지도 않고, 그렇다고 정의와는 무관하며, 부자들에게만 너무너무 편한 그런 사회 말이다. 그걸 시대정신이라고 할지, 시대야합이라고 할지, 여전히 잘 모르겠다. 어쨌든 정치인도 아니고, 여도 야도 아닌, 그냥 건설회사 사장 중 한 명에게 사람들이 열광하면서 그 자신도 엉겁결에, 어리둥절하면서 대통령이 되어버린 이후의 변화는 정말 정신없다.

· · ·

물질적으로는, 혹은 물리력이나 공권력으로는 변한 게 아무것도 없다고 하지만, 이미 세상은 너무 많이 변했다. 소통이 시대정신처럼 움직이던 시간이, 정의에 열광하던 시간이 그리고 다시 공감이 키워드가 되는 시대가 왔다. '이건 아니다' 하는 그 변화의 흐름이 한국만큼 강렬하고, 또 짧은 시간에 진화하는 그런 나라는 별로 없을 것이다. 이걸 시대정신의 변화라고 할 수 있을까?

아직은 잘 모르겠지만, 분명히 청계천 인공하천에 열광하던 그 시기와는 좀 다른 변화가 최근 들어 생기는 것 같다. 그리고 이러한 변화에는, 기획자가 없다는 특징이 있다. 누군가 주도한 것도 아니고, 누군가 기획한 것은 더더욱 아니다. 우연히 하나의 키워드가 사회적으로 떠오르거나, 우연히 많은 사람들이 한 권의 책을 집어 들면서 생겨난, 그야말로 '기획자 없는 변화'이다. 그러니 정말로 이 시대를 대변하는 것인지, 이 시대의 정신세계의 주류를 차지하는 것인지는 알 도리가 없으나, 누군가 주도하는 그룹이 없으니 시대정신이라는 말 외에 달리 부를 말이 없는 상태일 수밖에.

노무현 정권 초기에는, '토론'이라는 말이 청와대 주도에 의해서 급부상한 적이 있는데(물론 평검사와만 토론하고, 다시는 토론을 하지 않았으나), 지금은 토론과 소통을 넘어 공감으로 가고 있다. 토론에는 논리가 요구되고, 정성이 든다. 공감은, 그야말로 에너지가 많이 드는 행위다. 사건 자체가 아니라 행위자를 이해해야 하고, 그 사건을 둘러싼 맥락, 즉 콘텍스트를 이해해야 한다. 뭐가 맞느냐 틀리느냐 이걸 찾아가는 게 토론이라면, 교감할 수 있느냐 없느냐, 그걸 찾아가는 게 공감이라고 할 수 있다.

* * *

지금 대통령이 위기에 몰렸다. 그가 한 정책행위 중에는 공교롭게도 맞는 것도 있고, 옳은 방향으로 가는 것도 있다. 토빈세를 도입하자는 은행세에 관한 논의는 현 정부에서 추진한 것인데, 그건 대체적으로 옳다고 볼 수 있다. 문제는 대통령에게 공감하는 사람이 거의 없다는 것이다. 이건 우파나 좌파나, 다 마찬가지로 겪는 현상이다.

왜 이렇게 되었을까? 4대강을 왜 그렇게 추진하고, 혁신도시는 가만두고 세종시 문제만 해결하자는 발상, 왜 그렇게 했을까? 대통령의 이런 고독한 결심에 공감하는 사람은 거의 없고, 정서적이든 감정적이든 교감도 전혀 되지 않고 있다. 대통령의 진짜 약점은, 토건이나 신자유주의 혹은 일방주의 그런 게 아니라 대중과 또는 개개인과 공감할 수 있는, 혹은 공감을 이끌어낼 수 있는 능력의 결여에 있는 것인지도 모른다.

일만 잘하면 되지 않느냐?

당신이 너무 그런 얘기만 하니까, 우리가 공감의 필요성에 대해서 절절히 느끼는 것 아니냐? 공감은 밀실에서 이루어지지 않는다. 여기에 한나라당과 「조선일보」의 아픔이 있다. 그들은 광장을 혐오했고, 대중을 불신했고, 시민을 증오했다. 그들은 룸살롱에서, 골프장에서, 국가를 운영하는 주요한 결정들을 내리는 데 너무너무 익숙한 사람들이다. 그러나 이제는 시대가 공감을 요구하고, 교감하기를 원하는 그런 방향으로 나가고 있다. 밀실에서 결정하는 데 익숙한 사람들이 도저히 어떻게 할 수 없는 일이다. "밀실에서 결정하고 힘으로 통치하는 방식 말고 도대체 어떻게 지배를 하란 말이야?" 해방 이후 한 번도 교감이나 공감과 같은 복합적인 사회 현상을 생각해본 적이 없던 사람들은, 이제 굉장히 어려운 미로 같은 골목길에 들어선 셈이다.

．．．

시대정신은 과연 있는가? 그리고 변하는가?

공감을 우리 시대의 시대정신이라고 불러도 좋을지 모르겠지만, 대통령이 점점 더 문을 걸어 잠그고 청와대 안쪽으로 들어가 매번 심통 난 표정으로 화를 내면 낼수록 사람들은 점점 더 공감 쪽으로 몰려갈 것이다. 소통은 정부 홍보자금으로 연예인 불러서 할 수 있지만, 공감은 그렇게 일방적으로 만들어낼 수 없다는 데 사태의 어려움이 있다.

공감이라는 이 흐름에 적응하려는 최소한의 노력도 없는 한국의 권력기관과 권력자들이여, 조심하시라. 그러다 한 방에 훅간다.

저잣거리에
서서

　　　　예전부터 나를 알던 보수 쪽 사람들
이, 최근의 나를 보고 "저잣거리에 있는 것 같다"는 얘기를 종종 한
다. 물론 좋은 의미로 하는 얘기는 아니다. 걱정해주는 의미도 아주
조금은 담겨져 있다. 지금이라도 학교로 가라고 하면서 그런 얘기를
할 때에는, 경제라는 게 결국 정보의 문제인데, 지금처럼 저잣거리에
있다가는 결국은 고급 정보가 차단된다는 의미도 있다. 전경련이나
대한상의 사람들을 예전처럼 편하게 만나기가 쉽지 않은 게 사실이
긴 하다.

　정보라는 게 「반지의 제왕」에 나오는 '오탕크의 돌'과 같은 성격을
가지고 있다. 미래를 보여주지만, 정보는 불완전하다. 결국 믿고 싶
은 대로 보게 되고, 자기가 하고 싶은 대로 생각하게 된다. 세상의 비
밀을 먼저 알고 있다는 게, 정보가 가지는 함정이다. 증권가나 공무
원들의 세계 역시 뭔가 그들끼리는 많이 알고 있는 듯하지만, 사실
세상 사람들 다 아는 걸 자기들만 모르는 경우도 많이 있다. 명박의
인사, 이게 자기들끼리만 정보를 만지고 있다고 생각하다 보니 누가

함정을 판 것도 아닌데, 자기들 스스로 함정에 빠진 것 아니겠는가?

. . .

저잣거리…… 어쩌면 지금의 나를 표현하기에 아주 적당한 말인지도 모르겠다. 녹색당 만든다고 결심했던 시절부터, 나는 저잣거리에 나서지 않을 수가 없었다. 물론 그때는 고등학교나 중학교까지는 찾아가지 않았었다. 요즘은 좀 뜸한데, 몇 년 전만 해도 고등학생들하고 같이 작업을 종종 했었다. 그때 난 배운 게 참 많다. 10대들과 뭘 해볼 때에는, 연구의 대상과 연구과정 자체가 잘 분리되지 않는다. 같이 뭔가를 하면서, 실제로 현장에 나와 있는 셈이고, 여기가 바로 나의 필드라는 느낌을 받는다.

어떻게 보면 저잣거리 자체가 나의 현장이기도 하다. 경제는 특히, 금융만을 너무 들여다보면 컴퓨터 모니터로도 세상을 읽을 수 있다는 생각을 하게 된다. 그러나 실물경제 그것도 이 시대의 경제 주체로 눈을 돌리면, 저잣거리 자체가 현장이 된다.

맨날 시장이 모든 것을 결정한다고 하면서, 실제로는 시장에는 한 번도 나가보지 않고, 시장 얘기하는 경우가 많지 않은가? 경제학자가 시장판이 열리는 저잣거리에 서 있는 건, 어떻게 보면 너무 당연한 것인지도 모른다.

조선시대의 선비들이나 했던 생각을 내가 하는 건지도 모르겠지만, 난 우리 사회가 막스 베버의 '직업으로서의 학문'처럼 학문 자체가 너무 직업이 되어버린 경향이 좀 안타깝기도 하다. 자본주의 사회니까 뭔가 배웠으면 그걸로 돈을 버는 게 당연하다, 이렇게들 생각하는 것 같다. 하긴 돈을 중심으로 생각하면, 학자들만큼 다루기 편해지는 집단도 없다. 길들이기 참 편한 집단이다.

이번 정권에서 학자들의 입을 막기 위해서 동원한 가장 간편한 방법이, 연구용역을 통한 입막음이다. 물론 개인이야 그런 돈 안 받으면 그만이지만, 대학생을 비롯한 제자들이 줄줄줄 여기에 목줄이 걸려 있다. 참 치사하지만, 밥줄을 틀어쥐는 것이 가장 손쉬운 통제의 방법인 것이다. 가난을 견딜 것인가, 학문의 양심을 지킬 것인가, 이런 질문을 해야 하는 사회가 참 잔인하기는 하다.

그러나 어쩌랴! 지금 우리가 맞닥뜨린 정권이 스스로를 지키는 방식이 그런 것인데. 설마, 그렇게까지 하겠어? 했는데 그렇게 한다. 방법도 치졸하고 졸렬한 것들이 많다. 그래서 직업으로서의 학문, 어떻게 보면 화려하고 영광스러운 것 같기도 하지만, 정말 위태위태한 위치이기도 하다.

난 그냥 적게 먹고, 적게 쓰고…… 가늘고 길게, 그걸 삶의 방식으로 선택했다. 그러나 다른 사람도 이래야 한다고 얘기하고 싶지는 않다. 공부하는 방법이 다양한 것처럼, 삶을 살아가는 방법 역시 다양한 것 아니겠는가?

보수 쪽 학자들의 삶은 편할 것 같지만, 그것도 가시밭길이고 구차한 건 크게 다르지 않다. 공무원들 눈치 봐야 하고, 금통위나 금융위 같은 데에서 언제 불러줄까, 그야말로 조신하게 지내면서 몸관리하는 게, 정말 지켜보기에 눈물겨울 정도다. 어느 쪽 길을 선택하든, 공부하면서 산다는 게 그리 쉽지는 않다. 경력관리가 중요하다는 그 삶이 그렇게 행복해 보이지만도 않는다. 그런 걸 가만히 보고 있으면,

조선시대에 자신을 지키고자 했던 학자들이 왜 병이 있다는 핑계로 낙향했는지, 조금은 알 것 같다.

직업으로서 학문을 생각한다면, 결국 경향상 보수적이 될 수밖에 없고, 몸가짐이 조신해지고, 신중해진다. 그러나 학문에 꼭 직업이라는 성격만 있는 것일까? 그런 생각을 난 가끔 해본다.

· · ·

저잣거리라고 한다면, 정권 두 개를 거쳐 가는 내내 나는 저잣거리에 있었던 셈이다. 개인적으로는, 두 기간 다 어려웠다. 차이라면, 노무현 때에는 위기가 아직 숨어 있었고, 이명박 때에는 그 위기가 노골적으로 드러났다는 정도의 차이? 절차적 민주주의와 절차적 통제 국가, 그 정도가 두 정권의 차이라는 생각이 든다. 노무현 때에도 통제는 있었고, 경찰력의 도움도 받았지만, 그 시절엔 그래도 반대쪽 학자들을 지금처럼 대놓고 밀어붙이지는 않았다. 학자들도 이번 정권을 버텨내기가 이렇게 힘들고 지칠 때가 많은데, 일반인들이야 오죽하겠나 싶다. 답답하고, 아무도 자신을 대변해주지도 않고, TV를 틀면 이 채널이고 저 채널이고 할 것 없이 서바이벌 오디션 쇼만 하는데, 그 잔인한 현실을 어떻게 버텼을까.

그래도 이명박 정권의 좋은 점 한 가지는 있다. 이 사람들이 펼치는 것은 너무 투박하고 너무 뻔한 통치술, 즉 그냥 힘으로 눌러버리고 제껴버리는 그런 통치술이라서 뭐가 문제고, 뭐가 폐단인지 그걸 알기가 너무 쉽다. 세상에는 절대적으로 순결한 것도, 절대적으로 옳은 것도 없다. 많은 것들은 상대적이며, 동전의 앞뒤처럼 다면적인

. 그러나 이 정권은 절대적으로 이상하고, 절대적으로 부도덕하다.

그 시기를 저잣거리에서 사람들과 같이 희로애락을 나누겠다는 건, 어쩌면 내가 살면서 했던 여러 가지 선택 중에서 가장 인간적인 선택으로 남을지도 모른다. 교환교수나 초빙교수 같은 걸로 외국에서 지내는 방법이 가장 뻔하지만 안전한 선택이었을지도 모른다. 솔직히, 그런 시도를 전혀 안 했던 건 아니고, 아내도 그렇게 하기를 간절히 원했다. 그러나 생각이 바뀌었다. 별다른 이유는 아니고, 이번만은 그렇게 하면 안 될 것 같아서다. 이 정권을 버틴다는 게 얼마나 황당하고 힘들지는 알았지만, 그건 많은 사람들에게도 마찬가지일 것이고 그래서 그냥 저잣거리에 남는 편을 선택했다. 아마 시간이 꽤 지나도, 별로 후회하지는 않을 것 같다. 사람이 한세상 산다는 거, 어떻게 보면 별거 아니다. 아침에 눈 떠서 입에 밥 세 끼 꼬박꼬박 들어올 수 있다면, 더 바랄 게 뭐 있을까?

살면서 뭔가 간절하게 바라는 순간들이 누구에게나 있을 텐데, 난 정치인으로서의 이회창을 너무너무 싫어해서 노무현의 당선을 참 간절하게 바랐었다. 그 선택으로 후배들에게 엄청 욕먹긴 했다. 가슴에 손을 얹고 곰곰이 생각해보면, 지금이 그때보다 100배는 더 간절하다. 왜 그럴까? 그때보다 더 많은 걸 알아서? 혹은 그때보다 더 고생을 해서? 그건 한 사람으로 인해서 얼마나 일상이 악몽이 될 수 있는지, 이번 정권을 통해 처음 느꼈기 때문일 것이다. 배워서 아는 것과 몸으로 느끼는 것 사이에 차이가 있다고나 할까? 어쩌면 너무 오랫동안 편안한 곳에서 안일하게만 살아서 그랬던 것인지, 몸으로 느끼는 강도가 확연히 다르다. 가끔 세상 돌아가는 걸 보면 정말 죽을 것 같이 고통스럽기도 하다. 그러나 그렇게만 생각하면, 내가 지쳐서 버틸 수가 없다. 그래서 웃고 또 웃는다.

내가 하는 일들이 효율적인지는 잘 모르겠다. 그게 막스 베버가 말한 '도구적 합리성'인지도 잘 모르겠다. 목적과 수단이 연결되는 도구적이라는 의미보다는, 내가 옳다고 믿는 가치에 따라 행동하는 그런, 베버의 또 다른 합리성인 '가치적 합리성'이 나에게는 더 중요한 것인지도 모르겠다.

. . .

지금 이 순간만큼은 저잣거리에서 사람들과 같이 웃고, 같이 울고, 같이 고통스러워하고, 같이 유난을 떠는 것. 이게 내가 학자로서 생각하는 가치고 난 여기에 더 충실하고 싶다. 원컨대, 많은 사람들이 원하는 다른 정권이 들어서는 것을 나도 보고 싶다. 그게 내가 원하는 새로운 세상인지는 모르겠다. 지금 이 시대를 관통하는 시대정신 역시 잘 모르겠지만, 저잣거리의 시대정신만은 '정권교체'인 것 같다. 좀 더 멀리서, 좀 더 관조해서 본다면 "그래봐야 결국은 실망이야", "너희들만 실망하고 말거야", 그럴지도 모른다. 그러나 저잣거리에 있는 이 순간만큼은 그렇게 말하고 싶지는 않다. 저잣거리라는 곳이 온갖 판타지와 욕구, 욕망 같은 게 날것으로 돌아다니는 공간 아니겠는가? 그게 저잣거리의 한계일 수도 있으나, 또 그곳의 매력이기도 하다. 열정, 다른 곳에 있지 않은 열정이라는 가치가 저잣거리에는 있다.

다음 정권은 어떻게 될까? 손학규 정권이든, 문재인 정권이든 아니면 또 많은 사람이 원하는 안철수 정권이든, 문제는 또 생겨날 것이다. 좋은 점도 있겠지만, 어쨌든 정책의 눈으로 본다면 그런 것들의 문제점을 찾아내는 게 내가 하는 일이니까. 그러나 그때에도 저잣거리에서 버티고 있을 자신은 없다. 일단은 내 건강이 그렇게 될 것 같지가 않다. 10년을 길바닥에서 버텼으면 정말 많이 버틴 셈이다. 만약 박근혜가 집권한다면? 그래도 지금처럼 정열적으로 움직이기는 어려울 것 같다.

하종강 선생 같이 평생을 노동자들과 길바닥에서 보낸 분들이 존경스러운 건, 도대체 무슨 힘으로 그 긴 세월을 버티면서 지냈을까 싶은 경외심 때문이다. 나는 그렇게 강하고, 그렇게 투철한 신념을 가진 사람이 아니다. 내 한계는 내가 잘 안다. 10년 버텼으면 오래 버틴 셈이다.

만약 우리가 발전하게 된다면, 더 많은 학자들이 저잣거리로 나오고, 또 이곳에서 더 많은 분석가들이 배출되고, 그래서 학문이 사람들의 삶으로부터 너무 멀어지지 않게 되는 그런 순간이 오게 될 것이다. 한나라당이 집권에 실패한 까닭은, 미국물 먹고 그곳을 조국이나 정신적 고향처럼 생각하는 사람들을 '베스트 오브 베스트'라고 부르면서 그들에게 너무 많은 권한을 주고 전면에 내세웠기 때문일 것이다. 영화 「전우치」의 신선의 대사를 빌려 말하자면, "그들이 대체 뭘 아는데?"다. 이건 민주당이 집권해도 마찬가지일 것 같다. 저잣거리에 내려와 보지 않고 그들만의 리그에서 도도하게 살았던 사람들만으로는, 이미 눈높이가 높아질 대로 높아진 한국 민중들을 만족시키기 어렵다. 친미 대 반미 프레임, 참 지겨운 얘기 아닌가. 이제 우리는 학문의 자생성과 현실성에 대해서 좀 더 고민을 해봐야 할 것 같다.

. . .

지금 와서 곰곰이 생각해보면 내가 만들고 싶었던 세상은, 최소한 학문이라는 눈에서는, 공부하기 위해서 유학갈 필요가 없는 세상이었다. 그런 세상을 내가 살아 있는 동안에 볼 수 있을까? 그게 반드시 국내에서 공부한 사람이 차별받는 게 부당하다는, 그런 차원의 문제라고 생각하지는 않았다. 우리나라에서 공부한다고 해도, 제대로 확실한 식민지형 학문을 하는 경우도 많으니까. 그러나 이 땅의 문제를 여기서 푼다는 마음을 가지고 공부하는 사람들이 더 많아진다면 좌파나 우파의 문제를 뛰어넘어 우리가 부딪힌 문제를 해결할 가능성이 더 높다고 생각한다.

지금 정답이라고 생각하는 게 언제 또 정답이 아닌 것으로 바뀔지 모른다. 세상이라는 게 그렇다. 한국이 덩치 큰 나라가 될수록, 발전할수록, 점점 더 우리의 눈으로 보지 않으면 못 푸는 문제들이 더 많이 생겨날 것이다.

저잣거리, 공부하는 사람들이 한 번쯤은 고민해봐야 하는 주제가 아닐까.

내가 해보고 싶었던 것 중에 생각만 하고 엄두를 못 낸 것을 딱 하나만 고르라고 한다면 아프리카 경제학 시리즈라고 할 것이다. 이건 정말 해보고 싶었고, 일생을 걸고 할 만한 것이기도 한데, 도저히 여건이 되지가 않았다. 아프리카에 대한 철학적 의미들이나 시대사적 의미들을 얘기하자면 얘기할 수도 있겠지만, 그런 이유로 아프리카에 대한 연구를 구상한 것은 아니다.

우리는 아프리카를 마치 우리가 제국주의 국가라도 되는 양 그렇게 식민지의 눈으로 보거나, 워드뱅크나 UN과 같은 구호기관의 눈으로 이 세계를 본다. 물론 그것도 아주 소수이고, 대개는 거의 관심이 없을 것이다. 그리고 솔직히 나도, 아프리카에 정통했고, 아프리카를 줄줄 꿰고 있다고, 그렇게 말하지는 못한다.

다만 운이 좋아서 아프리카 경제에 관한 수업을 몇 개 들었고, 또 시험도 치렀다. 대학원 때 논문 지도교수였던 양반이 프랑스에서 첫손에 꼽히는 아프리카 연구자이기도 했다. 그 필립 위공이 나의 석사 논문 심사를 끝내면서, 아마 내가 아프리카 연구를 한다면 아시아에서는 가장 본격적이고 체계적인 연구를 한 연구자가 될 것이라고 한마디 덕담을 해주었는데 아, 스물두 살 때 세계적인 학자에게서 헤어지는 순간에 듣는 덕담이라는 것이 얼마나 가슴을 콩당콩당 뛰게 만들고, 정말로 해보고 싶다는 강렬한 충동이 들게 만드는지!

우연히 들은 얘기라도 가슴에서 잘 지워지지 않고 힘들 때면 생각나는, 자신이 칭찬을 듣던 순간, 또는 누군가 기대하면서 한마디 해준 순간, 그때로 돌아가고픈 때가 있다. 여러분들은 그런 경험이 없으신가? 아마도 누구나 한 번쯤은 있을 것이다.

박사과정에서 그리고 박사논문을 준비하면서 아프리카를 실루엣으로는 다루긴 했지만, 난 한 번도 제대로 이해할 기회를 가지지 못했다. 그때만 해도 아프리카는 여전히 나한테 먼 나라였다.

· · ·

아프리카 친구들한테 결정적인 도움을 받았던 건 UN 회의장에서였다. 그때 난 교토의정서를 발효하게 되면서 새로 신설된, 그 당시 상당한 기대를 받던 기구에 아시아 대표로 출마한 적이 있다. 좀 늦게 출마를 해서 지지율이 뒤처지는 상황이었지만 이상하게도 나는 아프리카 지역 대표들에게 높은 지지를 받았고, 미국 국무부에서도 중국을 견제하려는 의도 때문인지, 아니면 또 다른 이유 때문인지 어쨌든 나를 지지해주었다. 우여곡절 끝에 아시아 대표로 선출되어 6개월 후에는 카타르 정부의 지지를 시작으로 아프리카, 중동 지역 그리고 스위스를 비롯한 북구 유럽 지역, 여기에 미국 정부의 지지까지 확보하면서, 난 결국 정책그룹 분과의장이 되었다.

　이때 서울에 몇 개의 중요한 회의들을 유치하면서, 아프리카 등 개도국 대표들에게는 호텔비를 줄여주고, 약간의 편의를 지원해주는 그런 일들을 했었다. 그 이후로 아프리카를 대표하는 친구들과는 협상가로서 협상장에서 만나는 관계가 아니라, 정말로 친구 같은 사이가 되었다. 이때가 내가 아프리카를 진짜 그들의 눈으로 보는 법을 조금 배운 시기이기도 하다. 가슴 아픈 이야기, 자랑스러운 이야기 그리고 그들이 만들어보고 싶은 그들의 조국 이야기.

　정부에서는 내가 협상을 잘 이끌어내기 위해 아프리카 네트워크를 관리한다고만 생각했겠지만, 실제로 그 안에는 우정도 있었고, 우리가 만들어야 할 인류의 미래와 꿈에 대한 진지한 이야기들도 있었다.

　그 후 정부조직을 나오면서 협상도 그만두기로 하고, 다시 평범한 시민으로 돌아가려고 했을 때, 정부 일은 그만두더라도 협상가로서의 역할은 계속해주기를 원하는 사람들이 정부 내에 몇 있었다. 별도의 계약에 의해서 협상 컨설턴트 같은, 진짜 전문 협상가의 지위를 주려 했었는데, 노무현 정부에서 자원외교를 기본 방향으로 잡았다는 얘기를 듣고 돌아섰다. 난 자원외교를 할 생각은 없었으니까(언제 정말 담당자들이 은퇴할 때쯤 되면 공개하고 싶은, 김대중 시절과 노무현 시절의 협상 뒷부분에 대한 아주 흥미진진한 얘기들도 많이 있다).

　사실 그만둔 다음에 받았던 제안 중에 살짝 솔깃했던 것 중의 하나가 일본 정부에서 왔던 제안이었다. 내가 가지고 있던 아프리카 네트워크를 부러워했던 일본 공무원들이 상당히 많은 돈을 줄 테니, 일종의 컨설턴트 역할을 해주면 안 되겠느냐고 말이다. 나는 그때쯤 너무 가난했고, 아내와의 삶을 위해서 뭐라도 해서 돈을 벌어야 하는 상황이기는 했지만, 학자로서 뭔가 해볼 수 있는 거의 마지막 순간이라는 점을 잘 알고 있었기에 거절했다. 하던 일을 그대로 하면 삶은 이어지겠지만, 아무리 생각해도 그건 살아도 사는 게 아닐 것 같았다.

· · ·

어쨌든 다시 일반인이 된 후, 나는 정말로 해보고 싶은 일로 아프리카 경제를 각 나라별로 그 기원과 흐름 그리고 어떤 게 지금 문제이고, 그들은 무엇을 만들어보고 싶은 것인지를 하나씩 정리해보고 싶었다. 경제대장정 시리즈 12권을 끝내고 나면, 아프리카 경제에 대한 총론을 한 번 쓰고, 예를 들면 한 해에 한 나라씩 해서 아프리카 경제학 전서를 만들어보고 싶은 게 내가 가졌던 꿈이다. 아주 큰돈은 아니지만, 그래도 돈이 좀 필요했고, 이걸 혼자서 하기는 어렵기 때문에 같이 연구할 연구진도 필요했다.

그러다 결국 아프리카 경제학을 나는 못 하겠다고 접던 날은, 나와 아내의 통장에 10만 원밖에 없었고, 이제는 마이너스 통장을 만들어야 하는 순간이 왔을 때였다. 통장에 10만 원밖에 없는 내가 아프리카에 갈 수는 없었고, 그 상황에서 이 연구를 같이 하자고 할 동료를 찾을 가능성도 없었다.

세상에는 안 되는 일이 종종 있는 법이다.

그래서 내가 하고 싶었는데, 도저히 여건이 되지가 않아서 접은 일 중에 가장 마음이 아프고, 가슴속에 걸리는 일이 아프리카 경제학이다.

아마도 한동안은 아프리카라는 거대한 대륙에서, 그곳에도 경제가 작동하고 움직인다는 것을 세밀하게 관찰하고 연구할 사람이 나타나지는 않을 것 같다. 기껏해야 발전경제학의 틀로 수출주도형이냐 수입대체형이냐, 정치적 혼란이 경제성장을 저해한다, 이런 종류의 뻔한 틀로 하나마나한 얘기들로 채워질 것이 뻔하다. 가까운 중국에 대해서도, 안다고는 하지만 우리는 중국 경제의 다이내믹에 대해서 실제로는 전혀 모르고 있는 것 아닌가?

자본이 장사하면서 접근하는 눈과 신문이 기삿거리를 위해서 접근하는 눈은, 한 사회를 총체적으로 이해하고 그 속에서 경제의 흐름을 찾아내려는 학자의 접근과는 분명히 다르다. 또한, 정부 국책연구소나 기업연구소에서 접근하는 것과 정말로 궁금해서 애정을 갖고 접근하는 학자의 접근은 비록 그 결론이 유사할지라도 디테일과 시선에서는 차이가 나는 법이다.

내가 해보고 싶었지만, 돈을 마련하지 못해서 결국 접은 아프리카 경제학의 꿈을 누군가가 이어주면 좋겠지만. 내가 만나본 수많은 대학원생들이나 박사과정의 학생들은, 지금 자신의 두 다리로 제자리에 서 있는 것조차도 너무 버거울 지경이다. 나는 그들에게 차마 아프리카 경제학에 목숨을 걸어보라는 얘기를, 단 한 번도 꺼내지 못했다.

. . .

조선의 길고 긴 역사에서 아프리카라는 대륙에 대해서 진지하게 생각해 본 학자가 등장한 적이 있었던가? 아프리카를 자원의 보고라고 보는 눈, 그런 건 천박하고도 제국주의적인 시각이다. 그 시선이 아닌 눈으로 아시아에서 아프리카를 보고 있는 학자가 한 명쯤은 있다는 것, 그것을 나의 오래된 아프리카 친구들에게 보여주고 싶었는데, 아마도 그 약속은 이루어지지 못할 것 같다. 1호라고 생각하면 약간 사명감이 느껴지기는 하지만, 사명감만 가지고 할 수 없는 일이 세상에는 너무 많다.

꼭 학자가 아니더라도 자연인의 입장에서 난 우리가 온전하게 아프리카를 이해할 수 있는 길을 찾는 일은 언젠가 꼭 한번 해보고 싶다.

이 글을 쓰기 시작할 당시, 수경 스님을 뵌 적이 있다. 이것저것 미래에 대한 말씀을 많이 하셔서, 그날이 그 양반 뵙는 마지막 날이 될 줄은 몰랐다. 앞으로 쓸 책 7권의 헌정사를 수경 스님에게 바치고 싶다고 했는데, 그게 그 양반한테 받은 마지막 허락이 된 셈이다.

수경 스님이 모든 걸 내려놓고 홀연히 떠났을 때에는, 나도 꽤 놀랐다. 하긴 수도승의 마지막 모습으로 그게 그렇게 이상해보이지는 않는다. 내려놓을 때가 되면 내려놓는 것들…… 대단하긴 대단한 양반이다.

. . .

지금 준비하고 있는 책들이 끝나면 나도 현역 학자로서의 삶을 내려놓으려고 한다. 대체적으로 내 삶을 본다면, 앞의 스무 살은 부모가 마련해준 밥을 먹고, 부모의 집에서 살았던 것 같다. 풍족하지는 않아도 먹을 걸 걱정하지는 않아도 될 정도였고, 다른 건 몰라도 책

만큼은 원 없이 볼 정도로 부모님은 내게 과분할 정도로 많은 책을 사주셨다. 내가 다녔던 초등학교에서는 심지어 학교 도서관의 열쇠를 나에게 내어줄 정도였다. 수업에 들어오지 않고 도서관에서 그냥 책만 읽고 있는 것을 살짝살짝 눈감아줄 정도의 여유가 있던 중고등학생 시절, 학교와의 수많은 불화 속에서도 퇴학이나 정학을 당하지 않고 살았던 것은, 지금 생각해보면 과도한 행복이었던 것 같다.

그 뒤의 20년을 생각해보면, 현대에 다녔던 시절을 제외한다면 나를 태어나게 해준 국가에 많은 것을 바친 시간이라고 할 수 있을 것 같다. 학위를 마치고 싱가포르, 뉴질랜드, 스위스 등지에서 살 기회가 있었는데, 우리나라로 돌아오면 실업자로 살아갈지 모른다는 두려움도 있었지만, 결국은 돌아왔다. 총리실과 청와대 사이에서, 내가 배웠던 것을 정말 나라에 바친다는 심정으로 30대를 보냈던 것 같다.

행복하지는 않았었다. 고위 공무원들의 협잡질과 줄서기란 만만치 않은데, 나도 거기에서 위험한 줄타기도 해야 했고, 이사장 방에서 결제해주지 않으면 나가지 않겠다고 말도 안 되는 버팅기기도 했었고, 총리회의에 배석한 주제에 "총리님, 그건 안 됩니다"라고 끼어들어서 여러 사람 시껍하게 만들기도 했다. 중앙부처 과장한테, 서류로 머리를 맞기도 했다. 전화기로도 맞아보고, 재떨이를 정면에 맞은 적도 있다.

"내 눈뜨고 있는 동안에는 이건 안 된다"고 버티면서 수없는 서류들을 반려시키고, 그야말로 꼴통질을 했었다.

내가 막았던 사업 중 기억나는 건 새만금에 제철소 세우는 일, 경인운하 초안, 한반도 대운하 초안 등 현대 시절에 경제성 나오지 않는다고 보고서를 올렸던 일들이다. 결국 명박과 명박의 친구들이, 그 일들을 다시 다 꺼내서 국책 과제처럼 추진하게 되었다만…… 내가 현직에서 눈뜨고 있는 동안에는, 이런 일들이 내 책상을 거쳐 가지는 못하게 했었다.

그러나 나는 늘 외톨이였고, 우울증 중증이라고 해도 지나치지 않을 만큼, 왜 살아가고 있는지 답을 내지를 못했다.

가끔 정부 내에 들어가거나 기업의 높은 곳에 가면 뭔가 할 수 있지 않느냐고, 일단은 들어가서 그걸 바꿔보겠다고 하는 청춘들을 만난다. 하지 말라고 안 말린다. 언제나 내부고발자도 필요하고, 안에서 뭔가를 지키기 위해서 노력하는 사람도 필요하기 때문이다.

그러나 그 일이 쉽지가 않다는 것을, 난 내 경험으로 충분히 알게 되었다. 원칙을 지키는 것은, 우울증을 감당한다는 것과 비슷한 것 같다.

나는 안에서 뭔가 내가 해야 하는 것들을 포기하고, 내가 있었다면 지킬 수 있었다고 생각되는 것들에 대한 집착을 내려놓으면서, 비로소 우울증으로부터 벗어날 수 있었고, 내가 왜 살아가는지에 대해 대답할 수 있게 되었다.

· · ·

마흔이 되면서 결심한 것이, 내 나머지 삶은 자연의 순리에 맡긴 채 나를 낳아준 부모나 국가가 아니라 이 땅의 생태계, 즉 이 땅의 자연에 내 삶을 바치겠다고 생각했다. 어쩌면 사람이 죽는 것도 마찬가지일지도 모르겠다. 뜻을 세우고, 뜻을 세우기 위해서 실천하고, 그러다 어느 나이가 되면 그런 것들을 내려놓고 다시 자연으로 돌아가는 것…….

미국의 서부 개척 시대에 이런 말이 있었다고 한다.

"부츠를 벗고 죽고 싶다."

대부분의 사람들이 죽음을 맞이하는 곳이 침대라고 알고 있듯이, 이 말인즉슨 길에서는 횡사하고 싶지 않다는 얘기다.

가끔 죽음을 생각하면서 나름대로 다짐을 해보는 것은 두 가지 정도다. 첫째는, "할 만큼 했다"고 생각하면서 자연과 함께 죽음을 맞고 싶다는 것. 둘째는, "아직은 할 일이 많은데"라고 생각하면서 죽음을 못내 받아들이지 못하는 삶을 살지 않는 것.

마흔을 넘어 은퇴 준비를 서서히 하면서, 나는 내가 태어나서 해야 할 내 몫의 일은 다 했다는 생각이 든다. 하고 싶은 얘기들은 어느 정도 책으로 정리했고, 더는 내가 아는 게 없어서 이젠 못 쓰기도 하지만, 그 이상 뭔가 더 알고 싶다는 생각도 별로 들지 않는다.

사실 가만히 생각해보면, 내 삶은 나에게 과분했다. 배고프던 시절이 내 삶에 전혀 없지는 않았지만, 그래도 세 끼 걱정하면서 살지는 않았고, 보고 싶은 영화, 듣고 싶은 음악, 원 없이 보거나 들으면서 살 수 있었고, 양으로 따지면 100명 정도가 평생 읽을 정도의 분량의 책들을 마흔이 되기 전에 이미 읽을 수 있었다.

아쉬움을 생각해보면, 한국에 좌파 정부가 들어서는 것을 한 번쯤은 보고 죽고 싶은데 그런 날이 내가 살아 있는 동안에 올까? 그건 잘 모르겠다. 그러나 그런 일도, 내가 할 수 있는 게 아니라, 다음 세대가 해야 할 것 같다. 하거나 안 하거나, 그건 그들의 몫이고, 내 꿈을 다른 사람에게 강요하고 싶지는 않다.

. . .

마흔을 넘으면서, 이제 나는 당장 죽는다고 해도 그렇게 안타깝지 않은 마음을 조금은 가지게 된 것 같다. 내가 60까지 살까, 70까지 살까? 어쨌든 언젠가 올 죽음을 초조하게 기다리기보다는 자연의 순리에 나를 맡기고, 남은 시간들을 평온으로 채우려는 생각을 하게 되었다.

내가 나를 위해서 하는 일은 영화를 보고, 음악을 듣고, 책을 읽는 것으로 충분하다. 그리고 자연을 위해서, 내가 내놓을 수 있는 것들을 생태계와 다른 생명에게 내어주면서 그렇게 자연인으로 나머지 시간들을 순리대로 살아갈까 한다.

C급 경제학자로 보통 소개하는데, 뭐 그나마도…… 트윗 완전 초보.
아이폰 앞에서는 노안 중년. 나이 먹어가는 게 서글프다.

마흔이 넘은 다음 날 문득 든 생각, '이거 영 돼지 아냐?' 힘든 20대와 30대를 보냈다고 나
혼자서 막 그렇게 생각하지만, 몸한테는 그걸 속일 수가 없다. "봐, 찌우기만 했잖아!" 그걸
내 몸에 붙은 살이 말해준다. 오세훈처럼 값비싼 헬스클럽이라도 다니면서 몸관리를 할까?
그것도 이상하잖아. 그냥 생긴 대로 산다, 그렇게 말하지만 몸에 덕지덕지 붙은 삶은 부정
하고 싶어도 살아온 삶을 그대로 말해준다.

영화 「에반게리온: 파」를 보면서, 문득 소년이라는 말을 떠올렸다.

"그래, 나한테도 소년이라는 시기가 있었어."

소년, 참 오랫동안 잃어버린 단어인 것 같다. 나한테도 소년이라고 불리던 시기가 있었지.
가난했지만, 지금과 같이 덕지덕지 붙은 살 따위는 없던 시기. 누구에게나 버튼을 하나 주
고, 자신이 소년이었던 시기로 딱 한 번 돌아갈 수 있는 기회를 준다면, 우리는 그 버튼을 누
를까 누르지 않을까? 살아온 삶도 다 잊어버리고, 아무것도 없던 시기였던, 자신의 소년 시
절로 돌아갈 수 있다면? 난 누를 것 같다만 학력고사, 수능, 그 단어를 떠올리면 멈칫한다.
소년, 그 싱그러움과 범하기 어려운 고통이 있던 시기. 모든 것을 다시 해볼 수 있는 상태,
그러나 다시 고3으로 돌아가는 상태. 우리는 버튼을 누를까, 누르지 않을까?

3

먹고사니즘의
문제와
삶의 고민들로
불안하다면

바깥 부인,
집 남편

요즘 우리 집 생계는, 아내가 해결을
한다. 나는 집에 있고, 아내가 출근을 한다. 언제까지 이렇게 살지는
잘 모르겠지만, 하여간 당분간 그렇다. 내가 집사람인 셈이다.

나도 10년 가까이 출근을 했었는데, 도대체 어떻게 그 긴 시간들을
출근하면서 살았는지 잘 모르겠다. 남들도 그렇겠지만, 나도 참 출근
죽도록 싫어했다. 나가기 싫으면 가끔 월차 쓰고 그냥 개기는 짓도
종종 했다. 어떤 사람들은 출근이 재밌다고도 하는데, 나는 영 재미
가 없었다. 아마 출근만 그렇게 빡빡하게 하라고 하지 않았으면, 그
냥 에너지관리공단에서 정년을 맞고, 선배들이 기대했던 것처럼 공
단 출신 이사장도 되고 뭐, 그렇게 살았을지도 모르지만. 어쨌든 나
는 출근이 죽도록 싫었다. 죽도록 일하는 것은 참고 해도, 죽어라 하
고 출근하는 것은 정말 참기 어려웠다.

생각해보면 나도 일은 정말 죽도록 했던 것 같다. 미련할 정도로
일을 했었는데, 도대체 나한테 뭐가 남나 그런 회의도 가끔 들었다.
삶이라는 게 참 덧없다. 한평생 도대체 뭘 남기려고 그렇게 아웅다웅

하면서 살아야 하는 건지……. 내가 여행을 많이 다니는 이유는 세상 모두가 이렇게 살고 있는지 그게 잘 이해가 안 가서 그렇다. 내가 확인한 바로는, 이렇게 이상하게 사는 나라는 OECD 국가 중에서, 한국과 일본밖에 없는 것 같다.

· · ·

프랑스에서는 공공기관이 아침 10시에 문을 열고, 12시면 칼 같이 점심시간이다. 오후 2시에 문 열고, 4시면 다시 닫는다. 그러면 망할 것 같지만, 여전히 우리보다 두 배나 잘산다. 스위스는 더하다. 북부에 위치한 상업도시 취리히는 오후 5시만 넘으면 가게들이 대부분 문을 닫기 시작한다. 6시면 슈퍼도 문을 닫고, 7시면 동네 구멍가게까지 싹 닫는다. 술이라도 한 잔 마실 량이면, 정말 부지런하게 낮에 슈퍼에 가서 사놓지 않으면 안 된다.

유럽의 지방으로 가면, 정말 답이 안 나온다. 몇 달 살았던 프랑스 그르노블은 동계올림픽 개최지로도 유명한 곳인데. 금요일 오후에 담배 떨어지면, 월요일에 다시 문 열 때까지, 정말 담배 살 곳도 없다. 이 지역이 그 시절에, 그래도 파리보다 지역소득이 더 높았다. 알프스 자락에 있는 조그만 공업도시인데, IBM 공장이 여기에 있었으니.

열심히 출근하고, 일 열심히 하면 잘산다?

그런 일은 통계적으로 전혀 관찰되지 않는다. 취리히에 있는 어느 공장에 가본 적이 있는데, 12시에 노동자들이 전부 나오더라. 집에 가서 점심 먹어야 한다고. 노르웨이는 더 환상적이다. 학교 선생이든 공장 노동자든 아침밥은 집에서 먹고, 점심도 집에서 먹고, 저녁도 다들 집에 가서, 왕창 먹는다. 집에서 점심밥 먹지 않는, 한국 사람들과 일본 사람들, 도대체 왜 그러고 사는지 이해할 수가 없단 얘기를 종종 한다.

우리 식으로 생각하면 이런 나라들이 아주 못살아야 하는데, 1인당 국민소득이 6만 달러가 넘는다. 집에서 점심밥 먹는 걸 아주 중요하게 생각하는 이런 나라들의 또 다른 대표적인 특징은, 아주 잘 논다는 것이다. 물론 이 사람들 노는 게 우리 식으로 보면, 노는 것도 아닌 아주 재미없는 일들이긴 하지만.

또 다른 주요한 특징이 정치적으로 좌경화된 국가라는 점이다. 사르코지를 가끔 이명박과 비교하곤 하는데, 가끔 말 본새 없이 하는 것만 빼면 택도 없다. 사르코지의 진짜 정책들은 우리 식으로 치면 민주당과 진보신당 중간 정도 된다. 프랑스나 스위스 혹은 노르웨이의 초등학교 교사들의 일반적인 상식은, 한국으로 치면 극좌파들과 비슷하다. 그들이 뭐 특별히 정치적인 활동을 하는 것이 아니더라도, "사민주의 만세"를 외치지는 않더라도, 그냥 상식이 거의 우리나라 극좌파 수준이다.

. . .

내가 도저히 출근하지 못하겠다는 건 내가 꼭 게을러서가 아니라, 도대체 우리는 왜 이러고 살아야 할까, 그 생각이 머리를 떠나지 않아서 그렇다. 아침에 대충 출근해서, 점심은 집에 와서 먹고, 저녁 때 칼퇴근하는 거, 온 국민이 그렇게 사는 나라도 있는데, 도대체 왜 우리는 이렇게 살아야 하나, 그런 생각을 꽤 오래전부터 했다.

IMF 이전에는 "이게 다 한나라당 때문이다", 그런 생각을 했었는데, 그 와중에 정권이 바뀌어 두 번이나 한나라당이 아닌 정권도 들어섰지 않았나. 그럼 이게 다 노무현 때문인가? 그건 더 아닌 것 같다. 가만 보니, 우리는 새는 게 너무도 많았다. 그래서 이게 다 룸살롱 때문이다, 그런 생각이 들었다. 그 생각은, 여전히 변함이 없다. 우리나라 상층부의 할아버지들 그리고 50대 이상은 너무 심하게 논다. 회사 돈이든 정부 돈이든 너무 막 쓴다. 이러고도 회사가 움직이고, 정부가 움직이나, 그런 생각이 들 정도로.

사는 게 도대체 뭐라고, 점심도 밖에서 먹고 죽어라고 일하는데, 노르웨이 같은 나라가 9만 5천 달러를 넘어서는 이 세상에서 왜 우린 자기 나라 노동자들을 이렇게 살기 힘들게 만드나? 이게 내가 출근에 대해서 가지고 있는 기본적인 생각이다.

왜 우리는 북구의 많은 나라들이 그러는 것처럼 점심을 집에서 먹지 못하나? 일본이나 한국이나 나라를 잘못 만들었다는 생각을 종종 한다. 부동산 버블 열심히 키운 나라들의 특징이, 점심 집에서 못 먹는 나라들이다. 그렇게 보면 외식 문화가 발달했고, 식당 좋은 게 많고, 맛집 방송들 많이 하는 나라, 이런 게 다 불쌍한 나라들이다. 태국에는 밥 공장도 있다. 이게 좋은가? 공장에서 아침밥을 배달해주는 게?

우리가 사는 모습, 이게 제대로 된 모습인가? 내가 한국의 경제학자들에게 가지고 있는 불만 중 하나가 사람들 삶을 너무 안 본다는 점이다. 경제학 책에는, 한국인의 삶이라는 게 없다.

경제학이라는 걸 복잡하게 생각한 적도 있지만, 몇 년 전부터는 나도 생각이 좀 단순해졌다. 국민들 밥 굶기지 않고, 점심은 집에 와서 먹을 수 있게 해주고, 뭐 그런 거 아닐까?

내가 조선 역사에 대해서 관심을 가지게 된 것도 그런 연유에서다. 우리 조상들이 정말 형편없는 나라를 우리에게 넘겨주었나? 망해버린 식민지라는 껍데기가 정말로 그들이 우리에게 넘겨준 것의 전부였을까? 글쎄…… 하여간 이런 질문들은 여전히 진행 중이다.

가난함을
견디기

공부하는 사람들은 선생 복에 관한 얘기를 하는데, 내가 선생 복이 있는 편인지는 아직도 잘 모르겠다. 나는 선생들한테 귀여움 받는 스타일은 아니었고, 점수는 주기는 주는데, "넌 정말 내 인생에 기억나는 싸가리스." 싸가지 없는 학생으로 주로 미움을 받는 편이었던 것 같다. 하여간 고분고분함과는 아주 거리가 멀었고, 스승의 그림자도 밟지 말라고 하는데, 꼭 뛰어가서 그림자라도 밟아야 속이 풀리는 그런 편이었다고나 할까?

대학원 때 지도교수는, 특별히 얘기를 더 많이 해주거나 그런 건 아니었지만 어쨌든 대학원 생기고 최고점이라고 하는 환상적인 논문 점수를 주었다. 덕분에 석사를 졸업한 이후로는 공부하기가 아주 수월해졌고, 이게 좀 알려져서 동구권 붕괴 이후 정치경제학 전공자들을 숙청하는 분위기 속에서도 가까스로 숙청을 피해서 그래도 학위라도 받을 수 있게 되었다.

원래의 박사과정 지도교수는 (우리나라에 3권짜리로 번역되어 있는 후기구조주의의 역사에 관한 책에도 몇 번 이름을 올린 사람이다. 내가 후기구조주의자 계보로 들어가게 되는 것도 다 이 양반 때문이기도 하고, 경제인류학도 이 양반한테 거의 다 배웠다) 코르시카 출신인데, 내가 가지고 있는 많은 로망들이 이 양반 때문에 생긴 것이다. 동구의 붕괴와 함께 명예교수가 되지 못하고 그냥 학교에서 짤렸는데, 덕분에 내 인생에도 파란만장한 굴곡이 생겼다. 원래 이 양반이 나한테 꼭 한번 해보라고 한 것이 '스포츠경제학'이었다. 이 분야는 조절학파에서도 유명한 블라드미르 앙드레프라는 러시아 출신 경제학자가 당시 막 개척하고 있었는데, 내가 처음으로 번역해서 한국에 냈던 것도 바로 이 양반의 세계화 이론에 관한 책이었다(당시 지도교수는, 내가 그래도 앙드레프보다는 잘하지 않겠냐고, 스포츠경제학을 전공하라고 적극 권유했었다).

코스워크가 끝나고 파리 10대학에서는 지도교수를 찾을 수 없던 상황이 되어 1년간 방황을 했는데, 그때 나를 구해준 사람이, 당시 파리 7대학 강사로 있던 미셸 로지에였다. 내 인생에 가장 많은 눈물을 보이게 한 사람이었다. '아그레가시옹'이라는 대학교수 임용시험을 준비하고 있던 로지에는 진짜 고시생처럼, 자기도 박박 기면서 공부하던 중이라 나도 박박 기게 만들었다. 나는 이 양반의 1호 박사이기도 한데, 그는 결국 시험에 붙어서 박사 심사를 할 때에는 아미엥대학 교수가 되어 있었다. 전화번호부만 한 책을 1주일에 다섯 권 정도 읽게 하고, 필요한 인용구를 내가 정리해가면 그걸 가지고 토론하는 그런 도제식 수업을 1년 넘게 했다. 책 구하기도 어렵고, 겨우 구하면 이제 읽을 시간은 이틀 정도밖에 남지 않는데, 책 읽다가 눈물 흘리는 게 어떤 건지 …… 그때 참 많이 울었다. 진짜 책 읽는 게 너무 힘들었다.

그걸 끝내고 나니까, 이번에는 수학을 하라고 한다. 경제학자들 수학이 다 거기서 거기라서 피장파장인 셈인데, 자기가 살아온 세상과 내가 살아갈 세상은 앞으로 다를 거라며 공부를 시켰다. 성장론 모델을 다 풀지 않으면 학위 안 준다고 해서 난 또 어쩔 수 없이 울면서 풀었다. 풀이집도 없고, 참고할 데도 없고, 수학 전공하던 선배들 붙잡고 물어물어 풀어보면서, 진짜 내 인생이 왜 이렇게 기구한지 한탄도 많이 했다. 이 양반이 사회당 당원인데, 그 와중에도 사회당 지역 모임에도 나가고, 수틀리면 자기가 바로 출마하겠다고 출마 준비도 좀 하고 그랬었다. 공부는 공부고, 정치는 정치고, 두 개 다 해야 한다는 것은 바로 이 양반 살아가는 모습을 보고 배운 거다.

· · ·

하여간 그렇게 해서 1996년에 학위를 받았는데 그때쯤 내가 선생들이나 선배들한테 배운 게 뭐가 있나, 가슴에 손을 얹고 곰곰이 생각해본 적이 있다.

내가 배운 건, 아무리 생각해도 '가난을 견디는 법'에 대해서 알아야 한다는 것이었다. 나의 선생이나 선배들이나, 다들 가난하게 살았는데 정치경제학을 전공하거나 사상사를 전공하거나 혹은 생태학 공부를 하는 것은, 가난함이 옷과 같이 익숙해지는 것이라는 걸 몸소 보여주었다. 아무래도 그들에게서는 학문적 충고보다도 가난함을 견뎌야 한다는 얘기를 더 많이 들은 것 같다.

경제학을 전공하면 밥은 먹고산다는 얘기가 있지만, 그것도 응용경제학 같은 몇 개 분야 얘기고, 그 안에서도 맑스경제학, 사상사, 경제사 아니면 경제철학, 심지어는 수리경제학까지, 좌우를 막론하고 순수 이론에 해당하는 분야에서는 먹고사는 것이 대학원에 진학할 때부터 머리를 짓누르며 당면하게 되는 문제다.

물론 지금의 문사철에 비할 바는 아니다. 문사철이야 전향한다고 해도 별 볼일 없지만 순수경제학은, 전향을 하면 그래도 먹고살기는 한다. 아직도 그렇다고들 하는데, 전 세계적으로 경제학자들은 공급 부족 상태라고 한다. 경영학이나 법학이나 행정학 같이 조금 더 먹고 살기 편한 쪽으로 전공을 바꾸어서 학위를 받는 게 가능하기도 하니 까. 그래서 순수경제학이나 이론경제학 하던 사람 중에선 최종 학위 가 다른 쪽인 사람들도 종종 있다.

. . .

내가 가난함을 견뎠던 시간은 3년 정도 되는데, 이건 경제학을 전 공했기 때문이 아니라, 시민운동의 영역에서 일종의 정치적 세력화 라고 할 수 있는 '녹색당 만들기'의 상근자로 활동했기 때문이다. 나 만 먹고사는 걸로 끝나는 게 아니라 끊임없이 돈 들어갈 곳이 많아지 고, 이걸 메울 방법이 없어서 그냥 내 돈을 박으면서 움직였기 때문 에 꽤 궁핍한 시절을 견딜 수밖에 없었다.

그때가 그렇게 가난했었나? 생각해보면 통장잔고가 달랑달랑하긴 했지만, 그래도 진짜로 굶지는 않았었다. 좀 허름하게 먹기는 했지 만. 사실 지금의 내 주변의 대학생들이 느끼고 있는 심리적 공포감에 비할 바는 아닌 것 같다.

가난했던 학자들의 얘기를 그 시절에 참 많이 주워들었다. 한국이나 프랑스나, 학계에 떠도는 풍문들은 잘 검증되지 않는 것들이긴 하지만, 유명했던 학자들이 젊었을 적에 어땠다 하는 얘기들이 특히나 사상사 분과에는 정말 많이 돌아다닌다. 폴라니는 천신만고 끝에 미국에서 교수직을 맡게 되었을 때 아내가 혁명가라고 입국거부 당했는데, 한국 남자 같았으면, 잠시만 기다리면 자신이 먼저 자리잡고 수습하겠다고 했을 텐데, 폴라니는 그 길로 아내와 캐나다로 갔고, 평생 미국 대학의 정교수는 하질 않았다. 정말 아름다운 사랑 얘기였다. 학위를 받고 농가 다락방에서 7년을 버텼던 베블렌, 그는 나중에 미국경제학회의 학회장 자리가 왔을 때, "내가 이 자리가 정말 필요했을 때, 이 자리는 나를 외면하였다"는 말을 남겼다(물론 그다음 해에는 학회장 자리를 수락하였다고 한다). 가슴 찡한 얘기였다. 삶이 넉넉하지 못해 귀족 자식의 과외선생이 된 아담 스미스가 제자와의 마차여행 중 너무 따분해서 『국부론』을 쓰게 된 얘기, 그런 게 공부 얘기보다 훨씬 더 재밌었다.

그야말로 믿거나 말거나이지만 그런 수많은 얘기들을 들으면서 "아, 나도 가난을 잘 참아야지", 그런 생각을 하곤 했다. 그러다 1996년에 막상 대학교 시간강사로 떠돌면서, 별의별 책이나 프로젝트의 잡일까지 다 도맡아 하면서 10만 원, 20만 원, 그렇게 원고료를 손에 쥐고 나니 정말 무기력한 느낌이 들었다. 사실 돈 때문에 그런 건 아니지만 정치경제학 전공자로서 소위 '잡 마켓'이라는 데 서 보니, 딱 1년 만에 요따구로는 돌아버릴 것 같았던 것도 사실이다.

$\cdots$

"가난을 잘 참아야 한다"라고 배우고 나도 또 그렇게 생각하며 살아왔지만 후배들이나 후학들한테는 그렇게 얘기한 적은 없는 것 같다. 큰 부를 구할 필요는 없지만, 식구들한테 세 끼 밥은 먹을 수 있게 해주어야 하는 거 아니냐, 아니면 최소한 자신의 몸을 지킬 정도는 해야 하는 거 아니냐, 그런 식으로 말하고 다녔다. 그야말로 바담 풍이다.

어쨌든 처음부터 돈 벌기 쉬운 전공을 선택해 경력관리를 한 사람들의 세계와, 돈 되지 않고 먹고살기 어려울 것이 너무 뻔한 전공을 가진 사람들이 경험하는 세계는 또 전혀 다른 것 같다. 나도 가난을 잘 참고 견딘 것 같지는 않다만, 돈이 되는 것과 그렇지 않은 것을 구분해서 공부를 하거나 연구를 하지 않는 정도가 아마 나한테 일종의 유전자처럼 남아 있는 것 같다.

정부에서 주는 프로젝트에 대해선 고민을 좀 해보긴 했는데, 몇 년 전에 "나는 프로젝트는 안 해"라는 원칙을 세웠다. 전혀 안 한 건 아닌데, 해보니까 너무 우울증이 심해져서 이건 영 아닌 듯해서 안 한다. 이건 내가 가진 특수경험 때문이기도 하다. 그런 프로젝트 아키텍처 짜는 일을 오래 하다 보니, 좀 부당하다 싶은 프로젝트를 보면 괜히 울화가 나서. 아예 안 보고, 신경 안 쓰는 게 대수다, 그렇게 마음을 먹었다. 그냥 하고 싶은 거 하고, 보고 싶은 거 보고, 그중에서 대중성이 좀 있을 수 있는 건 책으로 내고, 아닌 건 그냥 계속 정리해두고, 그렇게 살아가려고 한다. 다른 건 별 문제가 없는데, 다른 사람을 고용해서 함께 뭔가를 해야 하는 일이 생기면 곤혹스럽다. 그래서 그냥 어지간하면 혼자 할 수 있는 범위를 넘어서는 건 아예 벌이지를 않는다.

* * *

내 주변에, 연간 30억 정도 버는 사람이 한 명 있다. 몇 년 전만 해도 경제연구소 소속으로 고만고만하게 있다 돈 좀 벌어야겠다고 마음먹더니 야, 진짜 똑부러지게 돈을 벌두만. 겉으로 보면, 절대로 그렇게 돈 잘 벌 거라는 느낌을 주지 않는 후배다. 며칠 전에 짜장면 집에서 소주 한잔 하면서 봤는데, 그렇게 돈을 벌었는데도 여전히 잠바 뙤기에 후줄근한 머리, 그냥 길 가던 용역 아저씨 3번이라고 해도 믿을 것 같다. 마음만 먹으면 저렇게 돈을 버는 게 여전히 가능하긴 하구나 생각했다.

경제학자로 오래 살다보면, 한쪽에는 100억 원 이상의 재산을 가진 사람들이 나래비를 서 있고, 또 한쪽에서는 정말 내일 하루는 뭘 먹어야 하나 걱정하는 가련한 청춘들이 나래비를 서 있다. 그 사이에서 난 어디에 눈을 맞추어야 할지, 누구를 분석대상으로 삼아야 할지, 그런 고민들을 하게 된다. 그리고 다시 내 일상으로 돌아오면, '가난한 시절을 견디는 법'이란 얘기들을 듣던 그런 학생 시절의 추억들이 다시 생각나기도 하고.

어쩌면 학자에게 가난은 실체가 아니라, 가난으로부터 생겨나는 초조함이 그 실체인지도 모르겠다는 생각이 종종 들기도 한다.

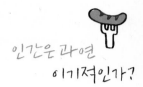

인간은 과연
이기적인가?

현대 경제학은 인간은 모두 이기주의적이라는 가정에서 시작된다. 만약 인간이 이기주의적이 아니라면, 우리가 경제학 이론이라고 알고 있는 거의 대부분이 무너진다. 그건 맑스의 『자본론』의 경우도 마찬가지다. 교환과 관련된 분석에서 노동가치를 이끌어내는, 즉 자본론의 세계도 교환에서 시작되는 이론체계다. 이건 마치 자기실현적 명제와 같은 성격이 있다.

인간이 이기주의적이라는 가정은 현실에선 "인간은 이기주의적이어야 한다"라는 아주 가혹한 자기계발의 생존논리가 된다.

만약 자신이 이기주의자가 아니라면?

"그럼 넌 죽어."

중고등학교에서 경제교육이라는 이름으로 혹은 "좀 똑똑해져라"라는 말로, 부모들이 자식에게 하는 교육이 요즘에는 기본적으로 이기주의자가 되기를 강요하는 것 아닌가? 자신이 이기주의자이든 그렇지 않든 결국에는 살아남기 위해서 그렇게 되라고 한다. 아무리 경제학이 과학, 정확히는 경성과학(hard science)에 가까워지려고 해도 결국에는 이데올로기 속성이 강한 것이, 바로 이러한 자기 생존논리를 통해서 인간에게 이기주의적 행위를 하도록 강요하기 때문이다.

. . .

자, 우린 이 과정을 지난 10년 동안, 한국에서 아주 똑똑히 지켜보고 있다. 그래도 사람에게는 양심이라는 게 있고, 본성이라는 게 있는데, 이기주의자로만 살아가는 게 과연 옳은 것인가?, 인간이라면 그런 생각을 가끔 하게 된다. 정말로 이런 생각을 한 번도 하지 않았을 사람으로는, 우리는 '이명박'이라는 사람을 본 적이 있다. 지독할 정도로 이기주의만 남은 인간의 표본을, 그래서 겉과 속이 모두 같은 (난 그런 거짓 없는 인간이 궁금했는데, 살아생전 한 번은 본 셈이다). 그의 양심은, 우리의 양심과는 좀 다르게 생긴 것 같다.

아무리 지독한 경제 근본주의의 시대를 살고 있다 할지라도, 사람이라면 가끔 자신이 이렇게 사는 게 맞는 건지, 스스로를 돌아보는 순간이 있다. 그런 본성으로 돌아가는 순간이 없다면 세상에서 종교는 벌써 사라졌을 것이다. 착한 본성으로 돌아가려고 할 때 "그러지 마, 너의 세속적 욕망을 위해서, 지금의 사회적 억압을 참아내." 그렇게 말하는 게 자기계발서들이고.

그러나 인간이란 게 그렇게 간단한 존재는 아니다. 착하기도 하고, 나쁘기도 하고, 그런 여러 가지 속성을 가진 복잡한 존재가 바로 인간이다. 게다가 인간은 터무니없이 변덕스럽기도 하다.

노무현에게 열광했던 사람들이 그의 임기가 끝나갈 때쯤에는, "이게 다 노무현 때문이다"라는 농담을 즐기지 않았던가. 이명박에게 열광했던 사람들은 "그래도 그는 뭔가 할 것 같아"라며 잘사는 세상을 기대했지만 이제는 "명박만 아니라면" 하고 그를 거부한다. 우리가 진보를 하고 있는 건지, 과연 그렇게 해서 세상 좋아지는 건지, 나는 그건 잘 모르겠다. 그러나 최소한 인간, 아니 한국인이 얼마나 변덕스러운가는 똑똑히 보았다. 우리는 노무현도 그냥 좋아했고, 이명박도 그냥 좋아했다. 그리고 몇 년 후, 그들을 그냥 싫어하게 되었다. 이게 사람이고, 바로 한국인이다.

민주당이 재집권하면 세상이 좀 좋아지고, 경제가 살아날까? 최소한 이명박과 그의 후계자를 더 이상 9시 뉴스 시작하자마자 보지 않아도 되는 좋은 순간은 온다. 그게 50퍼센트 가까운 분당투표를 승리로 이루어낸 진짜 행위의 동기 아닌가? 그냥 싫은 거. 이건 돈이나 이익과는 차원이 전혀 다른, 이성과 합리성 이전에 정서적인 문제이자 원초적인 것이다. 어쩌면 더 말초적인 것인지도 모른다. 그렇다. 지금 우리는 대통령을 '쥐박이'라고 부르면서 고양이 놀이고, 그렇게 말초적으로 그를 혐오하는 것인지도 모른다. 돈? 경제적 이익? 지역발전? 그딴 거 아니다. 그냥 그가 보고 싶지 않을 뿐이다.

이 강렬한 증오, 그걸 대체할 감정이 뭐가 있을 수 있겠나? 증오가 사람을 움직이게 하는 얼마나 강렬한 힘인지, 한나라당은 그걸 절감하게 될 거다.

· · ·

인간이라는 존재는 아주 변덕스럽고 괴팍하고 그렇지만 가끔은 고상하거나, 숭고하기도 하다. 때때로 우리는 스스로도 놀랄 만큼 착한 생각을 할 때가 있지 않는가? 늘 착한 생각만을 한다면 물론 성인이나 깨달은 사람 반열에 오르겠지만, 역시 우리는 보통의 생활인, 늘 착한 생각을 하지는 않는다. 그보다는 잡스러운 생각이나 치사하고 좀스러운 생각을 할 때가 훨씬 많고, 어떤 땐 무뇌아처럼 아무 생각도 하지 않기도 한다. 그런 게 바로 사람이고 생활인 아닌가? 우리는 오랫동안 인간이 가지고 있는 이런 복잡한 속성을 너무 간과했던 것인지도 모른다.

한국에서 경제학은, 인간은 어차피 다 그렇고 그런 이기적 존재라는 말 외에는 한 게 없는 것 같다. 한국에서 정치학은, 어차피 전라도 사람은 전라도 찍고, 경상도 사람은 경상도 찍는다는, 출생학 외에는 한 게 없는 것 같다. 왜 한국의 가난한 사람들은 부자정당 한나라당에 투표하는가? 왜 우리에게는 계급투표 현상이 없는가? 우린 이런 걸 설명하지 못한다.

지난 10년 동안, 우리는 마치 한국에는 '경제적 동물'만이 존재하고, 어차피 우리는 모두 다 '자기계발적 존재'이며, 아니라고 하는 사람들도 뒤돌아서면 다 똑같은 거라고 그렇게 생각한 것 같다. 특히, '강남좌파'라는 말에는 긍정적 의미와 부정적 의미가 다 있는데, 부정적인 의미가 바로 이 얘기 아닌가? 그들도 돌아서면 다 돈 좋아하고, 돈 열심히 버는, 다 똑같은 인간들.

그러나 과연 그럴까? 과연 지금의 한국에는 이기주의자들만 있을까? 혹은 매 순간, 단 한 번도 이기적인 생각은 해본 적도 없는 그런 사람이 과연 존재하기는 하는 걸까?

       • • •

    인간은 생각보다 복잡하다. 이익과 보람이 충돌한다고 할 때 한국
에선 여전히 보람이 움직이는 영역이 더 큰 것 같다. 그렇다면 이익
과 재미가 충돌할 때는 어떨까?

    요즘 난 「왕의 남자」 이준익 감독과 늘 그의 파트너이자 시나리오
작가이기도 한 조철현 대표와 같이 작업을 한다. 그 둘이 영화를 만
들기 시작한 이유는 그들이 모여서 좋은 영화는 모르겠지만, '재밌
는 영화'를 만들 수 있을 것이라는 자신감 때문이었다고 한다.

    보람 혹은 재미, 적어도 이건 기계적인 이기주의와 등치어는 아닌
것 같다.

내 주변에
굶는 사람이
없어야

등가교환이라는 말이 있다. 같은 가치가 서로 교환된다는 말이다. 이 등가교환에 관한 얘기가 『자본론』 맨 앞에 등장하는 말인데, 이 얘기의 기원은 아리스토텔레스의 『니코마코스 윤리학』까지 올라간다. 맑스를 포함해 경제학 내에서 보는 '등가'라는 개념은, 경제학적 의미에서 '정의'의 기본 개념이라 할 수 있다.

'just exchange', 즉 뭔가 교환하고 나서 나 손해 봤어, 이렇게 누군가가 다시 물러달라고 하지 않는 것, 그게 정당한 교환이다. 만약 누군가 손해 봤다고 생각하면 다시 물러달라고 할 테니까. 그때에는 부당한 교환이 발생한 것이다.

맑스가 착취에 대해서 얘기를 시작한 것은, 다른 모든 상품은 등가로 교환되는데, 노동만은 부등가로 교환되기 때문이다. 즉, 노동의 가치보다 월급의 가치가 더 적다 그러면 그 차이만큼이 착취라는 얘기다.

노동이 등가인지 아닌지, 이게 『자본론』 3권을 둘러싸고 오랫동안 진행된 해묵은 논쟁인데, 3권의 가치론은 수학적으로 아직 증명되지 못했다. 그 해법을 찾아내려고 했던 게 '전형논쟁'인데, 현재 교수노조 위원장인 강남훈 선생의 전공이 이 분야였다. 작고하신 정운영 선생이 평생을 걸고 풀어보려고 했던 문제도 이 문제였다. 가치가 가격으로 전형되는 과정에서 노동의 부등가교환 문제를 찾아내려고 했던 사람들이 결국 이 문제에 해법을 찾지 못하면서, 노동의 부등가교환 문제는 경제학 내에서 미궁으로 들어갔다. 이제는 이런 문제에 관심 갖는 경제학자도 거의 없고, 아마 이 문제를 푼다고 하면 박사논문 주제심사에서 탈락할 것이다. 안 풀린다고 보는 게 보편적 상식이 되었기 때문이다.

물론 현실에서는 등가이든 부등가이든, 아리스토텔레스가 말한 것처럼 교환 후에 물러달라고 하지 않아도 부당한 거래인 경우는 많다. 예를 들면, 한국에서 대기업과 하청업체의 거래는, 속으로는 부당하다고 생각해도 물러달라고 할 수 없는 경우가 많다. 거래는 한 번만 이루어지는 게 아니라 포괄적으로 이루어지는 것이고, 그야말로 '관계'라는 것이 매번 등가에 의해서 이루어지지는 않기 때문이다.

이렇게 거래만으로 이루어지는 게 아니라고 할 때 '위계(hierarchy)'라는 개념을 들여오기도 한다. 신제도학파가 노벨상 받을 때, 세계적으로 히트친 개념인데, 세상에는 위아래가 있을 수 있고 높은 놈, 낮은 놈이 존재한다는 말이다. 그리고 그렇게 위계가 존재하는 것을 조직, 위계가 존재하지 않는 것을 시장, 이렇게 두 개로 나누는 게 신제도학파다. 구제도학파는 시장이든 뭐든, 하여간 세상은 단순하게 거래로만은 이해할 수 없다는 사람들이고(1980년대 이후에 공부한 사람들에게는 이런 신제도학파의 영향이 크게 남아 있다. 대표적인 사람이 장하준이고, 지금 민주당 정책연구원 원장 하는 박순성도 역시 이와 유사한 흐름의 학자다).

세상은 넓게 보면 경제적인 것, 경제적이지 않은 것, 이렇게 볼 수 있는데, 이걸 좁히면 거래인 것, 거래가 아닌 것, 이렇게 볼 수도 있다. 더 좁히면 등가교환과 등가교환이 아닌 것, 이렇게 볼 수도 있고.

• • •

자, 이렇게 모든 것을 거래로 생각하고 그것도 등가의 거래라고 생각한다면 여기에서는 선행이나 미덕과 같은 얘기를 세울 공간이 별로 없다. 경제학은 부등가교환, 거래 아닌 행위, 돌봄의 미학, 이런 것들을 설명하기에 아직 발전이 덜 되어 있다.

경주 최부자 얘기의 요체는 "사방 10리 내에 밥 굶는 사람이 없게 하라"다. 최부자가 워낙 부자라서 그런 거라고? 옛날 옛적 호랑이 담배 피는 시절의 얘기라고? 자기 골목에, 같은 층에, 밥 굶는 사람이 없게 하라는 건 어느 시대, 누구에게나 필요한 경구 아닐까?

"밥 남은 거와 김치 조금."

최고은 작가의 쪽지를 보면서 내가 떠올린 생각은, 과연 내 주변에 그렇게 굶고 있는 사람에게 난 관심을 기울이며 살고 있었는가, 그런 거였다.

난 요즘 들어서 한국의 중산층이야말로 정말로 부패한 집단이 되어 가고 있다고 생각한다. 어쨌든 자신이 중산층이라면, 굶고 있는 누군가에게 남은 밥과 김치를 조금 나누어주지 못할 리 없다. 그걸로 크게 무슨 일이 생기는 것도 아니고. 그렇게 조금씩 서로를 돕고, 주변을 돌보지 않는다면, 사람들이 살아가는 사회가 지옥으로 변하는 건 시간문제 아닌가? 아무리 잘사는 사회라도 어려운 사람, 굶는 사람은 생기게 마련이다. 그런 사람들을 조금씩 도우면서 살아야 한다는, 그런 생각을 우린 너무 오랫동안 안 했던 것인지도 모른다.

시장이라는 장치를 완벽하다고 설정해놓고, 모든 것을 시장에 맡기면 알아서 균형이 이루어진다는 시장 이데올로기 혹은 경제 근본주의에 우리가 너무 깊게 빠져 있던 것이 아닌가? 그러나 시장만으로 움직이는 그런 자본주의는 존재한 적도 없고, 등가의 교환만으로 세상은 움직이지 않는다. 등가가 아닌 것, 그게 사랑이 가지고 있는 전형적 속성이다. 거래하라! 하지만 사랑은 거래되지 않는다. 거래로 시작한 사랑, 그게 영원할 순 없다. 누군가를 돌보면서 느껴지는 마음의 변화, 그런 건 등가의 가치가 아니다. 그렇지만 세상에 '실체'로 존재한다. 동물들도 주변 동료들을 서로 도우면서 살아간다.

지난 겨우내, 우리 집 마당을 들르는 길고양이들에게 겨울을 잘 나라고 물과 함께 사료를 준 적 있다. 먼저 온 고양이가 다 먹어버릴 것 같지만, 길고양이들은 그렇게 하지 않는다. 자신도 배고플 테지만, 조금만 먹고 다른 고양이들을 위해 남겨 놓는다. 포유류라면 응당 가지고 있는 나눔과 돌봄의 기본적인 가치들, 그런 것을 잊어버리고 악마의 모습으로 살아가는 게 한국의 중산층이지 않을까?

* * *

우리는 지난 10년 동안 악마의 모습으로 우리를 길들이고, 우리의 2세들에게는 악마를 키우는 교육을 시키고 있었던 것은 아닐까? 어떤 종교도, 어떤 과학도, 어떤 이론도. 기본은 동료를 사랑하고, 주변에 무언가를 베풀라고 되어 있다. 인간이 만든 교리와 가치 중에 그렇지 않은 것이 어디 있는가? 그러나 전경련이나 재경부 등에서 만든 중·고등학교 경제학 교재, 심지어는 초등학교용 경제학 교재에까지, 모두 남을 죽이고 살아남아라 이렇게 가르치고 있다. 이건 경제학도 아니고, 교리도 아니고, 교훈도 아니고, 그냥 악마교육이 아닌가?

"지는 것이 이기는 것이다", 이런 걸 배워야 하고, 같이 행복해지는 삶에 대해서 공부해야 하는 것 아닌가?

한국은 타워펠리스를 지어 올리는 순간 사회적으로나, 생태적으로나, 그리고 미학적으로나 다 망했다. 부자가 가난한 사람과 같이 살지 않겠다고 하는 순간, 중산층들이 자신들만의 정원을 가지겠다고 하는 순간, 그건 사회적으로도 지속가능하지 않고, 생태적으로도 지속가능하지 않다.

자기 주변에 굶는 사람이 없어야 한다는 경구는, 인간이라면 응당 적용해야 하는 가치다. 자기 주변에 굶는 사람이 있어도 행복한 사람, 그건 사람 아니다. 그런데 요즘 좀 산다는 한국의 40대, 50대들의 생각은? "남의 불행은 나의 행복." 그렇게 불쌍한 사람들이 사회에 가득한 걸 보면서, 내가 얼마나 행복한가를 비로소 체감하는 식이다.

"이게 사람 사는 사회냐, 악마들의 사회지!"

· · ·

한국의 모든 것을 쥔 사람들이 지지한 명박 정권은, 정신적으로 크게 실패했다. 그들은 가난한 사람을 사람 취급 안 하는 사람들로 모인 집단이고, 예로부터 그런 지배층이 사회를 장악했을 때 국고는 비고, 백성들은 굶주리고, 외적이 쳐들어왔다. 정신이 실패하면, 물질도 실패한다. 그래서 명박 정권은 실패한 것이다. 자기 주변에 굶는 사람이 있으면 자신의 마음 또한 편하지 않은 것, 그게 인간이 가진 본래의 미덕이다. 신도들은 가난한데 교회는 부자인 곳, 그런 곳에 성령이 머물러 있을 거라곤 도저히 생각되지 않는다.

정신적으로 풍요로운 사람, 그런 사람들이 우리들의 지도자가 되어야 하고, 우리들의 영웅이 되어야 한다. 정말로 강한 나라는, 자기 주변에 굶는 사람이 없도록 서로서로 돌보는 나라다. 자기 골목, 아파트 같은 층, 최소한 그 안에서는 굶는 사람들이 없도록 서로를 돌볼 수 있는 나라. 아무도 굶지 않고, 아무도 정서적으로 빈곤하지 않고, 아무도 문화적으로 소외되지 않는, 그런 나라.

내가 한국의 30~40대에게 아직도 기대하는 건, 그들이 그렇게 변할 수 있는 가능성이 아직은 남아 있다고 생각하기 때문이다.

가난하고 소외된 사람들과의 뉴딜, 그게 뉴딜의 원래 이름이다. 우린 그걸 토건 제일주의 정도로 해석하는, 뻔뻔하고도 무식한 사람을 대통령으로 뽑았다. 다음 시대에게 이 사회를, 이 전통을 물려주고 싶지는 않다. 30~40대가 주변의 10대와 20대를 돌보기 시작하면, 우리는 지금 당장 변화를 만들 수 있다.

물질적으로는 가난하지만 정신적으로는 풍요로운 삶과 물질적으로는 풍요롭지만 정신적으로는 가난한 삶. 이 두 개 중에서 고르라면 답은 너무 뻔하지 않은가?

그렇다. 우리는 모두 틀린 답을 고르고 있었다.

물질적으로는 가난하지만 정신적으로는 풍요로운 삶을 선택한 국민들이 절반이 넘는 나라, 그게 선진국이다. 정신적으로 가난한 사람들이 모여서 만드는 나라, 그게 바로 악마들의 나라고, 우리들의 지금 모습이다. 정신적으로 실패한 정권, 혹은 정서적으로 부패한 정권, 그 속에서 우리가 다시 출발하고자 할 때, 우리의 미덕은 "누구도 굶어서는 안 된다", 그게 되어야 하는 것 아닌가?

한미 FTA 논쟁 때 내가 가장 이상하게 생각한 점은, 노동자들이나 도시 중산층들이, 농민이 망한다고 할 때 그게 마치 자신들에게는 이득이 될 거라고 여기는 것이었다. 남의 불행은 나의 행복, 그게 사회적 가치가 된 나라가 번영하고 행복한 사례는 없다.

한국의 정치적 실권을 가진 50대들, 그들은 경제발전의 수혜는 누렸지만, 정신적으로는 부패했다.

그들의 실패를 다시 반복할 수는 없다.

주는 자는 교만하지 말고,
받는 자는 비굴하지 말고

표준경제학에서는 세상 모든 것들이 거래를 통해서 이루어진다고 설명하지만, 그렇게 거래로 설명되지 않는 행위들이 사실 더 많다. 가장 대표적인 것이 야근수당이나 특근수당 같은 것이다. 진실로 그럴지 아닐지는 아무도 모르지만, 어쨌든 임금은 노동생산성에 비례한다고 본다. 그러나 특근수당은 아예 없거나, 있으면 평균적 임금률보다 높다. 이걸 일종의 증여와 역증여로 설명하는 경우가 많은데 계약에 의해서 움직이지 않는 행위를 설명하려면, 평소에는 없던 뭔가를 갖다 붙여야 한다.

부모와 자식 간의 경제행위에 대해 거래라는 잣대를 들이대는 경우 역시 별로 없다. 거시경제학에서는 그걸 그냥 '가계(house-hold)'라고 표현하는데 엄마, 아빠, 자식들로 구성된 평균 가구율 3.7 정도 되는 사람들의 집합을 가계 혹은 소비자라는 한 단위로 보는 것이다. 이 내부에서는 왜 증여가 발생하는가? 이런 복잡한 문제는 경제학에선 다루지 않는다. 우리식으로 '내리사랑'이라고 하기도 하는, 증여는 '이기적 유전자의 가설'로 진화심리학이 한바탕 휩쓸고 간 이후로, 유산 상속은 어느덧 유전자의 합리성 같은 것으로 치장되었다. 부모 유전자의 특징이 다음 대로 이어지는 게 당연하듯이, 재산도 같이 넘어가는 게 자연스럽다는 것이 이런 주장의 요체이다.

빌 게이츠가 자식에게 얼마를 주는 게 맞느냐, 이런 게 한때 논란이 된 적이 있다. 재단을 만들면서 자신의 재산은 전부 사회에 환원한다고 했는데, 재단의 운영도 영구적인 게 아니라 사후 일정 기간이 지나면 다 써버리고 해소되는 것으로 한다고 해서 화제가 되었다. 평소, 자식에게 재산을 물려주지는 않겠다고 말했던 걸로 아는데 그래도 '먹고살 만큼만' 주는 단위가 총재산의 0.018퍼센트 약 100억 정도였다.

정상적인 직장인이 평생 성실하게 살고 기집질 안 하고 크게 아프지 않고 그렇게 돈을 모으면 5억 원 안팎의 돈을 가지게 된다. 평균 임금을 5천만 원으로 잡고 30년 일해서 소득의 3분의 1을 저축한다고 가정할 때 대충 이 정도가 된다.

하지만 사람의 욕심은 끝이 없어서 대부분 이걸로는 부족하다고 생각한다. 그러면 이제 골프장도 다니고, 상층부와 결탁을 하게 된다. 혹은 이 돈 가지고 어떻게 살아갈 수 있느냐며 투기도 하고 증권도 하게 된다. 확률적으로는, 결국 망하게 된다.

욕심을 절제하기로 마음먹으면, 조선시대 선비들이 흔히 그랬던 것처럼 '가늘고 길게' 전략을 선택하게 된다. 안 쓰고, 안 먹고. 이런 사람들의 눈에 피눈물이 나고, 투기를 하는 사람들이 오히려 행복하게 되는 것은, 간단히 말하면 정의롭지 않은 경제이다. 불행히도 한국의 지난 10년이 그랬다. 서울을 기준으로 2001~2002년 사이의 어디쯤이라고 할 수 있는데, 이때 은행에서 돈 빌려서 집을 산 사람들은 정신적으로는 몰라도 경제적으로는 부유해졌다. 물론 아직도 집을 정리 안 하고 부동산 불패를 믿었다면, 이제 세상은 공평해진다. 2003년 이후에 자기 돈이 절반이 안 되었는데도, 은행 끼고 집 산 사람은 앞으로 아마 좀 어려워질 것이다.

불로소득을 둘러싼 국민경제 내의 한판 싸움이 이제 클라이맥스로 가는 셈이다. 한 번만 더 하자, 나 아직 집 못 팔았어, 이런 세력이 하나. 집값 내려가면 나쁠 게 뭐가 있나, 지금도 너무 비싸잖아, 이런 세력이 또 하나. 투기해서 돈 벌고, 그걸로 자식들에게 물려주어 대대손손 이렇게 함 살아보자. 진짜 원초적인 정글의 논리인 셈이다.

참, 딜레마인 게 이런 사람들 내에서 증여의 경제가 더 강하다는 점이다. 고위 공직자 사모님들이 계주로 끼어 있는 강남의 대형 계조직을 지하경제로 보는 눈이 하나가 있고, 증여의 경제로 보는 눈이 하나가 있다. 원래 한국 특유의 계는 증여의 경제라는 시각으로 분석하는 게 일반적이지만, 공동체의 정신이나 돌봄은 하나도 남아 있지 않고, 상류층끼리의 결탁 네트워크 그리고 세금을 내지 않는 금융거래, 그런 건 전형적인 지하경제다.

골프비 서로 내주는 관계, 이런 것도 증여의 관계다. 조금 더 넓게 가면, 추석 때 떡값 돌리는 걸로부터 시작해서 사시사철 돌고도는 닥스 넥타이까지. 닥스 넥타이는 거의 현금 같은 거라서, 선물을 받으면 상표도 뜯지 않고 다음 사람에게 선물하고, 그렇게 해서 끝없이 돌아간다. 한국에서 부자들은 더 끈적끈적하게 서로 선물하고, 서로 밀착하고, 그렇게 해서 서로를 재생산하려고 한다. 가난한 사람들은 코털만 한 거 하나 선물할 때에도 고민을 해야 하는데, 그러다 보니 더 각박해진다. 증여? 이미 부자들은 자기들끼리 충분히 증여하고 있잖아?

흔히 부자들은 자본가라서 더 자본주의적으로 살아가고, 가난한 사람들은 그들끼리의 공동체 혹은 전통적 유대관계, 이렇게 살아갈 것이라고 생각한다. 한국은, 전혀 그렇지 않은 듯싶다. 없는 사람들은 10원이라도 깎기 위해 상인적 관계에 집중하고, 부자들은 최소한 자기들끼리는 완전히 호혜와 환대의 공동체다. 그 안에 어떻게든 좀 끼어볼려고, 사는 집이라도 강남을 추구하며 자기 대에는 그렇게 못했더라도 자기 자식들만큼은 부자 친구들 만들어준다고 되지도 않을 전략으로, 정말로 피똥 싸면서 강남으로 기어들어가는 가련한 중산층! 정말 그 영혼마저도 가여운 것 아닌가?

한국은 결혼식 혼수에서 장례식 부조까지, 전형적으로 증여의 메커니즘이 작동하는 사회다. 딸이 결혼 안 한다고 하면, 당장 엄마는 그동안 결혼식장 가서 내가 낸 돈이 얼마인데, 그런 소리부터 먼저 나온다.

사실, 증여는 아름다운 마음 그런 거 아니라고 원시 사회에서도 그런 거 아니었다고 『증여론』의 저자 마르셀 모스가 한참 전에 지적한 바 있다. 선물에는 영혼이 붙어 있고, 이걸 자기가 다 가지려고 하면 저주가 내릴지어다! 주고받고 돌려주는 증여의 정신은 무시무시한 저주관계이기도 하며, 종교적 신성성에 가득 찬 의무의 카테고리이기도 하다고 말이다.

모스는 낮은 위치에 있는 사람은 두목에게 뭔가를 선물로 주고, 두

목은 그 사람에게 그보다 더 큰 걸 주고, 그렇게 해서 원시 사회에서 재화가 유통이 되었다고 설명한다. "주는 대로 받으리라", 그렇게들 선물에 대해서 생각하지만, 사람의 관계는 수평한 것이 아니라서 등가성 원칙이 잘 움직이지 않는다고 말이다. 모스가 생각한 이런 증여의 세계에선, 그야말로 "공짜가 어딨어?", 그렇게 된다. 선물에 붙어 있는 영혼은, 갚는다고 갚을 수 있는 것도 아니다. 물론 족장이 있고, 두목이 있고, 위계가 있는 사회는 증여의 관계가 그 자체로 사회적 관계이기 때문에 선물로 인해서 추가적으로 자신이 위계가 더 올라가지도 않는다.

• • •

자, 이런 상황에서 우리나라는 아니지만, 다른 나라의 부자들이 재산세를 더 내겠다고 팔을 걷어붙였다. 세금을 통한 증여인 셈인데, 사실 가난한 사람들이 비굴하지 않게 돈을 받을 수 있는 경우는 국가를 통한 증여가 거의 유일하지 않을까 싶다. 사람들은 국가에게 고마움을 느낄지는 몰라도 비굴해지지는 않는다. 만약 지원금을 전달하는 공무원이 고마움이 아니라 비굴함을 느끼게 했다면? 그럼 그건 친일파 순사 아닌가?

부자들은 국가를 통해서 기부하는 것보다는 자신이 직접 하는 게여러 가지로 유리하다고 생각할 수 있다. 세상에 공짜는 없다. 그런데도 미국이나 프랑스의 부자들이, 자신들이 알아서 세금을 더 내겠다고 팔을 걷어붙이고 나서는 것은? 바로 망하게 생겼거든. 한국 부자와 미국 부자의 차이점이 그 정도 아닐까 한다. 나라가 망하고 욕을 먹어도 내 돈만 지키면 된다는 사람들과 내가 돈을 내놓아서 국민경제에 도움을 주고 존경을 받고 싶다는 사람들의 차이. 한국의 부자들이라는 게 계보를 올라가보면 소수를 제외하면 나라 망해도 흥, 나라 뺏겨도 흥, 그랬던 전력이 있던 사람들 아닌가?

어느 나라나 부자들이 지켜야 할 최소한의 덕목이라는 게 있다. 급식 문제, 그렇게 큰 것도 아닌데, 무상급식 하면 나라 망한다고 투표율 60퍼센트에 육박하는 투표를 한 부자들, 그들은 이 나라의 부자될 자격은 있어도 존경받을 자격은 없는 사람들이다. 급식 예산이 문제면, 그게 얼마라도 자기들이 마련해서 국가의 힘을 빌리지 않고 재단 같은 거 한번 만들어서 해보겠다, 이게 존경받을 부자들이 할 일이지, 투표해서 대중들을 이겨 마시겠다, 이거 순 나라 망할 때 경성 부자들이 했던 거랑 뭐가 다르냐? 국채보상운동이 괜히 나온 게 아닌 듯싶다. 나라는 돈이 없어서 망하게 생겼는데, 돈 많으신 부자들은 움직일 생각을 전혀 안 하니, 민초들이 결국 나선 거 아닌가? 그때랑 지금이랑, 자기 돈 움켜쥐고 나라가 망하든 말든, 신경 안 쓰겠다는 이 어처구니없는 부자들의 행태가 뭐가 다른가?

주는 자는 교만하지 않고, 받는 자는 비굴하지 말고, 말이야 좋은 말인데 어떻게 사람이 그럴 수가 있겠는가? 국가라는 장치를 통하지 않고도 그렇게 하기 위해서는 인간이 신의 반열에 오르거나, 시민의식이 독재자를 절대 용납하지 않던 그리스 수준으로 되어야 할 텐데.

어쨌든 사람이 살아가는 건 꼭 거래로만 이루어지는 것은 아니고, 그 빈틈을 채우든 혹은 시장을 선도하든 크고 작은 우정과 선의 그리고 증여 같은 것들이 존재하는 것은 사실이다. 거래는커녕, 두 곱 장사, 투기 아니면 쳐다도 보지 않는 강부자(강남의 부동산 자산가)들의 귀에, "주는 자는 교만하지 말지어다"라는 경구는 진짜로 허공의 메아리와 같을지도 모른다.

. . .

어느 금융회사 회장이, 20대를 위해서 무슨 일을 할 수 있을지 같이 상의를 좀 해보자고 연락해왔다. 만날 생각이기는 한데, 무슨 고민을 같이 해볼 수 있을지는 아직 머릿속에 잘 잡히지가 않는다. 20대 얘기 한참 하다가 "결국은 창업 지원이다", 이러는 몽준 같은 방식은 진짜 아닌 것 같고. 사실 지금의 20대를 위해서 돈을 좀 풀고 싶다는 소위 독지가들을 몇몇 분 만나기도 했다. 잘 찾아보면, '주는 자는 교만하지 말고' 여기에 해당한다고 할 수 있는 부자들이 한국에 아주 없는 건 아니다. 어쩌면 더 어려운 것은, 돈을 만들거나 모으는 게 아니라 어떻게 하면 '받는 자는 비굴하지 말고' 이 조건을 만들어낼 것인가, 그런 것인지도 모른다.

국가에 이 모든 것을 떠넘긴다고 해서 간단히 풀리는 일도 아니고, 시민 사회가 전체적으로 움직이자, 그런다고 될 일도 아니다. 당에서 다 알아서 하면 된다는, '당 무오류의 원칙' 같은 게 세상에 존재한 적도 있는데, 결국 당 간부 자식들에게 비굴하게 굴어야 했던 기묘한 결과를 낳지 않았던가.

증여를 어떻게 사회적으로 혹은 경제적으로 이해할 것인가? 2010년 대에 우리에게 이 질문은 점점 더 커져갈 것이다.

취집,
그 쓸쓸함에
대하여

지난 2007년 프랑스 대선에서 사회당 루아얄 여사가 대선 후보로서 결선투표에 섰다. 나는 그녀에게 아쉬움이 많지만, 그래도 한 가지 역사적 의미를 부여하고 있다. 그는 동거 1세대였는데, 동거한 사람들은 제대로 사회생활 못 한다는 세간의 속설을 무너뜨리고 대선 후보로서 국민들을 대표하는 자리에 섰다는 점이다. 동거라는 형식에 대해, 난 아마 가장 개방적인 사람 중의 한 명일 것이다.

내가 한국에서 동거를 강조하게 된 이유는, 혼수라는 매우 독특한 제도를 오랫동안 관찰해왔기 때문이다. 혼수는 실패한 결혼의 첫 단추이자, 토건 한국을 지탱하는 은밀한 제도 중의 하나다.

남자는 집을 구하고, 여자는 그 안을 채우고. 재산세 상속과 같은 부의 세대 간 이전과 남녀 차별의 출발점 등 하여간 우리가 마초의 탄생과 관련해서 할 수 있는 대부분의 얘기가 바로 이 혼수에서 시작된다. 그러면 혼수를 없애면 되지 않느냐? 말이 쉽지, 이건 모든 관행과의 단절이 필요하다.

나의 경우는 결혼식은 했지만 혼수는 안 했다. 실제 우리의 결혼도 반대가 많았던 결혼이라서, 동거부터 하고 결혼은 천천히 했다. DVD가 달린 배불뚝이 TV가 아내가 샀던, 자신이 주장하는 혼수다. 감히 니가 내 혼수를! 그 말 나올까 봐 아직도 버리질 못한다.

지금 남성들은, 진짜 부모 잘 만난 축복받은 사람들 몇 명 아니면 '남자는 집을 구하고', 그런 건 할 수 없다. 마초가 되지 못한 남자들은, 그 대신에 취업에서 군 가산점 문제 같은 게 불거지면 '열폭조'로 돌변하는 경우가 있기도 하다(마초가 가진 최소한의 미덕도 잃어버리면, 종종 열폭 현상이 나타난다……).

'취집'이라는 용어를 실제로 들은 것은 3년 전쯤 되는 것 같다. 물론 그런 현상이 생길 것이라고 충분히 예상하기도 했고, 경제적으로 자리잡은 윗세대의 남자와 그렇지 않은 아랫세대의 여성이 결혼하거나, 혹은 그 역관계가 또래 사이의 결혼 비중을 뛰어넘는 보편적 경향성이 될 것이라는 점은, 책에서도 예상한 적이 있다. 실제로도 그렇게 갔고.

취집과 함께 들은 얘기가 '결혼활동'이라는 말이다. 물론 전부 일본식 표현들인데, 구직활동 등 '활동'을 선호하는 일본식 조어 속에서 나온 말들이다. 이대 대학원에서 수업할 때 취집과 결혼활동을 연결시키는 논문을 지도한 적이 있는데, 이런 종류의 사회적 활동에 대한 통계적 수치를 바로 그때그때 구하기란 쉽지가 않았다.

"지난 3년 동안 결혼활동을 해보신 적이?"

이 질문은, 그 자체로 사람들을 괴롭힌다. 유사한 질문을 40대 남자 친구들이 모인 곳에서 해본 적이 있다. 물론 형식은 조금 바꿔서.

"지난 3년 동안 바람활동을 해보신 적이?"

안 해본 놈이 없다. 절반 이상이, 골프장 캐디와 커피 한 잔이라도 다했다.

"에라, 이 양아치들아. 너네 부인들이 골프장에서 너 그 지랄하는 줄 아냐, 내가 전화해줄까?"

"왜 그러냐, 2차 내가 살게."

. . .

흥미로운 점은 30대 여성에 대한 조사사례에서 3년 동안 미팅, 소개팅, 결혼정보회사 등과 관련된 결혼활동을 한 번도 하지 않은 비율이 의외로 높았다는 것이다. 교회에 나가는 걸 결혼활동으로 볼지에 대해서는 좀 격론이 있었다. 소위 전문가들의 의견은 교회는 신앙활동으로 봐야 한다는 것과, 현실적으로는 결혼활동이라는 게 반반으로 갈렸다.

여성 구직자의 절반 정도는 취집을 고려하는 걸로 알고 있는데, 그렇다고 해서 이 취집 고려자가 바로 결혼활동으로 들어가지는 않는 것 같다. 생각은 있지만, 결국 취집은 경제적 교환행위이니 남자는 집을 구하고, 여성은 집 안을 채워야 한다. 그러기 위해선 돈부터 모아야 한다.

좀 지난 통계인데(도저히 출처가 기억나진 않는다) 20대 여성의 60퍼센트 정도가 결혼을 고려하고, 40퍼센트는 아예 결혼을 고려하지 않는다는 분석도 나온 적 있다. 현실적으로는 60퍼센트의 절반 정도가 결국 결혼에 성공할 것이니까 한국에서는 취집이든, 결혼활동이든, 결국 우리가 결혼이라고 부르는 혼수를 주고받는 그 행위에 도달하는 사람은 20대 여성 기준으로 30퍼센트 정도가 되는 셈이다. 물론 아예 결혼을 고려하지 않았던 사람들 중에도 인생이란 오묘한 것이므로 결국 결혼을 하게 되거나 아니면 동거라도 하게 되는 사람들이 있을 테니, 그 비율을 추정해보면 아마 40퍼센트 정도?

통계청에서 내는 초혼 통계와 초산 통계는 대체적으로 서른 살 약간 미만에 결혼하고, 서른한 살쯤 첫 아이를 가지게 된다고 보는데, 여기에서 함정은 이 통계에는 결혼하지 않는 사람과 출산하지 않는 사람은 아예 빠져 있다는 것이다. 즉, 그건 결혼해서 아이를 낳는 사람들의 세계고, 그렇지 않고 그냥 살아가는 사람들은 고려되어 있지 않다는 점이다. 그걸 고려해서 예를 들면 결혼하지 않는 건, 60세로 하자, 혹은 공기업 은퇴 연령인 58세로 하자, 이렇게 현실적인 수치를 주고 계산을 해보면, 어마어마하게 평균 연령이 높아질 것이다.

· · ·

내가 다음으로 궁금했던 것은, 그렇다면 연애는? 결혼은 안 하더라도, 연애는 늘어날 수 있다. 그렇다면 섹스는? 역시, 결혼이나 동거는 하지 않더라도 섹스는 늘어날 수 있다. 'sexual traffic'이라는 개념으로 실제 혼외정사를 측정하는 연구들이 가끔 있다. 좀 무식한 방식이지만, 주말에 신촌 지역에 있는 모텔 몇 군데를 샘플로 정해서 같이 들어가는 남녀의 수치를 세고, 그걸로 원단위를 만들어서 전체 지역 모텔 숫자를 곱하는 연구가 1990년대에 있었다고 전설 같은 얘기로 전해지기도 한다. 이런 수치가 시계열로 있으면 'sexual traffic'

을 조금 더 객관적으로 얘기할 수 있는데, 불행히도 그런 건 없다. 콘돔 판매에 대해 어쩌다 가끔 나오는 수치는, 특정 업체의 특정 편의점 지점에 관한 것들이라서 추이 분석하는 데 쓰기에는 교란효과가 너무 많다.

어쨌든 내 가설은 연애도 줄고 있고, 섹스도 줄고 있다는 것이다. 실제로 대학가에 모텔이 집중적으로 건축되는 시기는 이미 3~4년 전에 끝났고, 요즘은 그 모텔을 원룸으로 리노베이션 하는 게 한참이다. 섹스가 줄었으니 그 대신 방이라도 어떻게 팔아치워야겠지. 자신의 원룸을 애인이 있는 친구에게 주말에 대여하고, 얼마간의 돈을 챙긴다는 20대들 얘기도 들어본 적 있는데, 그걸 전체 수치로 잡을 수는 없는 노릇이고.

대학생의 연애에 관해서, 어떤 여학생에게 연구를 좀 해서 책을 써보라고 했더니 "일단, 연애부터 해보구요." 와…… 바로 연애 시작하두만.

사랑, 그 교환되지 않는 것. 그것도 교환의 영역으로 들어올 수 있는가? 취집, 그 마음은 알겠지만 교환은 가치와 빈도수의 문제, 그 마음이 너무 쓸쓸해 보인다. 우리는 제인 오스틴의 『오만과 편견』의 시대로 다시 돌아가고 있는 것인가? 사랑하여 행복하였노라, 이런 경구가 이 시대에는 그냥 둥둥 떠다닌다.

2011년 8월 11일, 1주일간의 증시 폭
락 끝에 하루 겨우 쉬어갔다. 수치로 정확하게 하루 만에 집계되지는
않지만 개인과 외국인은 대부분 팔고, 한국 정부의 연기금이 기관 이
름으로 투입되면서 겨우 하루 반등했다는 게 일반적인 소문이다. 원
래는 증권 시황에 대해서 이렇게 실시간으로 보지는 않는데, 상황이
상황인지라 유럽에서 미국 증시까지 다 지켜보았다.

유럽 증시는 프랑스의 메이저 은행 중 하나가 심각한 위기를 겪을
거라는 루머가 돌면서 그냥 처박는 중인가 보다. 연이어 문을 연 미
국 증시는 제로 금리를 2013년까지 유지하겠다는 정부의 발표 이후
하루 동안 지켜보다가 결국, 별거 없다고 판단을 했나 보다. 역시 그
냥 처박는 중이다. 1주일 만의 반등으로 한국 증시 참가자들은 아마
지금 속 탈 거다. 아침에 해 뜨면 깡통 계좌를 들고 소리지르게 될 사
람들의 표정이 눈에 선하다.

증권이라고 하면 좁게는 stock이라고 하는데, 넓게 보면 유가증
권, 즉 돈이 아닌 가치가 있는 종이조각 전체를 의미한다. 국채를 비

롯한 다양한 종류의 비화폐 상품들을 모두 유가증권이라고 부르는데, 증권 시황을 보다 문득 대학원 시절에 공부하던 게 생각이 났다.

대학원을 졸업하고 박사과정에 입학이 될까 말까, 서류를 냈는데 왜 시험 보러 오라고 안 하지, 그렇게 매일 우편함을 들여다보던 그 시절.

대학원 입학할 때에는 우리 과에서 내가 꼴찌인 줄로 알고 있었는데, 선생이 싱가포르 출신 여학생에게 "너는 꼴찌 입학을 했으니까 특별히 열심히 해야 한다"는 말에 "아, 내가 전체 꼴찌는 아니구나" 하고 안도의 한숨을⋯⋯.

프랑스로 간 뒤 6개월 만에 치룬 입학시험에서 기적적으로 입학이 허가된 후, 나는 등수 같은 걸 따질 처지는 아니었다. 다행히 대학원 졸업할 때는, 점수가 괜찮았다(전혀 기대하지 않았는데 분과에선 1등을 하고, 전체 1등을 아슬아슬하게 놓쳤다). 나는 그저 졸업하게 된 게 고마울 따름이고, 신기할 따름일 뿐이었다. 성적은 나쁘지 않았지만 수많은 제3세계, 거기에 아시아 계열 학생이라서 박사과정에 서류를 낸 다음에 시험보라는 얘기가 없어서 "젠장, 그냥 서류에서 떨어졌구나", 그러던 중이었다.

시험통보 편지를 조마조마하게 기다리던 그 시점에 프랑스 증권회사에서 아시아 담당 팀장으로 오지 않겠느냐는, 구직 서류도 아닌 취업 서류를 받았다. 난 한국 사람이고, 성적도 그닥이었는데? 그리고 며칠 동안 참, 내 인생에서 드물게도 증권회사나 은행에서 취업하라는 편지, 그것도 팀장급 정도의 통지를 며칠 동안, 열 통 정도 받은 것 같다. 이게 뭔가 했다. 아 참, 내가 선물시장 전공이었지, 대학원

논문은 자원 선물시장으로 썼고.

당시에 파리에 MATIF라고 하는 자원 선물시장이 막 생겼고, 거기를 운영할 사람들을 정책적으로 키워내는, 약간은 특별한 과정에 내가 돌고 돌아서 입학한 거였다. 요즘은 선물이, 증권 일반 파생상품까지 다 퍼져 있지만 당시에 자원 선물은 시카고나 런던을 제외하면 익숙하지 않은 개념이었다. 그리고 조선에서 온 빨갱이가, 어찌어찌하다 보니 그 과정에서 1등으로 졸업을 하게 된 거고.

사실 좀 불공정하기는 했다. 유럽의 강단 좌파들이 더 이상 버틸 수가 없으니까, 자본론 연구나 이런 건 뒤로 미루고 새로 생기는 선물시장 분석 같은 걸로 대거 들어왔고, 마침 아시아에서 빨갱이가 왔으니까 선생들이 아낌없이 좋은 점수들을 주고…….

하여간 그때 프랑스에서도 막 선물환 거래자격증 같은 것을 도입해야 하는 거 아니냐는 논의가 있었는데, 나는 그 공부를 먼저 했으니, 자동빵이었던 셈이다. 취직해, 말어, 그런 고민을 약간하던 시점에 박사과정 합격통지서가 날라왔다. 이건 뭔데, 시험도 안 보고 그냥 합격이야? 아무 생각 없이 바로 다음 날, 무작정 드골 공항으로 가 한국 집에 와서 잠깐 쉬고, 다음의 삶을 시작했다.

. . .

유가증권을 생각할 때면 난 아직도 텅스텐, 보크사이트, 쌀, 사탕수수, 그런 얘기를 하던 그 시절 생각이 나고는 한다. 돈 규모가 워낙 커서 딜러든 의사결정자든, 거기서 생긴 정보로 자신이 돈 버는, 우리 금융시장에서 흔히 하는 '야매 짓'은 아예 상상도 못 한다. 현대자동차와 현대중공업의 차이와 비슷하다. 중공업 사람들이 날 보고 만날 하던 얘기가, 시쳇말로 현대자동차는 로비로 차를 줄 수라도 있을 텐데, 자기들은 배를 줄 순 없단다. 배? 그걸 받아서 뭘 할 건데? 아무튼 그게 일반증시와 자원 선물시장의 차이 같은 거다. 기본적으로, 돈 단위가 좀 다르다.

증권을 아예 안 한 건 아니다. 조금씩 재미 삼아 해봤는데, 결정적으로 증권에 손을 안 되게 된 계기가 있다. 내가 아직 어렸을 때 할아버지 교수들을 만나면, "선생님 자리 저 좀 주세요", 그런 황당한 말도 했었다(물론 스캔들 날 만한 황당한 얘기이기는 한데, 할아버지와 젊은 청년은 그냥 아무 얘기나 막 해도, 뭐 어때?). 근데 이 양반들 대답이…… 증권으로 돈을 잃어서, 이젠 월급으로 좀 채워 넣지 않으면 안 된다는 거다. 난 다 긴다 하는 경제학과 교수 중에, 특히 원로들 중에서 증권으로 돈 번 사람은 거의 없었고, 그걸 메우기 위해서 정년까지 월급 받는 수밖에 없다니. 그래서 물었다.

"아니, 왜 그렇게 못 맞춰서 그렇게 힘들게 사세요?"

"구조적인 거라……."

경제학과 교수들도 어쩔 수 없는 구조의 문제라면, 누군들 어쩔 수 있겠는가?

솔직히 고백하면, 서른 살 이후로 나의 선생들의 삶을 보면서 증권을 사는 일은 더 이상 안 했다. 노동소득만으로 살아가겠다는 다짐은, 그 뒤에 갖다 붙인 말이다. 어차피 유가증권 거래는 안 할 거니까, 사기 치는 거 제외하면 노동소득 외에는 생길 일이 없으니까.

우리 사주를 산 적이 있긴 한데, 이직하고 정신없어서 팔아야 할 시점을 놓치고 두 번인가 감자하면서 뭐…… 딱 10분의 1로 줄었다. 그래도 얼마라도 남은 게 고맙다며 『88만원 세대』 준비할 때 팔아서 두 달 생활비로 썼다. 그래도 아무 의미가 없지는 않았다.

사실 돈 규모는 커도 자원시장은 움직이는 게 뻔하니까, 정확히 보면 어느 정도는 알 수 있다. 그렇다고 해도 나는 투자를 하지 않는다. 일단 투자할 돈도 없고, 무엇보다도 이건 바둑 훈수 두는 것과 같다. 객관적으로, 즉 남의 일처럼 보면 뻔히 보여도, 직접 선수로 뛰면 간단한 루머에도 흔들려서 객관적으로 볼 수가 없다.

잘하면 되지 않느냐? 물론 그렇기는 하지만 그게 마권하고 마찬가지다. 경주마를 하나하나 분석하고, 정확하게 데이터를 읽을 때, 풀 베팅하면 마권으로도 돈을 번다. 그러나 그게 무지 어렵다.

· · ·

영화 「시리아나」를 보면 방송국에서 선물시장의 동향을 해설하는 전문 딜러가 나온다(맷 데이먼이 그 역할을 맡아 열연했다). 중동의 석유를 둘러싼 거대한 프레임을 유가증권으로 보려고 했던 사나이는 어린 아들의 죽음과 맞바꾼 인생의 기회를 통해 중동개혁이라는 덧없는 꿈에 자신의 청춘을 걸지만 그가 지지하던 왕자의 죽음으로 결국 평범한 일상으로 돌아오게 된다. 내가 실물경제를 보겠다며 한국으로 돌아오지 않고, 외국에서 유가증권 관련 일을 계속했다면 어쩌면 내가 살았을지도 모르는 삶이라고 가끔 그 영화를 보면서 생각한다.

비록 유가증권을 거래하는 일은 그만뒀지만 유가증권이 움직이는 걸 분석하는 건 내 취미가 되었다. 혼자서 시뮬레이션 해보고 맞으면, 오 예, 나의 감각. 틀리면, 세상 많이 변했네, 이젠 나도 예측하기 어렵네. 그러면 그만이다. 왜 거래도 하지 않을 금이나 석유 혹은 텅스텐 같은 유가증권 동향을 보느냐고? 그거야 내 일이니까. 금융이 경제의 절반이니까 그 동향을 보는 것도 내 일이다. 같은 이유로 아파트 등 부동산 시세도 매일 보고, 때때로 지역의 아파트 단지를 살피면서 조사도 한다. 그러나 그렇게 알게 된 정보로 거래를 하거나 투자를 하지는 않는다. 경제학자로서 지키고자 하는 최소한의 양심 때문이기도 하고, 생활인으로서 쉽게 살 수 있는 유혹에 빠지지 않고자 하는 다짐 때문이기도 하다.

주식이라는 건 결국 서울이 돈 벌고, 지방 사람들이 잃는 구조이다. 정보가 서울에 많기도 하고, 때때로 서울은 정보 그 자체를 왜곡해서 현실을 바꿀 힘이 있으니까. 자본주의가 사람을 유혹하는 건 "너도 돈 벌 수 있어, 증권 해." 그런 거다. 결국 돈 버는 사람은 따로 정해져 있다. 그 자본주의를 괜찮은 사회로 만들기 위한 최소한의 기준은, 그런 거 안 하는 사람들이 먹고사는 데 별로 불편하지 않게 만드는 것. 그건 너무 당연한 거 아닌가.

이유야 어떻든, 증시로 망하는 사람들을 위해서 연기금을 쓰는 것에는 난 반대다. 왜 하루하루 노동소득으로 살아가는 사람들이 한 푼 한 푼 낸 돈을, 그렇게 허무하게 로또처럼 유가증권을 생각한 사람들에게 보존해주어야 하는가? 그게 내가 유가증권에 대해서 가지고 있는 기본적인 철학이다. 노동소득 말고도 돈 벌 수 있다고 얘기하는 사람들, 그게 과연 지금 한국에서 확률적으로 가능한 일인가? 조폭, 다단계, 로또, 거기에 유가증권까지, 다 그런 방식으로 움직이는 거 아닌가? 유가증권과 같이 너무 수익률의 눈만으로 세상을 보게 되면, 삶의 진실과 세상의 진짜 작동방식을 잊어버리고, 수치만으로 모든 것을 보게 된다. 그 속에서 많은 사람들이 결국 불행만을 만나게 될 뿐이다.

딱 봐서, 자신이 최고급 내부 정보를 확보할 수 있거나, 아니면 그런 거 없더라도 초일류급 정보를 분석할 자신이 없다면, 유가증권 거래는 안 하는 게 좋다. 아무리 안전장치를 높인다고 하더라도, 경제는 짧게는 3~5년, 길게는 15년 정도에 한 번씩 오는 사이클이 있다. 그걸 다 피해갈 기술적 방법은 없다. 일반인은 조금씩 먹고 한 번에 다 털리고, 고수는 한 번에 다 먹고, 조금씩 손해 보면서 즐기는 게 이 시장의 역사적 속성이다. 자신은 잘할 수 있을 것이라는 생각, 차라리 로또를 사시라. 로또는 적어도 신용거래가 없으니까.

· · ·

아담 스미스가 한 얘기 중에 지금도 정말 맞는 게 하나 있다.

자연 이자율이 있어서 사회적으로는 평균 수익률에 모든 분야가 수렴한다는 것이다. 그 말은, 정말 자본주의 아니라 자본주의 할아버지에서도, 금과옥조이다.

내가 하면 다르다, 그럴 리가 있겠는가?

그게 경제학자로서 내가 유가증권을 대하는 기본 자세다. 난 내 판단을 믿지 않는다(아쉽게도 이런 멋진 얘기는 케인즈가 이미 옛날에 해버렸다).

남아당자강 vs 남아엄마강

예전에 여러 국적의 학생들이 모여서 술을 마실 기회가 있었는데, 중국 학생이 영화 주제가 한 곡을 불렀다. 아시아권 학생들은 언어와 상관없이 그걸 들으면서 다 뒤집어졌다. 「황비홍」에 나와서 유명해졌던 그 노래, 바로 '남아당자강男兒當自强'이었다. "남아는 스스로 강해져야 한다"는 뜻이다.

요즘 한국에서는 남아당자대, 이것만 해도 나라 구할 정도의 의인인 듯싶다. 스스로 대학에 가는 것, 어쩌면 중산층 이하의 한국 가정에 나고 자란 10대들에게는 차라리 만주로 나라 구하러 떠나는 게 쉽지, 사교육의 도움을 받지 않고 스스로 대학에 가는 것, 그건 완전 '미션 임파서블'이 된 듯싶다. 스스로 대학에 가는 것, 이게 나라 구하는 것보다 더 힘들게 된 나라, 이러고도 나라가 안 망하면 이상하다.

대학에 학점 올려달라고 엄마들이 전화 걸기 시작한 건 벌써 몇 년 되었다. 사법연수원에 과외가 등장하기 시작한 것과 거의 비슷한 시점인 것 같다. 요즘 기업들의 고민 중 하나가, 신입사원 엄마들에게 걸려오는 전화를 도대체 어떻게 이해하고, 어떻게 처리해야 하는가,

그런 거다. 삼성 내부에서도 엄마들 전화로 인해서 아주 당황스러운
가 보다. 삼성이 상속권 문제로 덤비는 시민단체와도 싸워봤고, 노조
만들라는 노동단체와도 싸워봤고, 이리저리 압력을 넣는 정치권과
청와대와도 싸워봤는데…… 자식 좀 잘 봐달라는 엄마들 문제는 도
대체 어떻게 해야 할지, 아예 가닥이 안 서는 듯싶다. 엄마한테 전화
오는 신입사원은, 원칙대로라면 승진에서 제외시키는 게 맞지만, 이
게 한두 명이 아니다 보니 그럴 수도 없다. 게다가 이 열렬 엄마들이
"삼성은 각성하라", 이렇게 집단행동으로라도 나오면? 대박 곤란하
다. 한 번도 경험해보지 못한 이 현상에, 진짜 곤혹스러울 것이다.

. . .

여당이나 야당이나 무슨 말을 하든, 시민단체나 민중단체에서 어
떤 구호를 외치든, 한국은 바야흐로 '남아엄마강', 즉 남아는 엄마가
강하게 만들어준다, 그렇게 가는 중인 듯싶다. 좀 산다는 집 엄마는
'매니징 맘'으로 나선 지 이미 10년은 됐고, 그 밑에도 '코칭 맘', '헬
리콥터 맘' 등이 자리잡으며 남아엄마강의 세계는 점점 견고해졌다.
그렇다면 진보 엄마들은 좀 다른가? 안 그럴 것 같지만, 나름 친정집
이 튼튼한 경우가 많아서 역시 추세상으로는 남아엄마강과 많이 다
르지 않다.

노무현 정부 때 청와대 근무했던 양반이 결국 친정집 도움으로 초
등학생 자식을 미국으로 보내는 걸 보면서, 한때 이 나라를 책임지던
정부의 맨 앞에 서 있던 당신이 초등학생 자식을 조기유학 보내서 미
국 사람으로 만들면, 도대체 누구에게 이 나라의 법통을 기대할 수

있겠느냐? 했더니 돌아오는 답은, 결국은 애 엄마의 뜻이란다.

그러다 보니, 스스로 대학에 가는 게 만주 벌판으로 나라 구하러 떠나는 것보다 더 어려워졌고, 엄마의 도움 없이 스스로 살아가는 게 건국보다 더 어려운 나라가 되었다.

이렇게 몇 십 년 후 남아엄마강, 이런 사람들에게서 한국의 지도자가 나올까? "엄마한테 물어보고" 국회의원 할지, 대선 나올지 말지, 결정하게 되는 그런 시대가 올까? 그렇게 가지는 않을 듯싶다. 어떤 경우에도 사회의 리더가 되는 것은 돈과 권력만으로는 어렵다. 엄마의 힘을 빌어 조기유학 가고, 대학 가고, 삼성에 간 사람들이 사회의 지도자가 될 가능성은 거의 없다.

한나라당을 지지하는 우파들의 교육 프로그램은 문제가 좀 있다. 우파식 경제교육과 자기계발교육의 문제점은, 그런 방식으로는 절대로 시대를 대표하는 리더가 생겨나지 않는다는 것이다. 엄마식 교육 프로그램으로 사교육 왕창 받고, 총체적 지원으로 삼성까지 들어간 사람들은, 거기까지가 마지막이다. 리더는 그렇게 등장하는 게 아니다. 한나라당식 교육은 지도자를 기르지 못하고, 사회의 대표자를 만들지 못한다. 존경은 돈이 많다고 받을 수 있는 게 아니다. 존경받지 못하는 사람들이 그동안 권력을 잡으려다 보니 힘으로 잡으려고 할 수밖에.

"자기나 먹고 떨어지겠다", 그런 사람들의 시대는 명박 시대가 클라이맥스다. 이명박, 안상수, 강만수, 다 자기나 먹고 떨어지겠다는 시대를 열었던 사람들인데 그 시대의 끝을 본 지금, 이런 사람들이 다시 리더로 나오기는 앞으로 쉽지 않다. 10년, 20년 후, 그때 한국은 더 변해 있을 테니까.

. . .

　좀 더 길게 바라보자. 2008년 촛불 집회 때 많은 중고등학생들이 참여했다. 이번 반값등록금 집회를 계기로 많은 대학생들이 정치적·사회적 이슈에 관심을 갖기 시작했다. 미래 한국의 지도자들 중 상당수가 그때 촛불을 들었던 10대와 20대 중에서 나올 것이다. 가난한 집에서 스스로 강해질 수밖에 없었던 그런 사람들, 그중에서 국회의원도 나오고 대통령도 나올 것이다. 세상의 흐름이라는 게 원래 그렇다.

　유럽 우파들은 자기 자식들을 철저하게 지도자가 될 수 있는 방식으로 교육하고 기른다. 한국 우파는? 양아치로 키우고, 무슨 일 생기면 엄마부터 찾는 쪼다로 키운다. 한국 우파들이 자기 자식교육을 철저히 했다면, 한국의 미래가 더 어두울 수도 있었지만 다행인지 불행인지, 그들은 도저히 지도자가 될 수 없는 방식으로 자기 자식들을 키운다. 길게 보면 한국이 좋아질 수 있다고 생각하는 건, 그래서 그렇다.

　남아당자강 vs 남아엄마강, 엄마가 강하게 만들어준 자식이 리더가 될 수 있을까? 그런 식으로는 조직의 리더는커녕, 좋은 가장도 못 될 것이다.

　"부자 3대 못 간다"는 말이 있다. 한국의 우파들은 지금 그 말을 생각해봐야 할 때다. 다음 세대의 지도자로 자기 자식들을 재생산할 수 있는가?

보수주의자들은
언제 행복을
느끼는가?

현대 경제학은 사람들에게 '효용함
수'라는 게 있어서, 그 함수의 크기를 최대화하는 행위를 하고, 이런
효용극대화를 최적행위라고 설명한다. 경제학의 오래된 논쟁 중 하
나인데 어떤 행위를 하든, "어쨌든 니가 좋아서 한 거잖아", 그렇게
얘기하는 게 바로 이 장치다. 설령 누군가에게 기부를 했다고 하더라
도, "그건 그 사람을 위해서가 아니라 니 맘이 편하자고 한 거잖아",
그렇게 설명한다. 즉, 누군가 해탈을 위해 자기 고행을 했다고 하더
라도 결국은 해탈이라는 개인의 행복을 위해서 한 거니까, 그 고행도
결국은 즐거움이 된다는 말이다.

길가에서 쓰러져 있는 고양이가 눈앞에서 죽어가는 걸 보고, 놀라
서 병원으로 데려간 어느 여성의 하소연을 들은 적이 있다. 너무 병
약해져서 탈수증에 걸린 길고양이는 결국 회복하지 못하고 구름다
리를 건너갔다. 그리고 이 여성은 병원으로 데려간 보호자로서 상당
한 돈을 병원에 지불해야 했다. 경제학의 효용함수는 이 행위 역시
자기 마음 편해지고자 한 거라고, 어차피 자신의 행복을 추구한 것으

로 이해한다. 철학적으로는 정말 빡빡한 해석이다. 이 얘기를 보수주의자들의 해석처럼 더 끌고 가면, 집회에 참가하거나 특정 사회적 사안에 대해서 자기 입장을 밝히는 모든 것은, 어차피 다 밥그릇 싸움 아니면 자기 맘 편하자고 하는 거라고 이해하게 된다.

물론 사람이 개, 돼지처럼 자신의 필요가 생물학적으로만 결정되거나 선행이라는 것이 전혀 없는, 진짜 미덕이라고는 약에 쓸래야 찾아볼 수 없는 존재라면, 이런 효용함수만 가지고 진짜 과학을 만들 수 있을지도 모른다. 그러나 사람은 그렇게 단순한 존재가 아니다.

남의 행복을 바라거나, 선행을 베푸는 행위를 효용함수에 넣을 수도 있다. 그러나 그렇게 하면 너무 복잡해지기 때문에 보통은 자신이 소비하는 경제적 재화의 선호관계만을 이 함수에 넣는다. 좀 야박하긴 하지만, 자선행위도 일종의 상품이라고 이 안에 집어넣을 수도 있다. 자선도 돈이 드는 일이고, 또 여기에서 만족도 생겨나는 것이 사실이기 때문에 억지로 상품의 범주에 넣고 분석할 수는 있다. 물론 그렇게 하면 어색해진다. 그래서 선행은 그냥 미덕이라고 하고 분석에서 빼거나, 아니면 세금을 줄이기 위한 행위일 뿐이라고 해석해서 총소득에 영향을 미친다고 분석하는 경우가 많다. 재정학 교과서에서 'tax avoidance'는 '절세'라고 번역되는데, 불법은 아니지만 세금을 줄이기 위한 행위들을 가리킨다. 고가의 미술품 구매가 대표적이다. 삼성에서 뭐라고 말하든, 그들이 그림을 구매하는 행위를 재정학 교과서에는 '절세', 이렇게 부른다.

. . .

　자신이 지지하는 정권이 집권을 하면 우리에게는 어떤 변화가 일어날까? 아무런 것도 떨어지는 게 없을지라도 일단 기쁠 것이다.

　사실, 좌파들은 말로만 집권을 얘기했지 실제 경험은 없으니 얼마나 기쁠지, 그야말로 상상 속에서의 기쁨일 것이다. 우파 보수주의자들도 자신이 지지하는 정당이 집권하면 좋아할까? 물론, 어떤 이유로든 좋아할 것이다. 특히 명박네 패거리들은 자기네 자리 생긴다고 혹은 사업기회 생긴다고 좋아했을 텐데, 이건 거래고 비즈니스라서 설명이 쉽다. 깡패나 조폭들의 기쁨을 효용함수로 설명하는 것과 다를 게 없다. 그러나 정말로 기뻐한 보수, 거래가 아니라 진심으로 이명박 정부의 출범을 기뻐했던 사람이 있었을까?

　부자들의 기쁨은, 예를 들면 종부세 하락 같은 것이다. 이런 건 그냥 비즈니스다. 땅 투기 안 하고, 세금 꼬박꼬박 내면서, 그래도 이 땅은 보수정당이 통치하는 게 낫다고 기뻐했던 부자라면, 그는 효용함수로 잘 설명하기 어려운 순수한 보수주의자라고 할 수 있을 것 같다. 그런 사람은, 잘 못 봤다.

　가난한 보수주의자, 여기서부터는 이제 분석이 아주 복잡해진다. 왜 가난한 사람은 보수정당의 집권에 정말 순수하게 기뻐하는가? 여기에는 계급투표와 지역감정 등 훨씬 복잡한 개념들이 끼어들게 된다. 자, 한 번만 더 들어가보자. 영남 사람은 보수정당에 찍고, 호남 사람은 진보정당에 찍고, 이런 지역구도보다 복잡한 문제가 있다. 자신이 가난한데도 한나라당에 투표하는 전라도 사람, 이런 경우는 어떻게 설명할 수 있을까? 그리고 그때 숨어서 혼자 느꼈던 기쁨은? 이런 즐거움들은 경제학으로 설명하기 어렵다.

우리는 보수주의자들을 종종 '수구꼴통'이라고 부른다(점잖은 용어는 아니라서, 나는 잘 쓰지 않으려고 한다). 흔히 자기만을 생각하는 사람을 보수적이라고 하고, 사회 전체의 행복이나 발전을 생각하는 사람을 진보적이라고 한다. 정치적으로는 그렇게 분류할 수 있지만, 세상에 자기 자신만을 위해서 살아가는 사람이나 그렇게만 뇌구조가 이루어진 사람이 과연 있을까? 그렇다면 모든 정치행위 혹은 범위를 좁혀서 모든 보수주의자들에게는 정치행위나 정치적 감정은 없고, 자신혹은 자신의 연장이라고 할 수 있는 가족들에 대한 효용만이 행위의기준이 되어야 한다. 그러나 그런 사람은, 세상에 존재하지 않는다. 만약 그런 사람들로만 구성되어 있다면, 정치행위라는 것 자체가 필요 없고, 그냥 거래만 남게 된다. 세상이 그렇게 단순하던가?

보수주의자들 역시 공동체에 대한 얘기를 하며, 조국에 대한 얘기도 하고, 자신이 아닌 존재에 대한 헌신과 희생을 미덕으로 삼기도한다. 하지만 현대 경제학의 얘기를 끝까지 밀고 가면, 이런 보수주의자들의 정치참여와 정치적 열정은 비합리적이라고 말하거나, 아니면 위선이라고 말을 해야 하는 딜레마에 부딪힌다.

즉, 시장에 따라 사람들이 행위하고, 그 판단 기준은 효용함수라고하는 얘기를 극단적으로 밀고 나가면, 시장주의 체계를 하나의 정치행위로 지키고자 하는 집단적 정치행위 자체가 일어날 수 없다. 시장의 미덕을 외치는 것 자체가 시장에서 승리하거나, 경쟁에서 이기는길이 아니기 때문이다.

. . .

　보수주의자들은 언제 행복을 느끼는가? 이겼을 때? 돈 많이 벌었을 때? 자기 자식이 외국유학 가게 되었을 때? 이럴 때에만 그들이 행복하다면, 세상은 벌써 좌파 세상이 되었거나 지금보다 훨씬 진보적인 세상이 되어 있을 것이다. 물론 그 모든 행위를 거래라고 보는 것도 하나의 시각이기는 하다(명박의 세상은 사실 보수의 세상이라기보다는 끈적끈적한 거래관계에 더 가깝기는 한데, 그래서 그의 통치가 무너지는 것이리라).

　하지만 인간이 가진, 단순하게 효용함수만으로 환원되지 않는 요소, 그게 오히려 시장경제를 지켜주는 정치적 원동력 아닌가?

　정치에 참여하는 모든 정치인이나 당원들 혹은 관련된 행위자가 순수한 동기, 그야말로 순도 100퍼센트의 정치적 동기만으로 움직인다고 생각하지는 않는다. 경제와 정치, 그런 것들은 처음부터 갈라질 수 없는 인간의 사회적 삶의 두 가지 다른 표현 양상일지도 모른다. 그러나 거래만으로 정치가 이루어지지는 않고, 그렇게 해서는 장기적으로 안정된 정치 양상이 나타나지도 않는다.

　다른 건 몰라도 최소한 정치적 동기와 정치로부터 사람들이 느끼는 행복감은, 현대 자본주의를 지탱하는 표준경제학과는 다른 방식으로 설명되어야 하는 것이 아닌가? 어차피 시장의 작동방식을 설명하기 위해서 이런 복잡한 가설 체계를 만든 것인데, 기본적으로는 자신들의 체계를 지켜주는 그 근본적인 힘에 대해서도 설명하지 못하는 것은 좀 문제가 있는 것 같다.

···

자, 자신이 보수주의자라고 생각하는 사람, 자신이 언제 행복을 느끼고 보람을 느끼는가를 한 번 곰곰이 생각해보길 바란다. 돈을 벌 때 행복해진다는, 그런 스크루지 영감 같은 얘기 말고. 돈 벌 때에만 행복해진다면 그게 사람이냐? 인간은 그렇게 단순하지 않다.

만약 한나라당 사람들이 정말로 돈을 버는 순간에만 행복을 느낀다고 한다면, 한나라당은 허깨비고, 한 번만 바람 불면 바로 날라가 버리는 허접떼기에 불과하다. 온 국민과 거래할 수는 없고, 국민의 절반과도 거래할 수 있는 정당은 세상에 존재하지 않는다. 만약 가능하다면? 그건 이미 사회주의일 것이다.

경제적 행복 위에 서 있는 보수주의자들은 성경처럼 표준경제학을 신봉하지만, 그러나 사실 표준경제학은 보수주의자들이 언제 행복해지는지, 그 본질을 설명하지는 못한다. 이명박 대통령이 당선되던 그날, 행복감에 겨웠던 보수주의자들, 그 행복감의 실체를 설명하는 것은 현재의 이론만으로는 너무 어렵다. 경제적 만족감이 세상을 움직일 것 같지만, 여전히 정치적 만족감이 세상을 움직이는 데 더 큰 힘인 것 아닌가?

시장에 의한 경제를 너무 강조하다 보면, 진짜로 자신들의 시스템을 지켜내는 이 정치적 힘은 전혀 설명할 수 없다. 행복, 생각보다 복잡한 얘기다. 보수주의자들의 행복, 그건 정말 단순하게 넘어갈 얘기가 아니다.

파랑새는
우리 곁에

'보람'이라는 말이 있다. 보람이라는 감정을 한 번도 느껴본 적이 없는 사람이 과연 세상에 존재할까? 누군가를 돕거나, 착한 행동을 했거나, 의미 있는 결정이 정말로 유효한 결과를 만들어낼 때, 우리는 보람을 느낀다.

돈을 열심히 벌어서 부자가 되었을 때, 보람을 느끼는가? 우연히 산 주식이 몇 배로 올랐거나, 아파트 투기에 성공했을 때, 보람을 느끼는가? 물론 느낄 수는 있겠지만, 제정신은 아닌 사람일 것이다. 돈을 많이 벌어서 보람이 있었다고 말하면, 주변에서 다들 손가락질 한다. 그게 세상의 이치다.

· · ·

누구든 아침에 눈을 떴을 때 오늘도 보람찬 하루가 되었으면 하고 바랄 것이다. 그게 단순히 돈을 벌거나, 승진을 위해서, 기계처럼 충성하는 것을 의미하지만은 않는다. 인간은 대개는 자신을 지키기 위해서 돈을 벌고, 자신의 편안함을 위해 타인이나 생태계를 이용하고 희생시키기도 한다. 그러나 만약 자신이 한 번이라도 감자를 심고 키워본다면, 하얗고 볼품없어 보이지만 그 의미 있는 감자꽃을 보면서, 바로 보람을 느낄 것이다.

보람은 꼭 인간만을 대상으로 하는 것도 아니고, 반드시 물질적인 의미가 있는 것도 아니다. 누군가에게 미소를 짓고, 그 때문에 그가 잠깐이라도 행복해진다면, 그 미소는 보람 있는 일이다. 한때 '프리허그'라는 게 유행한 적이 있는데, 그것도 보람이라는 감정 때문에 생기는 일 아닌가? 자신의 삶이 보람 있게 되기를 바라는 게, 어쩌면 인간이라는 동물이 가지고 있는 가장 본원적 속성인지도 모른다.

"아, 나는 나의 본성이 시키는 대로, 마음껏 욕망을 채우면서 이기적으로 한평생을 잘 살아왔어, 그러므로 내 삶은 아주 보람 있는 삶이었지." 죽기 전에 이렇게 생각하는 사람이, 정말 세상에 단 한 명이라도 있을까 모르겠다. "아, 나는 나의 욕망이 내 삶에서 잘 충족될 수 있도록 나의 마시멜로를 아주 아껴가면서, 결국 내 욕망을 만족시킬 수 있었던, 아주 보람 찬 인생을 살았어, 나는 행복해." 이렇게 생각할 사람은? 자신이 스스로 보람을 느낄 수 없는 삶을 산 사람이 행복할 수 있는 가능성은 제로다.

돈이 보람을 줄까? 미안하게도 돈은 보람과 같은 그런 고급 감정을 주지는 않는다. 두 손 가득히 돈을 쥔 사람이 "돈은 허무하다"는 걸 결국 배우는 게 세상의 이치다. 보람을 느낄 수 있는 게 행복이라는 아주 단순한 진리를, 대한민국은 지난 10년 동안 잊고 있었던 것 같다.

한때 월드컵의 국가대표팀을 열심히 응원하면서 보람 비슷한 걸 느껴본 사람이 많을 것이다. 그게 돈을 주던가, 먹고살게 해주던가, 아니면 누군가에게 "참 잘했어요", 그런 칭찬을 받게 해주던가? 그러나 약간씩은 보람을 느끼지 않았던가? 보람은 그런 것이다.

. . .

우리는 개인적으로나 집단적으로나 보람이라는 것을 너무 잊고 살아가고 있다. 이명박이라는, 참 독특한 캐릭터의 대통령과 함께 보낸 지난 4년, 우리는 집단 우울증을 호소했고 이제는 집단 분노 단계로 가는 중이다. 홉스의 표현을 빌리자면, '만인의 만인에 대한 투쟁'이 아니라, '만인의 만인에 대한 짜증'을 지나, '만인의 만인에 대한 분노'로 가는 중이다. 누구한테, 그리고 왜 화를 내야 하는지도 잘 모르지만, 어쨌든 화나! 한방 용어로, 그런 걸 '화병'이라고 하는 것 같다. 피가 맑지 못해서, 가슴이 막히고 답답해지는 병.

돈을 위해 스스로 이기주의자가 되자고 서로들 "부자 되세요"라고 격려하면서 지난 10년을 보냈다. 10년 전에 비해서 "아, 나 부자 되었어"라고 할 수 있는 사람이 몇 명이나 될까? 아무리 넉넉하게 추정해봐도, 국민의 1퍼센트 미만일 것 같다. 반면, "아, 나 화병 증상이 생겼어"라고 하는 국민은 우울증 등 국민보건 통계로 보수적으로 추정해보아도 10퍼센트는 넘을 것 같다. 부자가 되길 갈망했지만 평균적으로는 더욱 가난해진 한국인. 당연히 짜증이 늘고, 화병이 생기고, 우울증을 지나 만성 분노로 가게 되는 게 당연하다.

이제 새로운 10년, 우리는 정말 어떻게 살아야 할 것인가?

"부자 되세요"라는 인사는 깨끗이 잊는 편이, 최소한 정신건강에는 좋을 듯싶다.

. . .

나는 이러면 좋겠다.

앞으로 10년 후, 다른 건 모르지만 10년 전에 비해서 자신의 삶에서 보람을 느낀다고 대답할 수 있는 국민이 절반은 되는 나라를 우리가 만들 수 있으면 정말 좋겠다. 정신적으로 보람을 느끼는 국민들이 많아지면 그때 경제적 풍요가 찾아온다는 게 내 생각이다.

보람의 의미와 보람의 가치, 우린 그걸 너무 잊고 살아가고 있다. 개인들에게 '보람 있는 삶'이 사라진 자리를 '보람상조'가 대신 채우고 있는 게 아닌가? 뭘 해야 보람 있는지는, 그거야말로 "그때그때 달라요"다. 그러나 이제부터라도 보람 있는 삶을 살겠다고 우리가 생각하는 순간, 행복은 파랑새와 같은 것이라는 걸 문득 깨달을지도 모른다. 참 멋진 얘기 아닌가?

집 안에 있는 파랑새를 두고 세상을 헤매고 다녔던 치르치르와 미치르처럼 "돈 좀 원 없이 있으면 좋겠다"고 IMF 이후 10년을 "부자 되세요"를 입에 달고 살았던 우리들은 하마터면 집 안에 있는 파랑새를 굶겨죽일 뻔했다.

. . .

언젠가 우리가 눈을 감고 익숙했던 세상과 이별하게 되는 날, "참 보람찬 삶을 살았던 것 같다", 그렇게 말할 수 있다면? 그걸 뛰어넘을 속세의 행복은 없을 것이다. 나는 여러분들에게 풍족한 삶도, 민주 정부도, 멋진 연애도, 그 어느 것도 약속할 수 없다. 그러나 보람이라는 가치를 추구한다면, 행복이라는 파랑새를 집 안 구석 어디에선가 보게 될 것이라는 건 약속할 수 있다. 보람, 그걸 너무 우리는 오랫동안 잊고 있었다.

행복, 풍요, 낭만, 명랑, 웃음…… 이런 것들이 모두 파랑새의 특징을 가진 것들이다. 이 모든 것들이, 우리의 삶을 보람 있게 만들어 줄 것이다. 또한, 누군가를 울리기보다 누군가를 웃길 수 있으면, 보람이 다시 자신의 삶으로 돌아오기 시작할 것이다.

이 모든 것을 모으면, 그게 바로 행복 아닌가?

첫 집회

나한테도 첫 집회가 있었고, 첫 가투가 있었으며, 처음 던진 돌이 있었다.

첫 집회는 의외로 일찍 왔다. 대학에 들어가자마자 군사훈련의 일종인 문무대 소집이 있었고, 여기에 안 가겠다고 시위했던 게 나의 첫 집회였다.

첫 가투는, 한열이가 쓰러진 다음이었다. 학교에서 6·10항쟁을 준비하면서 진행된 작은 집회였는데, 몇 미터 앞에 있던 한열이가 전경의 최루탄을 맞고 쓰러졌다. 그 뒤, 나는 광화문에서 벌어진 가두투쟁에 처음 나갔다. 죽은 친구도 있는데, 가투 같은 건 아무것도 아니고, 감옥에 가도 좋다는 생각을 그때 처음 했다.

처음 던진 돌, 그건 좀 늦었다. 꽃병이라고 하는 걸 만들기는 했는데, 던지지는 않고 4학년 때까지 살았다. 화염병을 던진다는 건 그때나 지금이나, 내 윤리가 잘 용납하지를 않는다. 더 무서운 것도 하겠는데, 꽃병을 던지는 건 못 하겠다 싶었다.

돌을 처음 던진 건, 4학년 1학기 때 시험거부에 나섰을 때였다. 시

195

험거부를 결의했는데 2학년, 3학년들이 자기들은 시험 봐야겠다고 뒤집은 적이 있었다. 마지막 학년에 시험거부를 하면서, 그때 처음 돌을 던져봤다. 이 나이에 내가 하리…… 그러던 시절이었는데, 별수가 없었다. 노태우 시절의 반전이 이루어지던 그 순간, 나는 처음 돌을 들었다.

그때나 지금이나, 나는 폭력주의자는 아니다. 가능하면 평화적인 방식으로 문제를 풀어야 한다는 생각을 지금도 가지고 있다. 그렇지만 집회 없이, 광장 없이, 문제가 풀릴 거란 생각은 별로 안 든다. 집권자들이 순순히 이야기를 들어주는 그런 일들은 잘 벌어지지 않기 때문이다. 우리가 살아가는 세상의 문제를 같이 풀기 위해서는, 첫 집회에 나가는 그런 순간이 누구에게나 한 번쯤은 필요하다.

· · ·

무섭다, 첫 집회는.

그러나 그걸 한 번쯤 넘지 않으면, 세상의 모든 것들이 무섭게 느껴지기만 한다. 내 경우도 그랬다. 하지만 감옥에 가는 걸 한 번 각오하고 난 다음부턴, 세상이 몇 뼘은 더 넓게 보였다.

생애 첫 집회, 가끔 그런 생각을 해본다.

나한테 그건 어떤 의미였을까? 미화하거나 당위성을 주장할 생각은 없다. 그러나 내가 참여했던 첫 번째 집회, 그런 것들에 대해서 가끔은 돌아보게 된다. 그게 날 성숙하게 해주었을까? 아니면 공포를 덜어주었을까? 솔직히 생각하면, 그건 그냥 젊은 날의 치기였을지도 모른다. 그러나 그 순간만큼은, 내가 진짜 순수했었지…… 하고 그 마음을 느끼곤 한다.

　내가 가장 순수했던 순간을 회상하고 싶을 때, 나는 내가 처음 집회에 나가던 순간의 심정을 떠올리곤 한다. 내가 나만을 위해서 살지 않았다는 걸 생각할 때마다, 가끔씩 돌아가보는 그 첫 순간들.

　먹고사는 것, 그게 삶의 전부는 아니다.

화장실에서 읽는 책, 그런 책이 진짜다.
아내에게 책 좀 제자리에 두라고, 늘 터진다.

아내와 늘 싸우다가 결국 아내가 포기한 것 중에 하나가 화장실에서 책을 읽는 것이다. 물론 화장실에서 읽는 거야 내 자유지만, 문제는 보고 난 책을 화장실에 두고 가는 습관이다. 그것도 아내가 애지중지하는 만화책을. 아내가 소장한 전질 만화로는 『무협소년』, 『미스터 초밥왕』, 『마스터 키튼』이 있는데 난 5년 동안 정말 이것만 보고, 또 보았다. 물론 나도 그런 아내의 불만을 이해는 하지만, 재밌는데 어쩌란 말이냐!

얼마 전부터는 그래서 만화책 대신에 좀 가벼운 책들을 화장실로 들고 가기 시작했다. 오늘 들고 간 책은 진중권의 『교수대 위의 까치』(진중권이 알면 노발대발할까? 뭐, 그 정도로 속좁은 사람은 아닐 것 같다). 이유는 한 가지다. 그림을 좀 천천히 감상하면서 보는 게 낫지, 후다닥 넘겨 털어버릴 책은 아닌 것 같아서. 다행히 그가 제시한 그림 중에서 내가 미리 알고 있던 그림은 없었다.

만화책이나 그림책이나 뭘 보든 어쨌든 화장실은 여운을 많이 남길 수 있는 작업실인 셈이다.

4

삽질하고
노력해도
안 되는 게 자꾸만
쌓인다면

자살은 왜 해,
명랑하기도
바쁜구만

살면서 평온한 적은 별로 없었고, 늘 뒤죽박죽인 상태로 좌충우돌 그랬던 것 같다.

눈치도 좀 보고, 머리도 좀 숙여야 한다는데, 그게 뭐 그렇게 쉬운 가? 이유가 납득이 되면 얼마든지 머리 정도야 숙일 수 있지만, 그게 설명이 안 되면 난 그걸 그렇게 하기가 싫었다.

나는 처음 시간강사가 되고(나는 좌파라서 그나마도 정말 힘들게 되었다), 도저히 못 버티겠다고 한 학기 만에 취직해서 도망가버린 사람이다. 그러니 뭘 잘 견디라고, 잘 버티라고, 도저히 그렇게 말할 처지는 아니다. 난 좀 더 공부를 하고 싶었지만, 월급 받아 먹으면서 그렇게 하기란 쉽지가 않았다. 농땡이치고 땡땡이치는 걸 조금씩 봐주기는 했지만, 그래도 나는 늘 과로 상태였었다.

현대에 다니던 시절, 아직 한국에 부동산 과열이 있기 전 꼬박꼬박 모은 월급으로 집을 꽤 일찍 살 수 있었다. 그리고 정부 협상가로 고정적으로 UN 회의에 나가면서, 누릴 수 있는 화려함과 영광을 너무 일찍 누렸다. 가끔 누군가 나에게 높은 지위나 영광스러운 자리 같은 걸 제안하면, 그 대답이 좀 재수 없는 것임을 알면서도, 한 번에 짜르기 위하여 그런 영광은 예전에 다 보았다고 말하곤 한다. 돈과 영광, 그런 게 사람을 행복하게 해주지 않는다는 것을 그때 난 조금 배웠던 거 같다.

이력서로만 보면, 내 이력서는 정말 화려하다. 요즘 말로 '스펙'이라는 것들을 더 많이 더 화려하게 꾸밀 수도 있었지만 어학은 불어까지만 하고, 독어 조금 더 하는 정도로, 더 욕심내지는 않았다. 이건 예전에 만난 프랑스의 7개 국어씩 하는 외교관들이 나에게 해준 충고가 영향을 많이 미쳤는데, 그 양반들이 그거 다 소용없는 일이니까 차라리 그 시간에 경제학 공부를 더 하거나, 아니면 자신이 진짜 하고 싶은 일을 해보라고, 당신은 젊으니까 그렇게 말해준 덕분이었다. 그때 그런 얘기를 참 감명 깊게 들어서 그런지, '몇 개 국어를 한다'와 같이 별 의미도 없는 욕심들은 일찌감치 버렸다.

그래도 정말 따보고 싶었던 자격증은 기술사였다. 물론 제도의 맹점이기는 한데, 나는 직장생활을 엔지니어들과 같이 했을 뿐더러 열관리와 환경관리 같은 데에서 제도가 요구하는 직장경력이 충족되었기 때문에 시험을 볼 자격은 맞출 수 있었다. 게다가 실무 엔지니어들이 주변에 얼마든지 있으니, 시험 준비를 하면 못 할 것도 없었다(원래 책상물림들이 실무나 현장에선 아무것도 아니지만, 시험에는 강하다).

기준 기한을 1년 남겨두고 회사를 그만두게 되었을 때, 시험 못 치른 게 제일 아쉬웠다. 물론 그 뒤에도 마치 명박네 애들 살아가듯이, 이것저것 갖다 붙여서 자격만을 만들려고 하면 안 될 것도 없었는데, 그래서야 저들하고 뭐가 다르겠는가 그런 생각이 들었다. 다른 건 몰라도 현장에서 뭘 만들지는 않더라도 뭐가 문제인지 그 정도는 찾아 낼 수 있는 능력 정도는 갖추고 싶었다. 그래서 그 뒤에도 기술사에 대한 미련이 계속 남아 있었는데 마음속에서 잘 지워지지 않았던 미련을 버리고 그리하여 진짜로 마음을 편하게 먹게 된 것은 노안이 생겼기 때문이다. "내가 이 눈으로 무슨 도면을 보겠나", 민폐일 뿐이라는 걸 알게 되었다.

어쨌든 겉으로는 영광을 누리고, 속으로는 공부나 뭔가 다른 일을 해보고 싶어서 매우 바빴던 그 시절. 그때가 내 삶에서 가장 불안정하고, 정서적으로도 가장 힘들었던 때였다. 약간 과장해서 얘기하자면, 현대 시절에 우울증이 생겼고, 공직에 있을 때 대인기피증이 생겼다.

아무리 좋게 얘기를 한다고 해도 나 같은 빨갱이가 재벌을 위해서 일을 하고 거기에서 월급을 받고 있는데, 보람 있다고 할 수도 없고 행복하다고 할 수도 없지 않는가? 밖에서는 뭐라고 얘기해도, 혼자 집에 돌아와서 누웠을 때 "아, 보람찬 하루를 지냈다", 이렇게 나를 속일 수는 없는 것 아닌가?

공직 시절에는 운이 좋아서 나를 믿어주던 상관들 밑에서 신나게 움직였지만, 공무원 사회에서 남들 앞에 선다는 것은 누군가에게 등을 들이밀고 "찌르세요, 여기", 그러는 것과 같다. 나서지 말라는 게 그 사회의 규칙인데, 내가 그게 어디 되나 하루라도 이상한 것에 대해서 나서지 않으면 집에 가서 혀에 바늘이 돋는, 그런 빨갱이인데.

그래서 생겨난 게 대인기피증이다. 나와 같이 일하는 사람들을 믿긴 믿지만, 궁극적으로는 아무도 믿을 수 없는, 그런 데가 공직 사회다. 물론 그 안에서도 끈적끈적한 우정 같은 게 있지만, 공무원들과의 우정이 깊어질수록 그 반대급부로 제정신을 유지하기란 쉽지가 않다. 우정을 나눌 수 있는 공무원 친구들이 많아지고 그러다 보면 결국 정신줄을 놓고 쉽게 결탁할 수 있기 때문이다.

나름대로 난 요령껏 대처했다고 생각하지만, 지나서 생각해보면 일종의 자기기만 같은 것이었는지도 모른다. 어쨌든 가끔씩 자살충동을 느꼈던 것도 그 시절이다. 지금 와서 돌이켜보면, 우울증은 돌파구를 찾으면 생각보다 쉽게 빠져나올 수 있는 것 같다. 아주 깊은 우물이라고 생각해서 허우적거렸는데, 갑자기 정신을 차려 보니 그냥 걸어 나오면 되는 아무것도 아니었잖아, 그런 것으로 우울증을 기억한다. 문제는 그 물의 깊이나 장벽이 지나치게 높아 보이는 것인데, 그게 바로 우울증 증세 아니겠는가? 더 길게 가는 건, 역시 대인기피증인 것 같다. 한때 자살충동을 느꼈던 적이 있을까 싶게 그 뒤의 내 삶은 대체적으로 평온하고, 지독할 정도로 명랑하다. 그렇지만 대인기피증의 흔적은 잘 지워지지 않는다.

머리는 사람들을 믿으라고 하는데, 그게 쉽지가 않다.

. . .

이 얘기를 순차적으로, 논리적으로 늘어놓고 보면, 아주 밋밋하다. 그러나 내가 교회라는 단체를, 도저히 같이 못 놀겠다고 버렸던 개인적인 시간과 겹쳐서 보면 사건은 더 명확해진다.

내가 한참 자살충동을 느꼈던 그 시점, 당시 연애하던 친구와 주말 시간을 함께 하기 위해 '소망교회'라는 단체에 발을 담근 적이 있다.

아직 주5일제가 도입되지 않아서 1주일에 딱 하루 쉬는 그 오후를, 오, 지저스……. 나는 장로 시절의 이명박 대통령과 그 시간을 보내고 있었던 것이다. 내가 개인적으로 가장 힘든 시간을 보냈던 그 시절, 바로 내 위에 계시던 분께선 또한 '사랑의 교회'의 장로가 되셨으니…….

나는 이 모든 어려움을 내가 좌파라서, 내가 교수 대신에 현장을 선택했던 그 결정 때문이라서, 아니면 내가 지나치게 술을 처먹기 때문이라서, 아니면 연애도 잘 못하고 여성들이 전혀 원하는 스타일이 아니라서…… 이런 고민들을 하고 자빠져 있었던 것이다.

원래 내가 가졌던 명랑을 다시 찾고, 내 이름으로 글을 쓸 수 있게 되고, 아내와 밥을 해먹고, 고양이들을 걷어 먹이는 삶의 소소한 즐거움을 찾게 된 후 가만히 생각해보니, 명박이 다니던 교회를 같이 다니며, 사랑의 교회를 충실히 나가는 상사를 모시던 그 시절, 그때 내가 우울하고, 자살충동을 느끼고, 대인기피증이 생겨나는 건, 당연한 거 아냐?

노무현 시절, 공직에서 물러나 혼자 있을 때 그때만 해도 진짜 "외워서라도 명랑!" 그러던 시절이었는데, 그 후 명박 정권이 촛불 집회를 거치며 난장판의 클라이맥스로 갈 때, 거꾸로 나는 내 안의 정신적 고통에서 해방되었던 것이다.

"아, 그게 내가 이상해서가 아니라, 내가 명박과 함께 소망교회에 있었기 때문이고, 그 교회로 나를 이끄는 게 당연하다고 생각하는 사람들과 같이 있었기 때문이군."

역설적으로, 나는 이상한 대통령이 너무 극적으로 모든 것을 드러내는 바람에 내가 가지고 있던 정신적 고통의 근원을 알게 되었다, 할렐루야!

복잡하고 기묘하다고 생각했던 내 삶은, 소망교회를 끊으면서 처음으로 마음의 평온을 얻었고, 나를 그곳으로 이끌었던 내 주변의 절대적 다수였던 강남 사람들을 끊어내자 완전히 명랑해졌다.

소망교회를 끊고, 에너지관리공단을 그만두고, 아내와 결혼하고, 그리고 마지막으로 강남을 떠났다. 그사이에 내가 계속해서 글을 쓸 수 있게 해준 『88만원 세대』와 남들을 미워해서가 아니라 나의 행복을 위해서 써내려갔던 『명랑이 너희를 자유케 하리라』, 이 두 권의 책이 남게 되었다.

. . .

요즘 자살충동을 느낀다는 사람들과 얘기할 때면, 난 이렇게 말한다.

"죽는 건 좋은데, 명박보다 먼저 죽는 건 억울하지 않냐? 전또깡도 살아 있고, 명박도 살아 있는데, 그들 때문에 힘들어진 네가 왜 먼저 죽어? 악착같이 살아서 그들이 나이 먹어 죽는 거라도 봐야지, 그게 이기는 거 아니야?"

맘대로 술 마시기도 어려운 요즘의 40대에게 아마도 우울증과 대인기피증은 어느 누구에게도 말하지 못하는 고통일 것이다. 나도 남들 보기에는 명예와 영광을 누리던 시절, 그랬었다. 말해봐야, 당신이 무슨 고통이 있겠느냐고, 속 타는 빨갱이 마음도 모르면서 사람들은 그런 건 호사라고 했다.

바람피우느라고 남몰래 고통 받는 40대에게는 내가 해줄 말이 없다. 그러나 경제적인 이유나 미래의 이유로 고통 받고 맘고생 하는 40대, 특히 자신이 좌파 성향인데 삶이 너무 안 풀린다고 생각하는 사람에게는 이 한마디를 해드리고 싶다.

우리가 어려운 것은 우리의 문제가 아니라 명박과 그의 친구들 때문에 생겼을 확률이 90퍼센트 이상이다. 명박이 사라지고 나면, 많은 문제들은 최소한 정서적이거나 심리적인 문제들은 해결될 가능성이 높다.

근데 명박보다 먼저 죽는 거, 그건 억울하지 않은가?

명박이 아무리 잘 처먹고 오래 버틴다고 해도 아마 평균적으로 우리가 그보다는 오래 살 것이다. 그를 처치할 수는 없어도 그를 끌어내릴 수는 있고, 무엇보다도 우린 그보다 오래 살 수 있다. 힘들어도, 버티고 버티면서, 명박이 없어지는 날을 상상해보시라.

제발 자살하지 말고, 자포자기하지도 말고.

삶은 종이 한 장으로 행복해지기도 하고, 지옥이 되기도 한다. 명박네가 펼친 지옥, 그보다 오래 살아서 그의 장례식에 4대강을 잔뜩 그려 넣은 종이 조화를 꼭 그가 묻힌 곳에 바치고 오겠다, 그 생각을 하면 나는 혼자서도 피식피식 웃음이 난다.

· · ·

제발 자기한테 문제의 출발을 찾지 마시라.

난 바보 같이 푹 자도 모자란 일요일, 소망교회 오후반에 간 게 내 모든 우울증과 대인기피증의 출발인 걸, 30대에는 도통 몰랐었다.

아니, 거기에 가야 맘 편하고 믿을 수 있다는 사람들을 주변에 깔아 놓고, 어떻게 행복하겠다고 상상할 수가 있었던 거지?

자기가 하지 않은 잘못으로 자기 삶의 문제를 찾으려는 건, 답 안 나오는 일이고 결국 우울증으로 빠져들고 만다.

자살은 왜 해? 재밌게 놀기도 바쁘구만!

이 상태에 내가 다다르기까지 학위니 학벌이니, 그런 건 아무 도움도 주지 않았다. 아, 그게 소망교회에 같이 다니던 명박 때문이었군. 그걸 안 다음, 우울증과 자학이 씻은 듯이 사라졌고, 내 주변 사람들이 춤추라면 춤추고, 기타 치고 노래하라면 하고, 잘은 못해도 다른 사람들이 재밌다고 하면 뭐든지 할 수 있는 사람이 되었다. 난 악착같이 명랑하게 살아남아서, 명박보다는 오래 살 거거든.

가끔 자살충동이나 우울한 생각이 들 때, 한 번쯤 증오의 힘으로라도 버텨보시기 바란다.

아무리 힘들어도, 명박보다 먼저 죽을 수는 없잖아!

마이너의 마이너,
그들이 평온한 세상

황석영 선생이 어디엔가 썼던 글인것
같은데, 시인과 소설가를 비교하는 얘기 하나가 기억에 남는다. 6월
민주항쟁 때 시인들이 사람들 앞에 섰다면, 소설가들은 뒤쪽에서 사
건을 관찰하고 있었다는 거다. 할 말이 속에서 넘쳐나는 시인과, 뭔
가 관찰하지 않으면 할 말이 없는 소설가의 차이를 그렇게 얘기하신
것 같다.

자리를 선택할 때에도 앞에 앉는 사람과 뒤에 앉는 사람이 있다.
어느 쪽이 좋으냐 나쁘냐는 의미도 없고 따질 수도 없다. 다만, 날 때
부터 그런 건지 후천적으로 형성된 성격인지, 어쨌든 두 개의 서로
다른 스타일이 존재하는 건 분명하다.

난 언제나 맨 뒤에 앉는 걸 선호하고, 혼자 있을 때가 제일 평온하
고 즐겁다. 남들은 함께 있을 때 즐겁다고 하는데, 난 혼자 노는 게
더 편하고, 무리 짓지 않을 때 마음이 더 평온하다. 이건 아무래도 후
천적인 것 같다. 남자들이 무리 지어서 하는 짓이라는 게, 나중에 돌
이켜보면 부끄럽거나 정당하지 않은 일이 더 많다는 생각을 한 다음

부터는 그냥 혼자 있는 편을 선택했다. 룸살롱, 골프, 카드놀이, 이런 거 안 하고 혼자 음악 듣거나 영화 보거나 아니면 글 쓰거나 그러고 논다. 그러면 자연히 출셋길로부터 멀어져 간다.

출세, 그게 사람이 세상에 태어난 이유일까?

쥐어도 더 쥐어야 마음이 풀리는 그런 성공지향적이고 출세지향적인 사람들이 있다. 어차피 저승으로 떠날 때 싸들고 가는 것도 아닌데, 뭔가를 자꾸 쌓아야 성미가 풀리는 그런 사람들이……. 난 사람이 태어나서 하루에 세 끼 밥 먹으면, 더 이상 바랄 게 없는 거란 생각을 30대 중반에 했던 것 같다. 뭔가를 쥐려고 하면, 아쉬움이 더 많아진다는 걸 그때 깨달은 것이다. 그 대신 내려놓으면, 잡초들이 피워내는 들꽃의 아름다움이 눈에 들어오기 시작하고, 고양이의 재롱 같은 게 더 살갑게 느껴진다는 것 역시 알게 되었다.

• • •

요즘은 한풀 꺾인 듯하지만, 이회창과 노무현 후보가 맞붙은 지난 2002년 대선에서 '메인 스트림(사회주류)론'이 화제가 된 적이 있다. 이회창이 내세운 메인 스트림론은 좁게 보면 경기고 집권론이었고, 넓게 보면 지독할 정도의 '경제적' 엘리트주의의 선언이었다. 이거야말로 한국 엘리트 남성들의 속내를 가장 잘 표현하는 말이 아닌 듯싶다. 미국 중산층 남성들을 표현하는 말로 '와스프(WASP)'라는 말이 있는데, 백인, 앵글로색슨, 프로테스탄트의 조합을 뜻한다. 그야말로 「심슨가족」에 나오는 호머 심슨의 이미지다. 여기에 하나를 더하면 순수 백인 혈통임을 얘기하는, 블루 아이 유전형까지. 그렇지만 이

와스프의 이미지는 그렇게 '마초'스럽지가 않은 데 반해, 한국의 메인 스트림은 미국 중산층 와스프에 더해서 마초 분위기와 천박함을 뒤범벅해놓은, 흡사 '졸부'들이 권력의 힘을 가지게 되었을 때 나타나는 그 행태 그대로이다.

좌파들이라고 많이 다를까? 가진 돈이 적고 권력이 약해서 그 규모가 작아 보일 뿐이지, 마초스럽고 은밀하고 내밀하다는 건 크게 다르지가 않다. 운동권 내에 요즘 주류는, 아마 서울대 70년대 학번 정도가 될 것 같은데 좌파든 우파든, 문화적으로는 비슷한 게 더 많지 않을까 싶다. 어떻게든 큰 집단에 들어가겠다고 발버둥치는 게.

21세기가 되면 한국의 그 지독할 정도의 마초적 성향과 군사적 획일주의가 좀 줄어들 것이라고 많은 사람들이 예상했었다. 그렇게 기다리던 21세기가 왔건만, 이번에는 경제 근본주의와 함께 더 무서운 돈의 획일성의 시대가 열렸다. 그리고 그 피해는 살인적인 공부 강요에 시달리는 10대들에게 고스란히 떨어지고 있는 것 아닌가?

지금 우리는 "양심을 버리지 않으면 굶어죽는다"는 날강도 같은 얘기가 삶의 지혜로 둔갑한, 미친 시대를 지나고 있다. 그게 내가 알고 있는 중고등학생은 물론, 초등학생에게도 강요되는 경제교육이다. 양심을 버리고 돈을 택하라는 것, 그게 교육이냐? 우리는 자신의 양심과 정치적 신념을 버리면서, 그럼에도 불구하고 더 풍요로워지는 게 아니라 더 보편적으로 가난해지는 길을 가고 있다.

마이너를 루저로 몰아붙이고 세 끼 밥 입에 넣는 것도 고달프게 만드는 게, 한국 지배층의 통치술이다. 부자를 꿈꾸고, 메이저를 동경하게 하는 통치술은 아주 고전적이지만, 일단 이렇게 사람들이 움직이기만 하면 아주 효율적이다. '닥치고 경제'의 명박 시대는 그렇게 해서 열린 것이 아닌가? 모두가 메이저 전략을 택하면 돈 버는 건 럭셔리 브랜드와 사교육 시장밖에 없는데 말이다.

· · ·

21세기 우리가 만들어가야 할 창의적이고 다원화된 사회란 마이너의 마이너들도 자신의 양심이나 신념 혹은 생긴 모습을 그대로 드러내도 좋은 사회이다. 마이너들이 만들어내는 다양성이 결국 사회적 창조력을 만들어내고 그래야 사회도, 사람들의 삶도 풍요로워지기 때문이다.

우파를 자신의 삶의 신조로 선택하지 않으면 경제적 생활 자체가 성립되지 않는 나라, 스승이나 부모가 먹고살기 위해선 우파가 되라는 나라, 그건 우리가 만들어야 할 나라도, 우리들의 미래도 아니다. 좌파든 우파든, 생태주의든 페미니즘이든, 대학을 가든 안 가든, 화이트칼라든 블루칼라든, 자신의 성격과 양심 그리고 선택에 의해서 자신의 미래가 결정되고, 마이너의 마이너가 되어도 입에 세 끼 밥 들어가는 데에 어려움이 없는 나라, 그게 우리들이 만들어가야 할 경제다.

이명박을 지지하는 데 아무런 양심의 가책이 없는 사람, 그것도 그 사람의 정치적 선택이라서 뭐라고 말할 생각은 없다. 그러나 그런 사람만이 취업에 지장이 없고, 승진에 걱정이 없고, 경제적 윤택함이 약속된 한국이라면, 우리의 미래는 결코 밝을 수가 없다.

먹고살기 위해서 국민들이 우파의 입장을 선택하는 나라는 결국 급격히 보수화될 뿐더러 밑바닥에서부터 썩어 들어간다. 그 부패의 끝자락을 지금 우리가 보고 있는 것 아닌가.

난 성격이 그리 좋은 편은 아닌 것 같다. 좋은 사람과 싫은 사람의 구분이 너무 명확하고, 편하지 않은 사람하고는 밥만 같이 먹어도 얹힌다. 좋은 성격이 아니라는 건 내 삶이 증명해주는 것 같다.

한국에서 살아가려면 '인사'와 '감사'만 잘하면 된다고 하는데, 나는 인사하는 법도 없고, 감사한 마음을 표현하는 일은 더더군다나 없다.

대학 강사생활을 막 시작했을 때, 설날 세배하러 가는 일이 중요하다는 것을 처음 알았다. 선생들이 두 파로 갈려 있었는데, 설날 누구한테 세배 가느냐에 따라 라인이 형성되기 때문에 신년 그 첫인사가 엄청 중요하다고들 하였다.

웃긴다……. 나는 세배 안 갔다. 그냥 푹 자버렸다.

정부에 몸담고 있을 때에도 세배라는 게 아주 중요한 행사였는데, 그때도 세배 안 갔다. 아직까지도 인사치레로 세배를 간 적은 없는데, 앞으로도 그럴 생각이다. 세배만 그런 게 아니다. 결혼식도 안 간다. 정말 절친했던 친구 아니면 안 간다. 가끔 나한테 돌잔치 오라는 정신 나간 녀석들도 있는데 '좀 모자른 사람이군', 그렇게 수첩에 기록해둔다.

결혼식은 안 가더라도 문상은 꼭 가라고 하는데, 그것도 어지간해서는 안 간다. 문순홍 선생, 정운영 선생, 그런 분들 돌아가셨을 때에는 정말로 마음이 너무 무거워서 갔었다만. 단, 병문안은 간다. 돌아가시기 직전인 분들은, 역시 내 마음이 편치 않아서 살아계실 때 한 번이라도 더 본다는 마음으로 간다. 보통은 조그만 화분을 하나 가지고 간다.

생일잔치도 안 한다. 남의 생일잔치에 오라고 하는 꼴이 보기가 싫어서 안 가고, 일관성을 유지하기 위해서 내 생일에도 잔치는 안 한다. 죽을 때까지 그건 지킬려고 한다. 그러니 동창회를 비롯해서, 내가 가는 곳은 거의 없다. 출판기념회도 안 간다. 머리털 나고 출판기념회라는 곳을 가 본 적은 딱 두 번, 심상정 출판기념회와 손낙구 출판기념회 때. 책 사주러 갔었다.

하여간 경제인류학에서 얘기하는 그런 제의나 축제와 같은 것들을 이론적으로는 중요하다고 말하면서도 정작 현실에서 나는 그런 데 뭐 하러 가나, 그렇게 사는 셈이다. 그래도 아내 생일날 선물은 한다. 결혼하고 편안하게 해준 것도 거의 없고, 몇 년 동안 빈처로 지내게 했던 게 미안해서 아내한테 선물은 한다.

• • •

세상 살면서 인간관계가 제일 중요하다고 하는데, 그건 출세나 꿈꾸는 사람들 얘기고. 공부하는 사람으로서, 교수 되겠다는 마음만 딱

버리면, 갑자기 찾아가서 인사해야 할 사람들이 확 줄어든다. 그래야 책도 좀 읽고, 글을 쓰거나, 아니면 생각이라도 정리할 시간이 생긴다. 나라고 시간이 남들보다 더 주어진 게 아니니 인사와 감사, 그런 것들을 줄일 수밖에 없지 않은가. 그래도 먹고사는 데 별 지장은 없는 것 같다. 워낙 조금 먹으니까⋯⋯.

사회생활을 전혀 하지 않을 수는 없으니까 사람들을 만나기는 한다만, 나는 아주 좁게, 아주 약간 명만 알고 지내는 편이다.

여기에서 내가 지키는 원칙이 있다. 잘나가는 사람들은 굳이 만날 필요 없고, 곤경에 처했을 때, 그때에는 한 번씩 인사를 간다. 언제부터 내가 이런 것을 지켰는지, 이젠 잘 기억도 나지 않는데 아마 현대 과장 시절 초기부터 그랬던 것 같다.

누군가 승진을 하거나 그럴 때 축하전화 한다고 해봐야 전화가 잘 연결되지도 않고, 찾아가봐야 아무리 친했던 사람이라도 1분 이상 얼굴 보기가 어렵다.

그러나 살다보면 한 번씩은 낙마를 하거나 좌천되는 순간들이 있는데 그럴 때에는 만나보기가 쉽다. "잠깐 차나 한잔 마시러 오쇼." 그렇게 해서 가보면 이 양반들이 놔주지를 않고, "점심 먹고 가라, 이따 저녁 때 뭐 하냐, 간만에 소주 한잔 하자"고 한다.

지금까지도 내가 만나는 높은 자리의 양반들은 다들 그렇게 어려운 시간을 같이 겪었던 사람들이다. 높은 곳에 있을 때에는 주변이 보이지 않지만, 낮은 곳으로 내려올 때 사람은 비로소 자신의 주위를 둘러보는 그런 속성이 있나 보다.

내 경우를 들여다봐도 그렇다. 내가 편성하던 예산이 1조 원이 넘었던 그 시절에는 잠깐만 차 한잔 하자는 사람들이 넘쳐났고, 만나는 사람들도 엄청 많았다. 황우석 박사 같이 특별한 경우에나 기억에 남고, 그렇지 않은 사람들은 사실 잘 기억도 나지 않는다.

근데 내가 어려웠을 때 도움을 주거나 연락을 해줬던 몇 사람은 지금도 기억에 남는다. 마음속으로 늘 고맙다. 그런 게 인지상정인 것 같다. 지난 겨울부터 난 이계안과 꽤 많은 일을 했다. 경제적 시각은 서로 일치하는 게 많기는 한데, 정치적 견해는 그와 난 다른 게 더 많다. 그런데도 같이 일을 한 건 별 특별한 이유는 없고, 그가 어려운 시절을 겪고 있었기 때문이다. 지난 지방선거 때 노회찬을 도왔던 것도, 그에게 엄청난 미래를 본다거나 그가 없으면 한국이 망한다, 그런 거창한 이유가 아니라 그가 어려운 시절을 겪고 있어서였다.

· · ·

"도움은 어려울 때 돕는다."

살다보면 누구나 다 절실하게 도움이 필요한 순간이 있는데, 그때 서로가 어떤 사람인지 확인할 수 있다. 그렇다면 명박도 어려우면 도와야 하나? 그건 좀 어려울 것 같다. 마음이 안 가는데, 정성이 생길 리가 없지 않은가!

그러다 보니 내 주위에 있는 사람들의 화려한 날, 즐거운 날, 그런 자리에 가는 일은 거의 없고 힘든 상황, 곤경에 빠진 순간, 그런 때 주로 움직이는 편이다. 화려함의 기억은 잠깐이지만, 어려울 때의 기억은 오래가는 법이니까.

출판사를 고를 때에도 대체적으로 그런 원칙을 지키려고 한다. 내

가 주로 책을 내는 출판사들은 개마고원, 레디앙…… 모두 좀 작고
어렵다.

20대에 대한 책을 쓰고 난 다음에 386에 대한 본격적인 분석을 해
달라는 부탁들이 좀 있었다. "걔네들은 하나도 안 어렵잖아? 상대적
으로 잘 먹고 잘 사는 거 아닌가?" 싶었다.

아, 추가적으로 내가 지키는 게 한 가지 더 있다. 어려울 때의 아픔
과 고통은 나누어지지만, 어려움이 지난 후의 즐거움과 화려함은 나
누어지지 않는 법이다. 단체든 회사든 어려운 시절이 지나고 나면,
나도 그곳을 떠난다. 즐거움까지 같이 나누려고 하면, 결국 인간의
본성을 보게 된다. 인간의 밑바닥까지 너무 보지 않는 것이 관계에
있어서 더 좋은 것 같다.

인간은 절대적으로 선하지도 않고, 절대적으로 악하지도 않다. 조
건에 따라서, 누구나 신처럼 고귀하기도 하지만 또 언제든 악마로 돌
변할 수도 있다. 어려움을 같이 나누었다고 나중에 즐거움도 같이 나
누자고 하면, 악마의 얼굴을 조우하는 불상사가 생길 수도 있다. 인
간의 내면을 너무 깊이 알려 하면 다친다…….

. . .

누군가를 만나고 싶을 때에는 그가 어려울 때 만나기를.

그러면 비록 반쪽일 뿐이지만, 그의 선한 구석을 볼 수 있다. 그가
다시 재기에 성공하면, 그의 반쪽의 선한 모습을 보았던 것으로 만족
하고, 다시는 연락하지 말기를 권해드린다. 나머지 반쪽의, 교만하고
오만한 모습을 보고 실망하게 될테니까.

"다 내가 잘나서 그런 거야, 내가……."

슬픔과 고통은 나누어지지만, 성공한 다음의 기쁨은 결코 나누어지지 않는다. 성공과 기쁨을 나누려고 하면, 왜 『초한지』에 '토사구팽'이란 표현이 나오는지를 실감하게 될 것이다.

어려움을 나누는 것, 인간의 세상에는 그것만이 허용되었음을 어쩌랴.

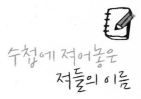

수첩에 적어놓은
저들의 이름

수첩에 꼬박꼬박 적들의 이름을 적어
놓는 한 사나이가 있다. 존경하지는 않지만, 애정을 가졌던 어느 공
무원에 대한 얘기다. 그는 한 많은 세상을 살았던 과학자이자 모진
역경을 뚫고 결국은 그렇게 바랐던 장관직에 올라선 사나이다. 내가
그를 미워하지 못하는 건 유럽 어느 땅에서 그가 당치도 않은 모멸을
당하고 내 앞에서 펑펑 우는 모습을 보았기 때문이다. 그는 그날, 나
한테 국장까지만 승진하면 공무원 그만두고 공부하면서 여생을 보
내고 싶다고 말했다.

그 뒤에도 그에게 위기가 한 번 더 왔는데, 어쨌든 잘 버텨낸 그는
결국 장관직까지 가게 되었다. 여러 가지로 공무원치고는 참 특색 있
는 경력과 삶을 살아온 사람이다. 그는 내가 봤던 사람 중에서도 정
말 특별했는데…… 그는 어려울 때 그를 힘들게 했던 사람 혹은 저
사람은 정말 나쁘다 하는 사람, 그런 사람들의 이름을 수첩에 적어놓
는 습관을 가지고 있었다.

『혁명은 이렇게 조용히』에서 스나이퍼 얘기를 내가 좀 길게 쓴 적

이 있는데 그 스나이퍼의 원 모티브가 이 사나이에게서 온 것이다.

"공무원 그만두면, 난 스나이퍼가 될 거야. 국가와 민족을 위해서, 적들을 처단하는……."

· · ·

합리적인 이유이든, 감성적인 이유이든, 살면서 우리는 정말 싫은 사람들이 하나둘 생기게 된다. 사랑하면서 살자고 얘기하지만, 그건 혼자서 커피 한잔 마실 때나 하는 생각이고. 눈뜨고 집 밖으로 나가는 순간, 싫은 사람들을 만나야 하고, 또 지금까지 생겨난 싫은 사람들의 생성 속도만큼 새롭게 싫은 사람들이 생겨나는 게 현실이다.

그런 게 삶이다. 왜 사람을 싫어하는가? 얘는 쟤가 싫다니까 싫고, 쟤는 또 얘가 싫다니까 싫고, 어럽쇼! 얘는 내가 그냥 싫네.

가끔은 합당한 이유가 있어서 싫고, 어떤 때에는 비합리적 이유를 들어서라도 싫고, 가끔은 아무 이유 없이 그냥 싫기도 하다.

그런 게 삶이다. 일단 싫어지면, 대책 없다. 얼굴만 봐도 그냥 밥이 얹히는데……. 입으로는 아무리 공정하게 하겠다고 말해도, 그냥 싫은 데는 대책이 없다. 좋아하는 것을 열심히 하는 만큼 싫어하는 것을 진실하게 했다면, 난 벌써 정교수가 되어 있을 것이다. 그러나 싫은 걸 어떡해…… 게다가 싫어하는 놈한테 머리를 숙이는 일을 어떻게 해?

사실, 싫은 놈한테 머리를 숙이는 일을 딱 한 번 한 적이 있다. 사람들이 하도 인사를 하라고 해서, 정말 싫어했던 사람인데 박사논문을 들고 학위 받았다는 인사를 하러 갔다. 근데 내가 싫어하면 놈도 나를 싫어한다……. 이건 정말 그렇다.

어차피 읽지도 않을 거니까, 그냥 가지고 가란다. 돈도 없을 텐데, 돈이나 좀 아끼라고. 아무리 운동권으로 찍힌 학생이라도, 어떻게 표정 하나 안 바뀌고 그렇게 고운 말을 할 수 있을까 싶었다만. 하여간 그게 내가 싫어하는 사람한테 머리를 숙인, 거의 처음이자 마지막인 것 같다.

현대에 입사하던 순간부터, 나는 사직서를 왼쪽 가슴에 늘 꽂고 다녔다.

"한 번만 말 이상하게 해봐, 그냥 그만둘 거니까……."

「영웅본색」의 윤발이 오빠가 했던 명언처럼.

"누구도 다시는 내 머리에 총 겨누지 못하게 하겠다고 맹세했어."

아, 가슴을 후벼파는 이 한마디! 나이트클럽에서 맥주 컵에 오줌을 마셔야 했던 날, 윤발이 오빠가 했던 결심이란다(물론 그 뒤로도 그는 엄청 맞고, 결국에는 총 맞고 죽었다만). 나는 권총 대신 사직서를 가슴에 꽂고, 누구든 나의 양심을 거스르게 한다면 바로 쏴주겠어, 그런 마음으로 살았다. 참…… 그 사직서는 끝내 꺼내들지 못했다.

2003년에 사직서를 쓸 때에는 공식적인 양식이 있어서 그걸 출력해서 썼고, 사직 사유에는 '건강상의 이유'라고 썼다. 싫은 사람을 전혀 안 만난 건 아닌데, 그때에는 사직서를 꺼내들 명분이 없었다. "너 머리 나쁘잖아", 이런 얘기를 들었다고 사직서를 꺼내들면 좀 꼴사나워보일 것 같았다(나한테 그 얘기했던 사람에게는 이래저래 정도 많이 들었는데, 나중에 뇌물 수수혐의로 구속되었단 기사를 신문에서 봤을 때에는, 참 안쓰러운 생각이 들어서 그 인생에 건배 한 번 드렸다).

가슴에 화가 가득 찼던 날들, 나도 수첩에다 적들의 이름을 하나씩 적어볼까, 그런 생각을 한 적도 있다.

"너무 싫은 걸 어떡해……."

그러나 난 원래 수첩을 안 쓴다. 갖고 다니지도 않는 수첩을, 적들의 이름을 적기 위해서 새로 쓰기 시작하는 것은 너무 어색한 일이다. 그래서 결국 수첩에 적들의 이름을 적는 일은 하지 못했다. 그렇다고 해서 내가 모든 사람들을 다 마음속에서 용서하고 관대하고 너그럽게 대할 수 있게 된 것은 아니다. 어쩌면 수첩에 누군가의 이름을 적는 편이 나았을지도 모른다.

수첩 대신 마음속에 적들의 이름이 적혀 있다. 마음속에 적힌 이름은, 수첩보다 몇 배는 강렬하고, 아마도 그 마음을 바꾸기 전에는 지워지지 않을 것 같다.

. . .

마흔이 넘어가면서, 내가 싫어했던 그리고 같이 밥 먹고 싶지 않았던 사람들에 대해서 잠시 생각해보았다. 일종의 '통과의식' 같은 것이라서, 나는 그 이름들을 전부 지우고, 내가 편해지는 게 나을 거라고 생각했다.

어랍쇼?

몇 년 전 싫어했던 사람들의 이름은 지워진 대신, 새로운 사람들이 또 그 자리를 채우고 있는 것 아닌가. 그중에 한두 명은 더욱 강렬한 증오로, 내 마음속에 빨간줄이 쳐 있다. 야, 아무리 나이를 먹어도 치졸하고 옹졸한 심성은 사라지지 않는군!

　수첩이든 마음속이든 싫어하는 사람의 이름을 적지 말자, 그 정도의 인성에는 나는 아직 도달하지 못한 것 같다.

　마흔이 되면, 증오도 미움도 마음속에서 내려놓을 수 있을 것 같았는데, 증오의 강렬한 힘은 그렇게 쉽게 내려놓을 수 있는 것이 아닌가 보다. 마흔이 되면서, 마음속의 것들을 참 많이 정리했다고 생각했는데, 증오만은 여전히 어쩌기가 어렵다.

　진짜…… 싫은 걸 어떡해.

　마음으로는 다 내려놓았다고 생각했는데, 같이 밥 먹으면 몸이 먼저 알고 제까닥 얹히는 걸 어떡해.

　적들의 이름을, 마음속에서도 지우는 그런 날이 오면 좋겠다.

　　　　　　한국에 좋은 배우들이 참 많은데, 그
중에서도 특히 남자 조연배우들이 뛰어난 편이다. 지난 수년 동안 내
가 본 영화 중에서 가장 좋아하는 배우가 누구인가를 곰곰이 생각해
봤는데, 결론은 역시 김상호였다.

　성공회대에 가면 늘 부비고 노는 친구 하나가 사회학을 전공한 김
정훈인데, 이 친구와 김상호가 똑 닮았다. 『88만원 세대』를 처음에
'배틀로얄 세대'라는 이름으로 출간하려고 했을 때, 이 제목으로는
절대 안 된다, 그렇게 강력하게 반대했던 친구다. 그 친구 덕에 지금
의 그 이름을 갖게 된 셈이다. 30대 때에는 아주 당당했고, 목소리도
분명했던 친구였는데, 정권이 바뀌면서 또 그 즈음 아버지가 돌아가
시면서 어쩐지 기가 많이 꺾였고, 부쩍 나이를 타는 것 같아서 가능
하면 자주 연락하고, 자주 보려고 하는 친구다. 이 친구가 배우 김상
호와 똑 닮았다. 그래서 더 애정을 가지고 보았던 것인지도 모른다.

　배우 김상호를 처음 어떤 영화에서 보았는지는 정확히 기억나지
않는다. 그를 유명하게 만들어준 「범죄의 재구성」은 아주 나중에 보

았고, 그렇게까지 열광하지는 않았던 영화 「잠복근무」에서 처음 보았던 것 같기도 하고, 「마파도」에서 처음 보았던 것 같기도 하고. 그중 가장 인상이 강렬했던 영화는 뭐니뭐니해도 혁수로 나왔던 「즐거운 인생」이다. 이 영화에는 세 명의 친구가 나오는데, 내가 가장 애정을 담아 보았던 주인공이 바로 혁수였다. 캐나다로 자식 둘과 아내를 조기유학 보낸 기러기 아빠이자, 중고차 사장으로 친구들 중에서는 제일 살 만한 위치였는데 그러다 결국 아내와 이혼을 하고, 중고차를 모두 팔아 양육비로 보내고, 텅 빈 공터와 드럼 하나만 남아 있는 사나이다.

가방과 여권을 든 그가 공항에서 오지 말라는 아내의 전화를 듣고 서 있는 장면, 다시 드럼 스틱을 쥐는 장면은, 다시 보는 데도 매번 눈물이 난다. 내 또래들에게 나누고 싶은 얘기 혹은 그들에게 하고 싶은 얘기들을 한번 써보고 싶단 생각을 하게 된 게 바로 「즐거운 인생」의 혁수라는 캐릭터 때문이었다. 영화를 보고 난 진짜 오랜만에 기타를 다시 쳐보고 싶어서, 결국 세운상가에 가서 기타를 사기도 했다(살다보면 언제 힘든 일이 생길지 모르는데, 그렇다고 지금부터 새로 드럼을 배울 수는 없는 거고).

김상호가 나왔던 영화들은 평균 이상의 재미를 보장하는데, 지금까지도 가장 인상적이고 감동적인 연기는 「전우치」에서였다. 사실 「전우치」는 「세 신선과 전우치」라고 제목을 바꿔도 될 정도로 세 신선의 비중이 컸고, 그 배역을 맡은 송영창, 주진모, 김상호는 그들의 연기 인생 중에서 최고라고 할 정도로 기가 막힌 존재감을 보여주었다. 연기는 좀 아니다 싶은 강동원마저도 기똥찬 연기를 보여주었다.

원래, 사투리를 쓰는 배우들에게 억지로 서울말을 쓰게 하면 오히려 그 연기 잠재력을 끌어내지 못하는 경우가 있는데(대표적으로 정우성. 만약 「무사」에서 정우성의 대사가 조금만 적었다면, 이 영화는 장르영화의 한 자리를 차지하는 기념비적인 영화가 되었을 듯싶다. 반면 「똥개」의 정우성은 경상도 사투리가 기가 막히게 어울렸고, 아직도 정우성이 출현한 영화 중에 최고라고 기억하고 있다) 강동원도 억지로 서울말을 쓰면 커피믹스 광고 멘트처럼 진짜 이상하지만 평양 도사 전우치로 경상도 억양을 자연스럽게 쓰니까, "도사란 무엇인가, 도사는 바람을 부르고, 마른 하늘에 비를 내리게 하고……" 이 기막힌 대사를 잘 살릴 수 있었다.

세 신선 중에 김상호는 쓴맛 단맛 다 보고 결국 카톨릭에 귀의한 신부로 나오는데, 그 특유의 대사를 감칠나게 잘해줬다.

"일을 좋게 좋게 쫌……."

"암울한 근현대사를 지나면서……."

「전우치」를 하도 여러 번 보았더니, 유독 김상호의 대사만 환청처럼 들리는 지경이 되었다.

· · ·

한국 영화에는 그렇게 기억이 오래가는 조연들이 많다. 영화 「짝패」에 오왕재로 나왔던 안길강, 「마파도」에서 칼국수 끓여주는 전직 조폭 두목 신 사장으로 나왔던 오달수 그리고 존재감만큼은 특A급인 오광록 등이 그렇다.

문화경제학 작업을 하면서 감독과 주연배우 대신에 조연들과 영화 스태프들의 삶이 눈에 들어오면서, 예전보다 더 조연들에게 관심이

배우 김상호가
아저씨로 보이지 않고
친구로 보이는 순간,
'이미 난 아저씨구나'라고
느끼게 된다.

많이 간다. 그중에서도 배우 김상호에게 더 눈길이 가는 건 어쩔 수
없다. 회사 다니고 그냥 하루하루 살아가는 내 친구들 중에서 배우
김상호처럼 그렇게 나이 먹어가는 친구들이 많기 때문이다. 존재감
없이 삶의 무게에 짓눌려 살아가는 내 친구들의 모습을 난 배우 김상
호에게서 본다. 물론 조국처럼 극단적으로 잘났거나, 진중권처럼 청
바지가 여전히 잘 어울리는 40대들도 있긴 있다.

그러나 어찌 되든, 배 나오고 머리 벗겨지고 흰머리가 감당 안 되
게 나오기 시작하면, 청춘의 강렬함과 아름다움은 사라진다. 김상호
의 대사처럼 '암울한 근현대사'가 아니라 '암울한 80년대'가 우리를
이렇게 만들었다고 하고 싶다만……. 사실, 나이 먹으면 늙어가는
건 어쩔 수가 없는 거다. "마음은 청춘", 그렇게 얘기하면서 열심히
스포츠센터 다니고 식스팩 만든다고 버티는 녀석들도 있지만, 마흔
살에도 그렇게 '젊은 오빠'처럼 보이려고 하면 주책이다. 이제는 좋

든 싫든, 내면의 아름다움에 대해 생각하지 않을 도리가 없다.

한때 블루컬러 와이셔츠를 입은 유동근이 40대의 상징처럼 드라마에 나오던 때가 있었다. 멋지고 낭만적인 남성을 그리워하던 시대의 분위기와 맞물려서 말이다. 그러나 내가 막상 마흔 살이 넘고 보니, 조각처럼 멋지고 피부 탱탱한 40대 배우들이나 주연들보다는 조연으로만 나오는 배우 김상호가 더 눈에 들어온다.

"그래, 결국 저게 우리가 만나게 될 우리의 모습이야!"

내 또래의 친구들에게 보내는 응원을 대신하여 난 배우 김상호에게 각별한 응원을 보낸다. 언젠가 내가 영화를 직접 만들게 되면 꼭 그와 작업을 해보고 싶단 생각을 종종 하곤 했는데, 그러나 이젠 그도 무명 시절을 거쳐 개런티가 꽤 높아져서, 진짜 만든다고 하더라도 내가 감당할 수 있는 수준은 아닐 듯싶다. 그래도 「즐거운 인생」의 배우 김상호가 현실에서도 행복한 삶을 꾸려가는 모습을 상상하면, 괜히 내 마음이 다 푸근해진다.

. . .

마흔, 이제 누가 주연이 될지 누가 조연이 될지 혹은 누가 무대 위에 한 번도 올라서지 못하는 삶이 될지, 어느 정도는 눈에 보이기 시작하는 나이다. 조연 혹은 조연도 어렵다고 생각하는 친구들에게 나의 지지와 응원을 보내고 싶다, 만약 한나라당 당원만 아니라면(아무리 그래도 한나라당 당원마저도 지지할 수 있다고, 차마 그 말은 내 입에서 안 떨어진다. 좌파로 이 나이까지 버티다 보면, 맺힌 것도 많고 말 못할 설움도 많이 쌓이는 법이다).

마흔을
넘어서는
활동가

살다보면 주변에 등을 기대고 살아가는, 그야말로 한평생 같이 살아간다고 할 정도의 식구 같은 사람들이 생겨난다. 내 주변에 가장 많은 사람들이 활동가들인데, 실제로 난 활동가랑 결혼까지 한 셈이다. 주변 활동가들 중 일부는 세상의 어려움들을 같이 풀어나가면서 살아가는 정말 식구 같은 사람들이다.

1990년대부터 등을 대고 살았던, 시민단체 초기부터 같이 움직였던 활동가들도 이제 하나둘씩 마흔을 넘어서기 시작했다. 사람이 마흔을 넘어서면 이제 변할 것들은 그렇게 많지 않고, 자신보다는 식구들과 주변 사람들을 위해서 더 많은 시간을 쓰게 되는 것 같다. 그런게 사람 살아가는 이치 아닐까 싶다. 내게도 밥은 먹고 다니나, 어디에서 한대잠은 자지 않나, 차비라도 있나, 이렇게 끊임없이 걱정되고 챙겨 봐줘야 하는 사람들이 한 무더기인 셈이다.

활동가로 마흔이 넘는다는 것은, 그가 세계를 걱정하고 국가를 챙기지만, 정작 자신의 삶은 돌보지 않아 누군가가 챙겨줘야 하는 그런 삶을 산다는 것과 같은 일이다.

1990년대 시민운동 초창기에는 친구 열 명이 활동가 한 명을 챙기는 그런 비중이었던 것 같지만, 지금은 회원제로 바뀌면서 그보다는 많은 사람들이 한 명을 챙겨주는 셈이다. 누군가의 보살핌과 염려로 삶을 산다는 게 어떻게 보면 무거운 짐이기도 한데, 그래서 이제 마흔을 넘어섰거나 넘어서는 활동가들을 보면 마음이 짠한 것이 사실이다.

돌이켜보면 참 많은 사람들이 어디론가 떠나갔지만, 다행히 지금도 많은 사람들이 생태나 여성 혹은 문화와 같은 새로운 가치들이 사회를 움직이는 작은 힘이 되기를 바라면서 현장을 지키며 남아 있다.

· · ·

예전에 서른을 같이 넘었던 내 주변의 활동가들과 이제는 마흔을 같이 넘는 중인데, 월급쟁이로 사는 친구 혹은 공무원으로 사는 친구들에 비해서 활동가들의 '마흔넘기'가 요즘 부쩍 힘들어 보인다.

대학교 때 운동을 시작해서 같이 마흔을 넘는 식구 같은 활동가들이 자신의 삶에 대해서 회의가 담긴 얘기들을 할 때 마음이 편치만은 않지만, 그냥 옆에서 같이 얘기를 들어주는 것 외에는 해줄 수 있는 게 그리 많지 않다.

사람이 살다보면 자신을 한 번쯤 돌아보면서 이것저것 생각하는 순간들이 있을 텐데, 활동가들에게는 마흔이라는 나이가 특히 그런 것 같다. 잘된 운동이든 그렇지 않은 운동이든 어쨌든 활동가들에게 마흔이란 변동의 시간이 온 것이기도 하고, 좋든 싫든 회한이 생기면서 한 번쯤 자기 삶을 정리하는 시간이기도 하다.

예전 선배들도 이렇게 힘들게 마흔 고개들을 넘었었나 싶기도 한데. 아무래도 명박 시대에 마흔을 넘고 있는 활동가들의 고독은, 그 깊이와 예리함이 더 특별한 듯하다.

한때 패기만큼은 한국을 집어삼키고도 남았는데, 나이가 그런 것들을 조금씩 무디게 만들고, 삶은 아무리 퍼내도 넘칠 듯했던 정열을 조금씩 지치게 만든다. 게다가 명박 시대, 끝은 보이지 않고 여전히 답답한 구석이 많은 삶이다.

우리가 오십 줄을 넘어설 때에는 또 어떤 느낌을 가지게 될까? 최근 명박 시대의 상식을 벗어난 일들을 보면서 자신이 살아온 삶 자체가 도대체 무슨 의미가 있는지 모르겠다고 하는 활동가들의 말을 들을 때마다, 나도 가슴 한구석이 무너져 내리는 듯하다.

'아낌없이 주는 나무'라는 생각이 드는 사람이 몇 있다. 자기 한 몸 건사한 것 외에는 아무것도 챙기지 못한 활동가들 그리고 그들이 바쳤던 정열……

시대가 참 어둡다만, 그 어두운 뒤안길에서 혼자 마흔 고개를 넘는 사람들을 위해 올해 연말에는 조그만 망년회라도 열어야겠다.

쓸쓸한 마흔넘이를 하는 이들을 위해 건배!

좋은 놈들은
다 죽었다!

레디앙의 기획의원인 이재영은 아마도 우리나라 진보정당의 1호 상근자일 것이다. 정당에서 당직자로 일하는 것 말고는 별로 다른 일은 생각해보지 않았던 이재영이 민주노동당을 그만두었을 때다. 그 당시 레디앙도 막 생겨났고, 이재영도 당을 그만둔 그 시점에 레디앙의 이광호 대표와 이재영과 함께 잠실 어느 소줏집에서 만난 적이 있다. 그때 레디앙에서 같이 일하자고 이광호 대표가 이재영에게 말을 했고, 나도 옆에서 거들었다. 그 인연으로, 길을 잃고 헤매던 『88만원 세대』 원고가 레디앙으로 간 셈이다.

그런 이재영이 요즘 고민이 많다. 당을 떠난 지 어느덧 3년, 언제쯤 그가 다시 당으로 돌아갈 것인지 나도 그렇지만 꽤 여러 사람들이 궁금해하며 지켜보는 중이다. 우리한테는 정책국장 이재영이 더 익숙하고, '부유세'와 같이 그의 손을 거쳐나간, 약간 엉뚱해 보이지만 그래도 정체성과 방향을 명확하게 짚는 그의 솜씨가 그립기 때문이다.

어쨌든 그런 이재영이 언론인으로 몇 년간 살면서 만나서 인터뷰한 사람들이 꽤 되는데, 대체적으로 기사들이 재밌고, 시의적절한 경우가 많다. 주류 언론에서 다루지 않는 사람들을 주로 만나는데, 그가 얼마 전에는 이화여고를 그만둔 교사를 만났단다.

이화여고가 자사고(자율형 사립 고등학교)로 전환할 거란 소식은 나도 지난 겨울, 기자를 하는 이화여고 학생들을 만나면서 들은 적이 있다. 그런데 자사고로 전환되는데, 학부형들이나 졸업생들이 크게 반발하거나, "이건 아니다"라는 목소리가 없어 의아해하던 차에 이재영을 통해 어느 사직 교사 이야길 전해 들었다. 그 교사분은 누군가라도 반대해야 할 것 같아서 학교를 사직하셨단다. 쓸쓸한 얘기다.

"좋은 놈들은 이미 다 죽었어."

애니메이션 「붉은 돼지」에 나오는 대사처럼 말이다. 몇 년 전에 남부 지방으로 조사여행을 떠났을 때, 거기 촌로들한테 들은 얘기도 문득 떠올랐다.

"잘생긴 형님들과 똑똑한 형님들은 6·25 때 다 죽고, 쭉정이 같이 생긴 나만 남았어……."

빨갱이 학살이 하도 심해서, 괜찮은 사람들은 그때 다 죽었다며 촌로들이 털어놓는 말은 정말 가슴 시린 얘기였다.

. . .

사건이 생길 때마다 좋은 사람들은 사직을 하거나 쫓겨나고, 결국 조직에는 가늘고 길게 숨죽이고 살아가는 사람들만 남게 된다. 일종의 '거세'라고나 할까…… 한국은 6·25의 아픔을 비롯해서 사상가들과 시대를 고민했던 사람들을 거세한 사회라고 할 수 있다.

아내의 집안에는 "당상관은 하지 말라"는 가훈이 있다. 왕비를 몇 번 배출한 집안이라서 사화도 많이 맞았고, 그래서 숨죽이고 사는 게 집안 전통이란다. 우리 집에는 "사업은 하지 말라"는 가훈이 있다. 물론 운동도, 데모도. 아무튼 하지 말라는 게 정말 많은 전형적인 '가늘고 길게'의「조선일보」애독자 집안이다. 내가 대학교 2학년 때에 결국 집을 나올 수밖에 없었던 것은 이런 집안에서 하루만 더 있으면 미쳐버릴 것 같기도 했고, 아버지가 데모하려면 호적에서 이름 파라고 하셔서, 알았다며 다음 날 바로 집에서 나왔었다.

반면, 이재영은 해방 정국에 1세대 사회주의자들, 즉 이승만 반대를 외쳤던 1세대의 자식이다. 임대주택에서 가난하게 홀어머니와 동생들을 거느리고 살았던 그에게 내가 무조건 한 수 접어주고, 좋은 거 생기면 먼저 주는 것은, "좋은 놈들은 다 죽었어"라는 모습을 내 당대에서 또 보고 싶지 않아서 그렇기도 하다.

학교에서 무슨 일이 생기든, 자사고로 전환이 되든 뭐가 되든, 먼저 튀어나오고 먼저 희생되는 사람들은, '좋은 놈'이라는 사실에 마음이 아프다.

자사고로 전환되는 이화여고 때문에 마음이 아파서 자기 혼자서라도 항의표시를 해야겠다고 사직서를 쓴 어느 교사……. 존경하는 사람의 목록에 그 이름 하나를 더한다.

명박 시대가 깊어지면서, '좋은 놈들'이 하나둘씩 떠난다. 시대가 참 어둡다(이재영은 암수술 후 항암투병 중이다. 그의 쾌유를 빈다).

고진감래

고통이 다하면 즐거움이 온다는데, 누군가 이런 말을 할 때면 내가 돌려주는 말이, "고통은 나눌 수 있지만 즐거움은 나눌 수 없다"는 말이다.

'동고동락'은 정말 아니다. 사람은 즐거움을 나눌 수 있는 존재가 아니다. 마이너 그룹의 학회나 연구회 혹은 시민운동 같은 데는 끝없는 고통만이 펼쳐지는 곳이긴 한데, 원래 그런 곳에서 사람들은 고통을 나눌 수는 있지만, 나중에 즐거운 순간이 찾아오면 그 즐거움을 나누지는 못한다.

그래서 나는 사람들과 즐거움이 아닌 고통의 순간만을 함께 나누려고 한다. 나는 사람들을 굉장히 좁게 만나는 편인데 만남의 원칙이 딱 하나 있다면, 고통의 시간을 함께 한다는 것이다.

• • •

사회생활을 하다 보면, 이것저것 돈을 내야 하는 순간이나 축하해 줘야 하는 순간이 있는데, 난 화환이나 축전 같은 것은 보내본 적도 없고, 앞으로도 그런 걸 하지는 않을 작정이다. 내 주머니에서 돈이 나가는 순간은 생활비가 부족한 활동가들이나 재개발 때문에 억지로 이사 가야하는데 끝전이 부족할 때, 주로 그런 경우다.

나는 주로 주변 사람들이 어려울 때에 소주 한잔 같이 기울이는 편이다. 사람이란 즐거움을 나눌 때에는 어려웠던 시절의 사람들과 같이 하는 게 아니라, 다음 단계의 더 높은 사람들과 즐거움을 나누고 새로운 고통을 나누는 그런 구조를 가지고 있다. 어려움을 나누었을 때의 동료가 잘되어서 좋은 상황을 맞이하게 되면, 그때 바로 축하를 해주는 게 낫다. 그를 다시 보려고 한다면, 이제 성공한 그 사람과는 더 이상 나눌 수 있는 게 없다는 것을 알게 될 것이다.

어려움을 나누는 것, 나는 그게 '연대 정신'의 시작이라고 생각한다. 즐거움을 나누는 것은, '부패'의 시작이다. 부패하고 싶지 않다면 성공한 친구를 다시는 찾아가지 말고, 예전에 도와주었던 사람에게 다시는 공치사를 들으려 하지 않으면 된다. 그러면 부패할 가능성도 적어지고, 머쓱하게 "차나 한잔 하고 가라"는 소리도 듣지 않아도 된다.

내가 동기 모임이나 동창회 같은 데 가지 않는 건 이미 생각이 너무 벌어져서 같이 나눌 얘기가 없다는 것도 있지만 성공한 친구들끼리의 회고담 같은 게 불편해서 그렇기도 하다. 그 대신에 운동을 시작하기로 결심한 신입활동가들을 위한 자리, 이런 데 가서 투박한 밥이라도 한 그릇 사고 오는 게 훨씬 보람 있고 즐거운 일인 것 같다.

고진감래라는 말이나 형설지공이나 비슷한 말이긴 하지만, 유독 한국 자본주의 특히 신자유주의적 국면에서 고진감래는 지독할 정도로 이념적으로 사용되는 경향이 있다.

고진감래라는 말을 내가 직접 받아 들은 적이 딱 한 번 있는데 IMF 경제위기가 한참일 때, 부사장이었던 이계안이 현대자동차 사장으로 가면서 인편으로 나에게 '고진감래'라고 쓴 글자를 보낸 것이다. 아마 본인은 잘 기억도 못 하겠지만, 나는 즐거움의 시간은 나중에 오는 것이 아니라, 그때그때의 삶을 모두 즐거움으로 만들어야 한다는 주의라서, 바로 사직서를 준비하고 회사를 옮겨 버렸다.

· · ·

지금 즐겁지 못한 삶이 언젠가 즐거울 수 있을까?

이 얘기가 내가 10대들에게 정말 해주고 싶은 얘기다. 지금 즐거운 사람이 나중에 즐겁게 공부할 수 있고, 또 즐거운 일들로 자신의 삶을 채울 수 있을 것 같다.

우리 모두가 어려운 친구를 보살피고, 소외된 사람들에게 쌀 한 톨이라도 내놓는다면, 아마 지금 이 시기에 팽배하는 수많은 자기계발서들을 뚫고 다른 방식의 진화를 시작할 수 있을 것 같다만, 고진감래란 네 글자를 가슴에 품고 삽질하면서 인생의 질곡을 보내는 사람들이 우리 사회에는 너무 많다.

자신의 행복을 위해 지금의 고통을 참는 사람, 그 사람에게는 미안하지만 행복은 그리고 마음의 평온은 그렇게 해서 오지 않는다. 지금 행복해야 나중에도 행복하고, 지금 행복을 찾지 못하면, 영원히 행복을 찾지 못한다.

자신이 고통을 참고 있으므로 남에게도 고통을 참으라고 말하는 사람. 아마 그 사람이 지옥에 먼저 가지 않을까?

삶은 단계적으로 행복해지는 게 아니다

지금의 40대와 50대 그리고 일부의 30대, 이 사람들에게 삶은 '단계'로 보이는 경우가 많을 것이다. 이들은 일본에서 정착시킨 '종신고용제'라는 틀 속에서 사회생활을 시작한 사람들이라고 볼 수 있다.

한때 한국에서는 직장 내 승진의 각종 권모술수를 다룬 일본 만화나 처세술 책이 크게 유행한 적이 있었다. 물론 서양 사회도 직장에서의 승진을 위한 암투는 있지만, 일본처럼 그렇게 지독하진 않다. 이게 일본 사람들이 음침하거나 음흉해서 그런 건 아니다. 다 같이 입사해 들어와서 점점 위로 올라갈수록 좁아지는 피라미드 세계에서 살아갈 때 생기는 어쩔 수 없는 현상이라고 할 수 있다. 그런 처세술이나 회사 내의 암투에 관한 얘기는 한국에서 특히 1980~1990년대에 아주 잘 팔렸다. 우리가 바로 그런 구조였기 때문이다.

피라미드형 사회에서는 사원이 어떻게 해서 대리가 되고, 과장이 되고, 차장과 부장을 거쳐 임원까지 살아남을 수 있을까가 제일 큰 관건이다. 그래서 동료들 혹은 동기들과의 경쟁이 아주 중요해진다.

지금의 40~50대가 살았던 시기는 동기들 사이의 경쟁이 아주 치열하긴 했지만, 그래도 정년은 보장되어 있던 시기였다. 종신고용제의 매력은 회사에서 '예쁨' 받기 위해 최선의 노력을 해도 그게 잘 먹히지 않는, 별로 안 예쁜 자식이라 할지라도 쳐내지 않는 아버지의 미덕을 가졌다는 점이다.

남자들은 그 속에서 미칠 듯이 회사와 자신을 동일시했고, 회사와 자신의 삶을 분리해서 생각지 않으려고 했다. 그들은 자신 스스로가 아버지가 되지 못한 채 회사를 아버지로 섬기는, 영원한 회사의 '아들'이고 싶어 했다.

현대나 삼성에서 정년을 맞게 된 사람들, 아니면 포스코나 한전 같은 곳에서 평생을 지낸 사람들 중에는 회사라는 아버지에게서부터 자신의 독립적인 정신세계를 가지지 못한 아들들이 특히 많은 것 같다. 그들은 돈을 집에다 가져다주는 것 외에, 좋은 아버지가 되지도 못했고, 좋은 남편이 되지도 못했다. 불행히도 그들은 자신의 가족과는 돈을 전달함으로써만 관계할 줄 알았고, 그들이 믿는 진짜 식구는 자신을 고용한, 그래서 단계적으로 승진할 수 있는 길을 열어준 바로 그곳이었다. 그곳이 국가라면 공무원으로 사는 것이고, 그곳이 대기업이라면 '자본가의 자식'으로 사는 것인데, 본질적으로 큰 조직에서 자신의 다음 단계를 간절히 바라며 충성하며 살아간다는 것에 있어서는 아무런 차이가 없다.

가끔 방탕한 자식들도 있다. 회사 경비나 나랏돈으로 룸살롱에 가거나 골프장에 가는 것은, 방탕한 자식이 아버지에 대한 원망을 해소하기에 가장 쉽고도 타락한 길이며, 때때로 그렇게 공금을 자신의 유희를 위해서 쓸 수 있다는 것에서 아버지의 사랑을 확인하기도 한다.

어머니 혹은 여성들이, 종신고용제의 흔적이 남아 있는 조직에서 잘 적응하지 못하거나 마음을 얻지 못하는 것은, 어떻게 보면 당연한 일이다. '오너' 혹은 '국가'라는 막연한 상징으로 구성된 방탕한 아들들이 승진하는 기본 구조에서, 딸이 들어설 자리가 없다는 것은 너무 명확하지 않은가?

한국에서 여성들이 과장 이상의 자리에서 자신과 조직의 관계를 구축하는 방식은, 아들과 방탕한 아들 사이의 관계보다는 돈과 어머니의 관계에 더 가깝다. 어머니는 자식을 부양하기 위해서 돈이 필요하다. 만약 부양할 자식이 없다면? 이젠 자신에게 돈을 써야 할 것이다. 자신에게 돈을 많이 써서 원 없이 소비한다면? 불행한 것은, 마케팅 사회에 행복이란 없다는 것을 언젠가는 알게 된다는 사실이다.

· · ·

우리 사회는, 적어도 IMF 이후에 종신고용 체계가 무너지기 전까지 그리고 대학이 학문하는 곳이자 진리를 외치는 곳이라는 게 무너지기 전까지, 이렇게 단계론적 시각으로 구성되어 있었다.

과연 대학에 가는 게 꼭 옳은 일이고, 회사에 들어가서 승진하며 사는 삶이라는 게 반드시 행복한 것인가, 그런 질문을 해볼 여지가 없었다. 남성, 엘리트, 중장년층의 사회라는 것은, 일단 대학에 가야 그런 얘기도 할 수 있고 높은 위치나 지위를 갖춰야 철학적 질문도 해볼 수 있는 사회로 건국 이래 20세기까지 유지되어 왔다.

과연 삶이란 단계적으로 구성되는 것인가? 혹은 행복이라는 게 그렇게 하나하나 밟아나가면서 살다 마지막 단계에서나 맛볼 수 있는 것인가? 그런 질문이나 회의가 삶의 중간중간에 생길 수도 있다. 그러나 우리 사회는 그런 질문을 하는 사람들에게 마이크를 내주거나, 그들이 가슴에 맺힌 말을 속 시원하게 할 수 있도록 해주지 않는다. 대신, "네가 좋은 대학에 가지 못했기 때문이야", "너는 아직 신입사원일 뿐이야. 좀 더 인생의 쓴 맛을 보면, 생각이 바뀔 거야", 이렇게들 얘기한다.

성공한 사람 외에는 승진의 회의감을 토로하는 것도, 삶의 근본적인 문제에 대한 철학적 질문을 하는 것도 우리는 허락되지 않는다. 아직 이렇다 할 단계에 이르지 못한 사람들이 삶의 기본이나 행복에 대해서 질문하면 그들을 루저 취급하고, 못난이로 처리하거나, 심지어는 빨갱이로 몰아붙인다. 그게 우리가 걸어온 시대의 모습이다.

. . .

인간 이명박에 대해서 한번 생각해보자.

마사지 받으러 가면 못생긴 여자를 부르는 편이 서비스가 더 좋다는, 그의 솔직담백한 대선 후보 시절의 고백은 나름대로는 그만의 노하우였을지도 모른다. 그는 현대의 아들이자 정주영의 아들이었고, 그중에서도 방탕한 아들이었다. 그런 그가 살아오면서, 단계적으로 뭔가를 밟고(그것도 아주 빨리) 그래서 누군가에게 예쁨을 받는 것 외에 다른 방식의 생각 혹은 다른 삶에 대해서 생각을 해봤을까? 그가 불러다 올린 장관들이나 참모들 중에서, "삶은 단계적으로 행복을 찾아가는 것, 밟고 올라가기 위해 비겁한 짓도 얼마든지 가능한 법, 그리고 그 대가로 방탕하게 노는 것", 그런 게 아닌 삶의 방식에 대해서 생각해본 사람이, 단 한 명이라도 있었을까?

그렇다. 그들은 모두 20세기의 사람들이자 박정희의 자식들이고, 전두환 시대에 승진하면서, 민주 정부 10년 동안 출세만을 생각했던 사람들이 아니던가?

그러나 세상은 바뀌었다. 누가 바꾼 건지는 좀 다른 차원의 문제이지만, 어쨌든 우리에겐 일본인들이 만든 종신고용제는 사라졌다. 공무원과 대기업의 일부, 그들에게만 종신고용제가 허용되어 있고, 이제부터 사회생활을 하는 사람들은 전혀 다른 세상을 살아가게 된다.

즉, 앞으로 우리가 살아가는 세계는, 최소한 경제적 생활 아니 노동자로서의 삶에서는 단계적 삶이 아니다. 오히려 나이 많은 블루칼라들에게는 단계적 삶이 있을지도 모르지만, 화이트칼라의 세계에서는 그런 게 사라진지 오래다.

비겁한 건, 대기업과 공기업 등 대부분의 괜찮은 직장의 초임은 삭감시키면서, 공무원들만 제외시켰다는 점이다. 한국의 공무원들은, 최소한 지난 수년간 국민들을 지킨 게 아니라 자신들만 지켰다. 대졸자 초임삭감을 주도한 부처는 노동부였는데, 대부분의 신입직장인의 임금은 깎으면서, 공무원 초임과 사무관 초임은 왜 안 깎았을까? 최소한의 형평성을 위해서라면, 노동부 공무원이나 사무관 초임 역시 깎아야 하는 게 정상 아닌가?

이명박과 함께 우리가 지난 4년 동안 만든 한국 사회는, 이런 사회였다. '일자리 나누기'라는 이름으로, 대기업과 공기업의 초임은 삭감하면서 자신들의 통치기구인 공무원 임금은 내버려둔 나라……

이러니 온 국민이 공무원 하겠다고 이 난리가 난 것 아닌가?

10퍼센트 이상씩 경제성장을 하던 시절에는, 이래도 별 문제가 없었을 수도 있다. 그러나 현실적으로 종신고용제도 없고, 대폭적인 복지 대책도 없는 상태에서는, 성장률이 유지되지도 않고, 747 같은 화려한 고성장 기조는 존재하지도 않는다.

. . .

지금 여러분 중 20대, 30대가 있다면 한번 묻고 싶다. 자신의 미래가 불안하게 느껴지고, 환갑이 되었을 때의 삶에 대해 가끔씩 걱정이 느껴지지는 않으신가? 정치나 경제가 사회 불안과 불평등을 해결은 커녕 심화시킨다고 생각하지는 않으신가? 당연할 것이다.

지금의 50대 정치인들은, 일본을 베끼거나 미국을 베끼거나 그 두 가지 외에는 그 어떤 상상력도 없었고, 그냥 단계대로 대학 들어가고 승진하면 된다고 살아온 사람들이다. 즉, 미국이 해법을 제시하거나, 일본이 단기간에 종신고용제로 복귀하기 전에는, 도저히 다른 방법을 찾을 수 없는 사람들이다. 그럴 수밖에 없는 게 자신의 삶을 승진 구조로 생각하는 것처럼 국민경제도 단계론적으로 승진하는 것으로 생각하기 때문이다. 그러나 경제는 그렇게 단계론적인 길이 있는 게 아니다. 일본 단계, 미국 단계, 이렇게 거쳐서 우리 국민경제가 움직일까? 천만에.

우리는 지금 길을 잃었고, 우리의 경제도 길을 잃었다. 문제는, 지금 우리의 지도자에 해당하는 50대들이 발상의 전환은 물론 우리 스스로 우리에게 맞는 모델을 찾아야 한다는 생각을, 자신의 긴긴 삶에서 한 번도 해 본 적이 없는 사람들이라는 점이다. 물론 그들 안에도 몽상가나 혹은 대단히 혁신적인 사람이 있었을 수도 있지만 십중팔구, 그런 모난 돌은 이미 그들 사이에서 제거되었을 것이다.

우리가 '대량생산 대량소비'를 하던 지난 10년은 그런 시기였다. 그들이 상상했던 유일한 것은, '4대강 개발'이 생태적이라고 하는 발상이었다. 환경파괴는 어느 나라나 조금씩 있지만, 그것이 '강 살리기'라고 주장할 정도의 파렴치한이나 혹은 그 정도로 무식한 사람들은 우리나라에밖에 없다.

· · ·

자, 한번 생각해보자.

지금의 20대 혹은 그 뒤를 이을 10대들의 삶이 지금의 40~50대가 살았던 것처럼 단계적으로 진행될 것인가? 그리고 그들의 행복도 단계적으로 축적될 것인가? 과연 사회가 어떻게 움직이는가, 경제의 본질은 무엇인가 그리고 우리의 행복은 무엇인가, 그런 질문이 시급히 필요한 것은 이미 현실이 변했기 때문이다.

그런데도 자신이 제대로 승진하고 삶의 궤적을 잘 밟아와서, 행복에 이르렀다고 생각하는 우리 사회 지도자들은 "너희들도 단계를 밟아라"라는 말 외에는 해줄 얘기가 없다. 그런 이유로 '인생은 단계를 밟아가는 것'이 아직도 한국의 통치술로 그 자체로 가장 최상의 이데올로기 자리에 있는 것이다. 시대는 바뀌었는데, 시대정신은 여전히 포섭과 통치의 자리에 머물러 있는 셈이다.

생산과정에서 기술혁신이 단계적으로 진행되든가? 혁신은 단절적이고, 우연적이며, 파편적인 현상에서 비롯된다. 행복이 단계적으로 온다고? 행복 역시 마찬가지다. 승진하면 행복해진다고 믿는 사람들이 알아야 할 것은, 이제부터 사회에 나오는 사람들은 승진할 데가 없다는 사실이다. 편의점 알바나 기업 비정규직에서 무슨 승진을 하라는 거냐? 영원한 수평이동 그리고 나이가 먹을수록 체력이 점점 더 떨어지면서 더 열악한 노동력으로 전락할 뿐. 그런데도 승진하면 될 거 아니냐고 외치는 지도자들…… 그들은 국민들의 고통을 몰라도 너무 모르고, 2010년대 민중의 아픔을 몰라도 너무 모른다.

20평, 30평, 40평, 그렇게 평수 늘려가면서 아파트로 노후보장을 받던 시대, 투기를 행복으로 알았고 지혜로 알았던 투기꾼들의 시대는 곧 끝날 것이다. 그런 그들이 쪽방에서 원룸을 최고의 낙원으로 생각하는 사람들을 이해할 수나 있을까?

"참고 기다려라……."

그러면 승진과 행복이 오는 것이 아니라, 병들고 쇠약해져서 언젠가는 편의점 알바도 하지 못하고, 혼자 쓸쓸히 빈 방에서 시름시름 앓는 날이 올 것이다……. 그게 우리의 미래다. 인생은 입학과 승진이라는 것, 이미 우리에게 먹히지 않은 지 오래다.

한국에서의 평균적 삶은 더 이상 단계론적으로 행복을 찾아갈 수도 없고, 지난 세기 IMF 경제위기와 함께 잃어버린 그 실낙원은 더이상 존재하지도 않는다. 그걸 이해하는 사람이 우리의 다음 대통령이 되는 게, 우리 모두를 위해서 좋다.

승진하는 것을 인생의 목표로 생각하는 사람이 우리들의 지도자가 되어서는(겪어봐서 잘 알겠지만), 우리들 대부분의 삶이 불행해지고, 비루해지며, 국민경제 역시 남루해진다.

. . .

　삶, 그것은 복잡미묘하며 행복은 기기묘묘한 것이다.

　삶, 그것은 승진에 실패한 적이 없는 사람들에게만 부여되는 것이 아니고, 행복 역시 그렇다. 삶은 우리 모두에게 내려진 것이고 행복 또한 단계적이 아닌 언제 어디서든 추구할 수 있어야 한다.

　그걸 이해했거나 적어도 이해하려고 노력하는 사람이, 우리들의 다음 대통령이 되었으면 한다.

마지막
종강을 하며,
드는 회한은

　　　　　15년을 대학에서 시간강사로 학생들
을 가르쳤다. 참 허무하고, 내 삶에 가장 잘못했던 판단 중 하나로 기
억될 것 같다. 건강이 괜찮을 때에는 그 정도의 아픔 정도는 삶의 작
은 부담 정도로 생각하고 아무렇지도 않게 여길 수 있었는데, 몸이
이제 심각하게 아프기 때문에 내가 내 삶에서 내려놓아야 할 첫 번째
짐으로 시간강사라는 자리를 제일 먼저 버렸다.

　어쨌든 누군가에게 희망을 걸고, 가르칠 수 있었던 것은 그 자체로
행복한 일이기는 했다. 그래도 마음에 남는 상처는, 나와 같이 공부
하고 싶었던 후학들을 내가 지켜주지 못했단 거다. 박사논문을 써야
하는 순간이 되었을 때, 그들 중 대부분은 한국의 박사과정이라는 그
벽을 넘어갈 수가 없었고, 외국으로 떠나거나 삶의 길고 긴 방황으로
걸어 들어갔다.

· · ·

　　여러 선생들을 찾아다니면서 혹시 박사과정에 이 좌파 학생을 받

아줄 순 없느냐는 부탁도 꽤 해봤다. 정말 무릎을 꿇으라면 꿇을 맘도 있었고, 그 혹독한 모멸과 모욕들을 꾹 참았다. 그때에는 모욕을 명랑으로 승화시키는 법을 난 알지 못했다. 정말 속에서 눈물이 끝없이 흘렀지만, 울지도 못했다. 그러고는 집에 와서 문을 걸어 잠그고, 몇 시간을 울었다. 학생들을 위해서는 그 정도는 참을 수 있다고 생각했다. 그래도 지켜주지 못했다. 나는 너무 힘이 없었고, 그들의 방황과 그리고 또 방황을 참고 지켜보는 수밖에 없었다.

15년의 시간 동안에 단 한 명의 박사도 배출하지 못한 채 이렇게 대학을 떠나는 거라. 내가 가르친 학생을 내 손으로 박사로 만들어주는 일은 아마 영원히 하지 못할 것 같다.

그러나 아무리 곰곰이 생각해봐도, 내게 남은 다른 선택이란 없었다. 나는 '전국구 빨갱이'란다. 그래서 대한민국에서 적어도 명박 정권 내에서는 내가 누군가에게 학위를 줄 수 있는 일은 벌어지지 않을 거란다. 할 수 없다(지방의 작은 대학에서 소리 소문 안 내고 조촐한 프로그램을 열어보는 것도 알아보았는데 명박 시절, 총장들의 벽을 넘어설 길은 없단다. 그래서 깨끗하게 포기했다).

당분간은 밀려 있는 출간 일정들에 따라 몇 권의 책을 내면서 정말로 수업 시간에 내가 해주고 싶었던, 그러나 살벌한 감시의 틈 사이에선 도저히 해주지 못했던 얘기들을 책으로 쓰는 정도의 일들은 하겠지만. 출판사에도 언제 세무감사가 들어와서 한국에선 책도 쓰지 못하는 상황이 오게 될지도 모른다. 그 정도까지는 감수하고, 어느 정도는 각오도 하고 있다.

내가 정말로 해보고 싶었던 과목은 경제학설사였고(이건 동국대에서 가르쳐본 적이 있다), 공부를 더 해서 경제사 과목을 개설해보고 싶다는 생각이 있었는데, 이건 결국 마음속에만 숨겨둔 꿈이 되어버렸다. 나한테 경제학설사나 경제사 같은 거 배웠다가는, 한국에서 굶어죽기 딱 알맞게 되었으니. 생태경제학도 마찬가지다. 그걸 감수하면서 같이 공부했던, 한때는 열 명도 넘었던 그 연구팀을 끝내 난 지키지 못했다.

울분을 삼키지 못하고 삶의 질곡들을 넘기던 때, 그런 와중에 '명랑'과 만난 것은 정말로 언어도단이고, 기적이라면 기적이다. 절대로 명랑할 수 없던 그 시절, 나는 명랑과 만났다. '궁즉통窮則通'이라고나 할까. 수업을 그만둔다고 생각하고 나니까, 마음이 편해졌다.

그 첫 생각을 여수에서 했고, 그 결심을 굳힌 게 경주였다(학회에 참가해서 이제 더 이상 이방인과 장식품 노릇을 할 이유가 없다는 것을 문득 깨달았다). 막 그런 결심을 하고 문무대왕릉을 바라보고 있던 순간, DJ의 타계 소식을 들었다. 그 순간이 아직도 잘 잊혀지지 않는다.

. . .

앞으로 다시는 사람들과 스승과 제자라는 형식의 관계를 맺지 않으려고 한다. 이건 나 정도 되는 작은 그릇의 사람이 감당하기에는 너무 고통스럽고 괴로운 관계다. 열심히 몇 년간 공부를 한 제자가 박사가 되어야 할 순간이 왔을 때, 내가 학위를 줄 수도 없고, 어디론가 다른 대학원을 찾아서 떠돌아다닐 수밖에 없던 그 상황, 그건 내게 좀처럼 잊혀지지 않는 괴로움으로 남아 있다.

앞으로 사람들과는 스승과 제자, 선배와 후배, 이런 관계로 만나지 않고 그 누구를 막론하고 파트너라는 수평적 상태로 만나려고 한다. 내가 누구에게도 머리 숙이고 싶지 않은 것처럼, 누구도 내 앞에서 머리 숙여야 하는 상황을 절대로 만들고 싶지 않다. 우린 누구에게도 머리 숙일 필요가 없고, 그래서 누구도 자신에게 머리 숙이게 해서는 안 된다. 그게 내가 15년간의 대학 강사생활을 그만두면서, 지금껏 이런저런 이유로 맺고 있던 스승과 제자라는 관계를 해소하면서, 가슴속에 새겨두게 된 작은 경구다.

앞으로는 정말로 누구도 나에게 머리를 숙이거나, 위계관계 안으로 들어오게 하지는 않겠다.

모든 사람은 그 영혼에서 육체까지 모두 평등하다.

때로는 악플도 그립다

악플러들, 어이 자네 밥은 먹고 다니는가?

나는 별로 리플을 즐기는 편도 아니고, 악플은 더더군다나 그렇다. 그래도 악플이 전화보다는 낫다. 칼럼 나갈 때마다 무슨 무슨 협회나 무슨 무슨 회사에서 전화해서는 고소한다는 둥 고발한다는 둥 팩스 열라 보내고, 사과하라며 별 생지랄을 떤다. 그럼 난 "니 맘대로 해라", 그러고는 보통은 끝난다. 진짜로 고소당한 건, 명박 쪽 인사들한테 뉴타운 때(와, 벌금 100만 원 냈다. 전또깡 시절에도 잘 도망다녔던 내가……). 뭐, 처음 악플 달리면 고민도 좀 되고, 이것저것 살아온 날들도 다시 돌아보게 되지만, 만 개쯤 넘어가는 일을 몇 번 겪고 나니, 아무 신경도 안 써지는 순간이 오더라. 전화도 청와대 아니라 청와대 할아버지라도, 경찰 아니라 경찰 할아버지라도, 그래서요? 그냥 개긴다. 이젠 전화는 아예 안 받는 게 습관이 되어버렸다. 악플도 악랄하지만, 사실은 면전에서 만나는 확신범들이 난 진짜 무섭다. 그리고 악플 싫다고 실명제 하자는 사람들이 더 무섭다.
그래도 때로는 그런 악플도 그리운 순간이 있기는 하다. 굳이 필드 스터디 나갈 필요 없이 열혈분자들의 반응을 살펴볼 수 있는 것도, 학자로서는 그저 고마운 일일 뿐이다.

나와 같이 사는 고양이를 보면서,

내가 고양이를 돌보는 건지

고양이가 나를 돌보는 건지

그 질문을 비로소 해보게 되었다.

5

의욕도
재미도 없는
무미건조한 일상이
지겹다면

고양이는 개성이 강하다고 알고 있는
데, 성격도 나이에 따라서 변한다고 한다. 확실히 우리 집 야옹구는
한 살이 넘어가면서 엄청나게 쾌활해지고, 밝아졌다. 야옹구는 탈진
해서 길거리에 쓰러져 있는 걸 누군가 불쌍하다고 동물병원에 맡겨
놨는데, 마침 쥐 잡을 고양이를 찾던 우리 집과 연이 닿아서 입양되
었다. 수의사 아저씨 얘기로는 3일만 더 기다려보고 입양해갈 사람
이 안 나타나면 규정대로 안락사시킬 운명이었단다.

처음 집에 왔을 때에는 오른쪽 수염은 다 끊어져서 없었고, 털도
여기저기 빠진, 정말 비 맞은 고양이 모습 그대로였다. 우울하고, 소
심하고, 겁도 많았다. 그러나 요즘은…… 완전 제 세상이다.

길냥이 출신이면 아무거나 잘 먹어야 할 텐데, 이건 완전 공주병
중증인 고양이다. 먹는 게 정말 까탈스럽다. 주변에서 굶기면 배고파
결국 먹을 거라고 해서, 며칠 굶겨봤는데 죽으면 죽었지 그냥 아무거
나 안 먹는다.

장마철이 되니까 돌아다니면서 오줌 싸는 습격도 대대적이다. 빨

아놈은 내 흰 티셔츠 하나 당했고, 아내가 몇 년째 써오던 책가방도 당했다. 모르고 들고 나갔다가, 지하철에서 창피해 죽는 줄 알았단다. 모래통도 자주 갈아주지만, 장마철이라서 영 쾌적한 분위기가 아니라서 그런지, 잠시만 방심하면 찍! 참 못된 게 자기 눕는 곳, 자기 쉬는 소파, 자기 올라가는 TV 위, 이런 데는 절대 안 하고, 자기에게 속하지 않은 것들에만 골라 한다. 고양이 키우는 법에 관한 일본 책을 보니, 고양이가 오줌 싼 것들을 들고 고양이한테 아무리 혼내봐야 고양이는 못 알아듣는다고, 그냥 포기하라고 되어 있다. 역시 막 뭐라고 해봐야, 알아먹는 표정이 아니다. 그래도 귀신같이 지 예쁘다고 말하는 거랑 멋지다고 말하는 건 알아듣는 것 같다. 지 놀리는 말도 알아듣는 것 같고.

무엇보다 동물병원 데리고 가는 게 큰일이다. 집 밖으로 나가면 다시 버려진다고 생각을 하는지, 아님 단순히 나가는 게 무서운지, 정말 쌩 난리블루스다. 고양이들이 좋아한다는 캐리어를 비롯해 별의별 가방들로도 다 시도해봤는데, 짤탱이 없다.

사교성도 여전히 부족해서 다른 사람이 오면 부리나케 도망가서 어딘가 숨어버리거나, 소파 밑으로 들어간다. 몸이 다 커서 들어가기 쉽지 않은데도, 꾸역꾸역 기어 들어간다. 특히 다섯 살 먹은 완전 개구쟁이 조카는 고양이 경계령 1호 대상이다. 이 녀석 만나면, 야옹구 경기 든다.

• • •

요즘 나는 때 아닌 아침형 삶을 산다. TV를 보다가 그냥 마루에서 잠드는 일이 종종 있는데, 정확히 새벽 6시 반이면 야옹구가 내 귀에다 울어대기 시작해서, 더 잠을 잘 수가 없다. 계속 이렇게 시달리다 보니 요즘은 밤 11시면 피곤해서 곯아떨어진다. 새벽이면 끈질기게 깨워대는 고양이 때문에…… 거의 정상인과 비슷하게 사는 중이다.

또 기온이 좀 떨어질라치면 고양이가 이불 속으로까지 파고 들어온다. 가끔 내가 몸을 뒤척일 때면 옆에 깔려서, 꽥! 정말로 꽥 하고 소리를 낸다.

애기 고양이 때에는 내 무릎 위에 곧잘 올라와서 놀곤 했는데, 이젠 덩치가 커져서 무릎 위에 올라오지는 않고, 그 대신 잘 때 내 다리쪽 이불 위에 올라와서 자기도 한다. 헉, 무겁다! 야옹구 때문에 요즘은 다리도 잘 못 뻗고 자기도 한다.

그래도 자고 있는 고양이를 볼 때면, 세상에 이렇게 평온한 삶이 있나 싶다. 매일 논쟁하면서 이건 아니다, 저건 진짜 더 아니다, 그렇게 살아가는 이 삶들이 다 부질없다는 생각이 종종 든다.

최근에 야옹구는 끈놀이를 새로 익혔는데, 방문 앞까지 끈을 물고 와서 날 기다리면 당해낼 재간이 없다. 이거 들고 뛰어다니느라고 내가 아주 헉헉거린다.

창가에 기대어 잠시 사색이나 해볼까 이런 같잖은 폼 잡을 량이라도 하면, 개폼 떠는 걸 도저히 야옹구가 두고 보지를 않는다. 고양이 등쌀에 명랑하지 않을 도리가 없다.

즐거운 일이 그렇게 많지는 않은, 약간은 무료하고 따분한 날들이지만 그야말로 난 고양이 보는 맛에 산다.

아내

다른 사람들은 아내와 어떤지 잘 모르겠지만, 나는 하루의 가장 많은 시간을 아내와 대화를 나누며 보낸다. 내가 출근을 할 때도 있고 아내가 출근을 할 때도 있지만 대체적으로 둘이 동시에 출근한 일은 결혼하고는 거의 없어서, 특히나 엄청 가난하던 시절부터 아내와 나는 정말 많은 시간을 함께 보냈다.

같이 인형 눈깔이라도 붙일까? 오뎅 파는 포장마차라도 끌어볼까? 너무 돈이 없던 시절, 우린 별의별 얘기를 다 했었다.

결혼할 당시 태권도 3단이었던 아내가 결국 4단 승단시험을 보고 태권도 사범증까지 딴 것은, 태권도장의 새끼 사범이라도 하지 않으면 도저히 살아갈 길이 없다고 생각해서였다. 그렇게 해서 결국 아내는 태권도 사범이 되었고, 그리 큰돈을 벌어다주지는 않지만 어엿한 자기 수업을 가지고 있는 정식 사범이 되었다.

내 주변엔 그래서 같이 공부했던 사람들, 같이 책 읽던 사람들보다도 태권도 선수와 사범 등 태권도 피플이 엄청 많아졌다. 그렇게 오랜 시간 같이 논문 쓰고, 같이 공부를 한 사이일지라도 의리로 치면 역시 태권도 피플의 의리를 따라올 수가 없다. 아내가 태권도 사범이다 보니, 자연스럽게 나도 태권도 피플이 되었다. 보통은 사범들끼리 모여서 놀면 아내들끼리 또 따로 자리가 열리는데, 나는 그 자리에서 아내가 4단 승단을 하고 사범연수까지 받도록 뒷바라지한 남편 자격으로, 사범들의 아내와 수다 떠는 자리에 끼게 된다. 같이 도장 나가고, 집에서 태권도 연습할 때 구경해주고, 승단준비를 도와주고, 승단시험 앞두고 쫄아 있을 때, "잘 될 거야"라고 격려해주는 사범 아내들의 모습과 내 모습이 그렇게 크게 다르지는 않다.

. . .

가끔 부부싸움하면 내가 문 걸어 잠그고 방으로 들어갈 때가 있다. 아내가 밖에서 문을 차면서 말한다.

"부술까, 열까?"

아내는 엄지손가락으로 송판 격파도 한다. 방문은 사실 한 번에 부순다. 우리가 넉넉했었더라면 방문 여러 번 부숴졌을 것이다만, 우리에게는 문을 고칠 돈이 없다. 싸워봐야 나만 손해다. 아내가 장난으로 주먹을 휘두르면 나도 같이 장난으로 막아보지만 다음 날, 팔목이 온통 피멍투성이다.

"미쳤지, 내가. 태권도 4단 주먹을 팔로 막아?"

아내는 글도 나보다 잘 쓰고, 공부도 나보다 잘하고, 주먹도 나보다 세다. 난 한창 때에도 문학상은 못 탔는데, 아내는 오태석 문학상을 탔다. 내가 아내보다 잘하는 건, 술을 잘 마신다……. 그리고 운전을 잘한다.

태권도 사범 부인이랑 살면 어떠냐는 질문을 종종 받는데, 가끔 장난으로 부딪혀서 피멍이 드는 것 외에는 대체적으로 무난하다고 답한다.

"그래, 때려라. 니 남편 죽지, 내 남편 죽냐! 하하하……."

몇 년 전부터 아내에게도 허리살이 잡히기 시작했는데 그럴수록 나는 더 열심히 아내에게 맥주나 회를 먹였다.

"나만 배가 나오는 게 아니라니까. 너도 내 나이 돼 봐라, 별 수 있나. 그래도 난 잘 버텼다니까……."

아내가 이제 두 번째 책을 내는데, 이 책 원고는 정말 재미있다. 워낙 오랫동안 같이 얘기를 해서인지 어디서부터 어디까지가 아내의 생각이고, 또 어디서부터 어디까지가 내 생각인지, 헷갈릴 때가 많다. 나도 아내도 워낙 오랜 시간을 같이 얘기하다 보니, 서로의 생각을 구분하기가 쉽지가 않다. 연애하기 전에도 스터디를 오랫동안 같이 했었는데, 처음 같이 공부를 시작한 걸로 치면 이제 10년 가까이 되니까, 진짜로 서로의 생각을 구분하기가 쉽지 않을 정도다.

살면서 아내가 가장 자랑스러웠던 순간은, 태권도 4단 승단심사에서 무난히 통과했던 때다. 그날이 아마 지난 10년 동안 가장 행복하고 짜릿하고 즐거웠던 순간으로 기억된다. 내가 아내에게 진짜 바라는 게 있다면 태권도를 계속 잘해서, 5단이 되는 것이다. 나와 태권도와의 인연을 거슬러 올라가보면 예전에 나랑 가장 친했던 선배들이 다 태권도 하는 선배들이었다. 그들은 대개 5단에서 6단, 소위 '왕중왕'이라고 불리는 대통령배, 전국체전 그리고 선수권배 등 고등학교 때 3개의 타이틀을 가진 챔피언들이었다. 서울에 돌아와서 내가 가

장 먼저 받았던 잡 오퍼 역시 국기원을 비롯한 태권도 세계였다. 현
대에 들어가면서 태권도와의 인연은 끝이 나는가 싶더니, 사범 아내
를 모시고 살게 될 줄이야! 인연은, 인연인가 보다. 다른 사람들은
어떻게 사는지 모르겠지만 나는 나보다 완력으로나 물리력으로나,
다 뛰어난 사범 아내를 모시고 산다. 한 대라도 맞으면…… 손해다.

· · ·

정말 너무너무 가난했던 순간, 아내는 태권도장의 새끼 사범이라
도 해서 먹여 살리겠다고 그랬더랬다. 한 달에 100만 원을 어떻게든
생활비를 위해서 만들어야 했는데, 나는 집에 돈도 가지고 오지 않
고, 있는 돈을 가져다 쓰면서 녹색당 만든다고 방방 거리고 다녔다.
은퇴하고 농민이 되기로 한 게 그때 같이 했던 약속이었다. 알고 있

아내와 가끔 싸우기도 하는데
그때마다 야옹구가 시끄럽다고 옆에서
뒹군다. 아내랑 내가 동의하는 게
생명체 하나를 우리가 행복하게는
해주었구나…….
부부싸움, 우린 고양이 때문에
길게 하질 못한다.

던 거 다 정리하고 나면, 조그맣게 농사지으면서 살자고. 아내는 시골에서 태권도 가르치고, 나는 시골 아이들에게 악기를 가르치는 조그마한 문화교실 같은 거나 열어서 말이다. 경제대장정 시리즈는 그런 상황에서 준비가 되었던 것이다. 전혀 팔리지 않을 것이라고 생각하면서도 경제학 시리즈 한 번, 생태경제학 시리즈 한 번, 그렇게 그동안 공부한 것을 한 번은 정리하고 은퇴해야겠다고 생각했었다.

그 시절 아내와 같이 약속한 게 또 하나 있다. 스위스나 일본 같은 데서 교수 초빙이나 연구원 초빙 같은 게 왔을 때, 힘들어도 이 땅에서 지지고 볶고 같이 살자고. 원래 아내는 한국에서 별로 살고 싶어 하지 않았고, 내가 한국에서 비비적거리고 있는 것도 탐탁지 않게 여겼는데…… 지지든 볶든 이 땅에서 살자면서 아내는 한동안 손을 놓았던 태권도를 다시 하게 되었고, 결국 사범이 되었다.

. . .

마흔 살, 나는 그렇게 아내와 같이 고갯길을 넘었다.

그렇게 몇 년을 지내고 나니 어디서부터 어디까지가 내 생각이고, 어디서부터 어디까지가 아내의 생각인지, 그게 잘 구분되지 않는 순간이 왔다.

아내에 대해서 생각을 하니,

참 많은 것을 같이 했다는 생각이 문득 든다.

편지

편지라는 게 사회적으로 사라질까?

다른 건 모르겠지만, 연애편지는 점점 사라지는 것 같다. 뭐니뭐니해도 짝사랑의 하이라이트는 연애편지에 있는데……. 누군가에게 그렇게 열심히 글을 쓸 수 있는 기회가 연애편지 아니면 또 어디 있겠는가? 한참 연애 중인 대학생들을 꽤 많이 알고 있지만 연애편지를 주고받는 학생들은 찾아보기가 어렵다. 그러나 어느 한구석에서인가 아직도 연애편지를 쓰는 사람들이 분명 있긴 있을 것이다.

결혼할 때 나도 아내에게 매일 편지를 쓰겠다고 약속했었는데, 사실 매일 쓰지는 못했다. 중요한 전환점이 있을 때만 편지를 쓰긴 하는데, 그보다는 사실 반성문을 더 많이 쓴다. '술 처먹지 않겠다', '청소 열심히 하겠다', '집에 일찍 들어오겠다', 그렇게 틈틈이 반성문을 쓴다. 반성문보다는 편지를 더 자주 써야지 하고 생각을 하는데, 현실의 삶에 치이다 보면 그게 그렇게 쉽지가 않다.

그래도 올해부터는 아내에게 좀 더 많은 편지를 써보려고 한다. 계획만 세우고 못 써본 편지도 있는데 딸이 태어나면 딸의 열세 살 생일을 맞았을 때 줄 편지다. 미리 써봐야겠다고 생각을 하긴 했지만, 이건 몇 년째 공전 중이다.

편지가 점점 사라지는 시기라서, 편지의 가치는 더욱 귀해지는 것 같다. 우선, 편지는 많은 시간을 들여야 하고 또 수정이 어렵기 때문에 결국 여러 장을 찢어 먹으면서 한 장을 만들어낸다. 그래서 편지는 더욱 가치가 있다.

지난해 내가 받은 몇 통의 편지 가운데, 별로 친하지 않은 사람한테 온 일종의 그만 싸우자는 의미의 편지가 하나 있었다. 물론 내용은 그런 게 아니었지만, 일부러 펜을 들어 편지를 쓴 건 아마도 휴전 요청일거라고 나는 이해했다. "그래, 싸운다고 답이 나올 일도 아닌데, 죽어라고 증오하면서 싸워야 뭐하겠나?" 나도 날카롭게 벼르고 있던 칼을 내려놓았다.

꼭 촌급을 다투는 사무적인 일이 아니라면 올해부터는 나도 일부러라도 편지를 좀 많이 써볼까 한다. 편지를 기다리는 사람들이 내 주변에 아직은 많이 있으니 말이다. 편지 받을 때의 반가운 마음은 누구라도 마찬가지 아닐까? 편지 받고 기분 나빠 할 사람은 거의 없다. 그건 짝사랑의 경우든, 결혼생활이든, 아니면 언제 깨질지 모르는 갈등 중의 사이에서도 말이다.

1980년대에 우리에게도 낭만이 있었던 것인지는 아직도 잘 모르겠지만, 리포트 용지에 빼곡히 글씨를 적어 넣은 학보를 말아 보내던 것만큼은 다른 나라에서도 보지 못했던 최소한 그 시절의 독특한 문화였던 것 같다. 그건 참 멋있었다. 어느 대학이나 현관 앞쪽에 학보 통이 있었고, 전국에서 날아온 다른 학교의 학보가 가득했던 모습,

정말이지 많은 사람들의 정성과 여유와 낭만을 상징했던 것 같다.

. . .

편지, 그것만이 가지고 있는 매력과 힘은 21세기에도 여전히 유효하다. 어떻게 생각하면 모든 편지는 자기에게 보내는 편지인 셈이다. 우체국 소인과 함께 떠나보내지만, 사실 그 편지는 자기 마음속으로 배달되는 것이 아닌가? 자기가 쓴 편지는 쉬이 잊혀지지도 않는다.

시대가 바쁘다고 한다. 그러나 편지 한 장 쓰기 어려울 정도로 바쁜 삶, 그런 삶은 애시당초 존재하지 않는지도 모른다.

편지 한 장조차 쓰기 어려운 삶은, 사실은 정말로 소중하게 생각하는 사람에게 그 소중함을 담아 보내는 방법을 잘 모르는 삶이 아닐까 싶다.

문방구에서 꽃무늬나 해변가를 그려 넣은 편지지와 편지봉투가 한가운데를 차지하던 시절이 우리에게도 있었다. 언제부터인가 편지지는 메일의 스킨 양식으로 바뀌었고, 온기가 묻어나던 편지는 차츰 모습을 감추었다. 빨간 우체통과 함께.

몇 년 전에 파리 지베르 조셉 책방에 들렀을 때 잔뜩 모양새를 낸 장식무늬의 편지지들을 여전히 팔고 있는 것을 본 적이 있다. 아, 이 사람들은 아직도 편지를 쓰고 있구나……. 꽃단장을 한 유치하고 촌스러운 편지지들이 다시 우리 곁에 돌아오는 날이 있었으면 좋겠다.

편지 한 통, 그것은 아직도 내가 살아 있다는 느낌을 주는 나에게로 떠나는 가장 손쉬운 여행 아닐까?

좋은 남자와
좋은 남편

좋은 남자가 어떤 남자인지는 잘 모른다. 나의 연애 경험이라는 게 사실 일천하다. 대학 시절, 내 주변에서 연애하지 않던 사람은 나밖에는 없었으니. 오랜 짝사랑을 하느라고, 대학 내내 연애 한 번 못 해봤다. 피아노 치는 소녀를 오랫동안 짝사랑했었는데, 사실 실제로 본 것은 태어나서 딱 세 번 그리고 꽤 시간이 지난 다음에 시내에 가투 나갔다가 온몸에 최루탄과 눈물범벅을 한 채 돌아오는 길에 지하철에서 한 번.

그래서 파트너랑 같이 오라는 그런 데에는 한 번도 안 갔다. 동문회장 할 때에는 그런 행사를 만들기도 했는데, 같이 갈 사람이 없어서 과 선배한테 부탁해서 선배 여동생과 가기로 했었는데, 을지로역에서 서로 길이 헷갈려서 그만.

어쨌든 짧았던 나의 연애는 대부분 '새드스토리'다. 그래서 좋은 남자가 어떤 건지, 솔직히 잘 모른다. 아마 애인으로 치면 나 같은 사람이 제일 인기 없고, 진짜 폼새 안 나는 애인일 것이다.

반면, 좋은 남편이 어떤 건지는 요즘은 조금 알 것 같다. 결혼 초에는 요리도 곧잘 했는데, 요즘은 시간이 잘 안 나서 못 하긴 하지만(하는 거라 봐야 가끔씩 별식을 먹을 때 채소 채치는 것 정도?) 그래도 좀 여유를 내서 요리하는 시간을 늘리려고 한다. 맛은 장담 못 하지만, 어쨌든 만두만 빼고 분식점에서 만드는 음식과 한식집에서 만드는 음식은 대부분 만들 줄 안다. 중화요리도 한번 배워보려고 했는데, 학원 다니려고 딱 맘먹었을 때, 현대에 취직하게 되어서…….

시간강사 시절에는 도저히 그걸로는 생활할 수가 없어서 조리사 공부를 하려고 한 적도 있다. 아는 양반이 조리사 자격증만 따면 호텔 조리실 관리직으로 취직을 할 수가 있다고 해서. 경제학 박사라고는 하지만 정치경제학 전공으로 대한민국에서 그 누구한테도 눈치 보지 않고 할 수 있는 일을 알아봤더니 제빵사, 조리사, 자동차 정비, 그런 것밖에 없었다. 사회주의가 붕괴하고, 사회과학 붐이 끝나면서 정말로 할 게 별로 없던 그런 시절이었다.

내가 특히 잘하는 것은, 가정식 에스프레소를 뽑는 거다. 이탈리아 가정식 에스프레소라고 별 건 아니고, 갈아 넣은 원두를 에스프레소 주전자로 내려 마시는 거다. 로스팅도 배워볼까 했는데, 엄청나게 커피 원두를 버리게 될 것 같아서, 그냥 로스팅된 원두를 산다.

좀 비싸기는 하지만, 주로 게릴라 반군들이 만드는 원두를 약간 복잡한 루트를 통해서 구해다가 마시기도 하고, 각 지역별로 도움을 주고 싶은 사람들이 만드는 커피를 구해서 마시기도 한다. 최고의 커피라고 하는 킬리만자로 트리플 A도 구해서 마셔본 적이 있는데, 맛은 기막히기는 한데 너무 비싸서 한 번 마시고는 포기했다. 다른 음식 재료는 그렇게까지 유난을 안 떨지만, 커피 원두는 희한한 걸 구하

정도는 한다.

카페 프라페라는 프랑스 식당에서 아르바이트 할 때 배운, 파리식 냉커피도 잘 만든다. 방법은 간단한데, 칵테일 만들 때 쓰는 쉐이커가 필요하다. 얼음을 가득 채우고, 여기에 에스프레소와 약간의 설탕 시럽을 넣은 뒤 칵테일 만들 듯이 쳐주면 된다. 한여름의 별식으로는 나름대로 쓸 만하다. 여름에 아내 친구들이 집에 놀러올 때면 히든카드로 내놓는다. 냉커피 말고도 아기가 놀러올 때 만들어주는 딸기우유랑 그런 몇 가지 등은 다 파리의 식당에서 서빙할 때 배운 음식들이다. 식당에서 아르바이트 하려면 식사 시간이 아닐 때에 손님들이 주문하는 음식 몇 가지는 직접 만들어야 하니까, 정말 간단한 음식들을 배워뒀는데, 나름대로는 아내 친구들 놀러오면 요긴하게 써먹기는 한다. 내가 일했던 식당은 특급까지는 아니더라도 좀 고급 식당이어서, 포도주 예절도 그때 배웠다. 당시 왔던 손님으로 기억나는 사람은 앙드레 김인데, 한국 유학생이라고 주인이 나를 소개해 인사를 했더니 500프랑을 팁으로 주었다. 그때 돈으로 약 10만 원 정도 되는데, 정말 요긴하게 잘 썼다(박사학위 받고 나서도 정말 돈이 없어서 별의별 아르바이트를 다 했는데 그때 했던 잡일 중에서는 장례식장에서 문 열어주는 일이 가장 기억에 남는다).

· · ·

좋은 남편은 집안일을 잘하는 남편이 가장 좋은 남편일 텐데 나는 다리미질에는 영 꽝이고, 집 안 청소도 만날 약속만 해놓고 그렇게 자주 하지도 못한다. 가사분담률을 50퍼센트를 넘기겠다고 속으로는 생각을 하면서도, 실제로는 그렇게 실행하질 못한다. 대신 가끔 거르는 날이 있기도 하지만 매일 영화 한 편을 골라서 아내와 같이 본다. 다행히 아내는 내가 골라주는 영화를 좋아하는 편이다.

책은 절반 정도를 같이 보는데, 내가 산 책 중에서 아내가 안 보는 것도 좀 있지만, 아내가 산 책 중에서도 내가 못 본 것들이 꽤 있다. 어쨌든 양쪽에서 책을 사대고, 결혼 전에 산 책 중 두 권씩 있는 책들도 있으니 한마디로 책 정리가 집안일 중에서 가장 큰일이다.

나는 보석에 별 취미가 없는 아내에게 장신구를 선물한 적도 거의 없는데, 결혼하고 첫 번째 기념일이 돌아왔을 때에는 특별히 스와로 브스키 귀걸이 세트를 사주었다. 그 시절에는 정말 가난했는데, 그래도 그냥 넘어가기가 그래서 고르고 골라서 스와로브스키로 결정을 했다. 사실, 결혼하기 전에 결혼하면 첫 번째 결혼기념일 때 아내한테 사주겠다고 몇 년 동안 생각했던 것이기도 하다(겨우 유리조각을 그렇게 돈 주고 사냐 싶지만 스와로브스키는 여성들이 자신을 위해서 사는 장신구라는 특징이 있다. 금이나 다른 보석과는 달리, 스와로브스키는 살 때에는 비싸지만, 세공을 다시할 수가 없어서 환금성이 제일 떨어지는 물건이기도 하다). 대부분의 물건은 내가 아내에게 사주는데, 아내가 나에게 사주는 물건은 컴퓨터와 만년필, 잉크. 이런 걸 그냥 내가 지나가다가 사면, 아주 화낸다.

소득은 내가 많을 때도 있고, 아내가 많을 때도 있다. 정말 돈이 없었던 때에는 아내가 학교에서 받아오던 조교 장학금이 우리 집의 유일한 소득인 적도 있었다. 대체적으로 내가 많은 편인데, 올해부터는 아마 난 인세 외에는 특별한 소득이 없을 것이므로, 아내가 나보다 소득이 많을 것 같다(인세로 생활이 되면 좋겠지만, 아직까지는 그렇지가 않다).

사회적 직위도 아내가 나보다는 높은 것 같다. 아내가 유학 간다고 모아둔 돈은 정말 안 쓰고 싶었는데, 녹색당 만든다고 돌아다닐 때 그 돈으로 생활비를 한 적이 있다. 그리고 아직도 그 돈을 못 갚았다. 부부싸움하면, 내가 일방적으로 당한다. 아내식 금리 계산은, 사채이자로 계산을 하기 때문에, 이제는 엄청난 금액이 되어 있다. 여기에 정신적 보상까지 계산을 하자면…… 감당이 어렵다.

가끔 부부싸움을 하다가 아내가 이혼 위자료 계산을 하는데, 지금까지 번 것은 물론이고 미래 소득의 절반까지 요구한다. 내가 일방적으로 밀리는 경우가 대부분이기 때문에, 그냥 미래 소득도 다 준다고 한다.

결혼 초 힘들 때에는 아내가 집 나간다고 주로 했는데, 요즘은 내가 나간다고 한다. 그러면 그냥 나가라고 한다. 몇 번은 현관문 앞에까지는 나가 봤는데 추운 날, 쫓겨나면 갈 데가 정말 없어서 이젠 그냥 무조건 죽을 죄를 지었다며 싹싹 빈다.

주머니에 만 원짜리라도 있으면 좋으련만, 내 주머니엔 보통은 몇천 원이 전부인 경우가 많다. 현금카드도 안 쓰고, 탈탈 털어봐야 사실 돈도 없다. 밖에 나갈 때에도 아내에게 만 원씩 타 쓴다. 학생들 만날 때에는 밥도 사주고, 술도 사줘야는데 10만 원 달라고 하면 아내가 독사눈을 뜬다.

내가 가장 비참한 느낌이 들 때는 밤에 담뱃값 달라고 할 때다. 그렇게 구박을 받으면서도 담배를 꼬박꼬박 피워야 하나…… 그런 생각은 전혀 안 든다. 비굴함을 참는 게 낫다.

다행히 한 달에 한 번 정도는 밖에서 소주를 마셔도 된다는 허락을 받았다. 그 한 번 마시는 기회를 누구와 쓰느냐…… 그것도 고민된다. 술값과 택시값을 받아서 한 번씩 외출하는 날, 그날이 한 달 중에서 제일 기분 좋은 날이다. 책 원고 넘기는 날, 아니면 망년회 하는 날, 대개는 그런 날들이다. 예전에는 출판사 에디터와 소주 마시는 정도는 봐줬는데, 술 마시면서 얘기해야 하는 자리가 자꾸 생기니까 이젠 출판사를 바꾸라고 한다.

술 사준다고 할 때 아내가 허락하는 사람은 여전히 고생 중인 좌파 동지 아니면 진짜 어려운 시민단체 활동가뿐. 아내는 활동가 출신이다. 그래서 소위 명망가 만난다고 하면 집에서 터지고, 실무자를 만나야 한다는 명분 정도가 있어야 술값을 준다.

우리 집 권력 구도로 보면 내 위에 아내가 있고, 아내 위에는 고양이가 있다. 먹이사슬로 치면 최종 프리데이터가 고양이인 셈이다. 즉, 고양이가 있고 고양이 시중드는 머슴이 둘 있는 셈이다.

· · ·

좋은 남편이 되는 걸 생각해보니 돈을 잘 버는 것도 아니고, 폼나는 삶을 살게 해주는 것도 아니다. 아내는 공기업 부장 사모님에서 이사 사모님 그리고 시간강사의 빈처 등 하여간 내가 워낙 어울렁 더울렁 살았으니, 폼 나는 것에서 폼 안 나는 것까지 다 경험해봤다. 소득이 아주 많을 때도 있었고, 아예 소득이 없을 때도 있었고, 그것도 어울렁 더울렁 다 해본 셈이다.

좋은 남편은, 그냥 죽어지내면 된다. 같이 영화 보고 얘기하는 시간을 많이 갖고 생각나는 대로 틈을 내서 집안일 많이 하면 그때가 가장 가정이 행복한 것 같다.

남편의 격, 그런 건 아예 없다고 생각해야 평온하고 행복하다. 그래야 담뱃값이라도 얻을 수 있다. 비굴과 굴종의 대가는, 대신 아주 달다.

또, 내가 아내를 위해 한 것은 제사를 없애고 명절 때 밥하는 일 같은 걸 없애준 일이다. 나는 교수가 되기를 몇 년 전에 포기하고, 아예 생각을 안 하고 산다. 삶이 편해졌다. 아내도 되는 대로 산다. 나도 되는 대로 산다. 그래도 어떻게 밥은 먹고 사는 것 같다. 내가 잘 만드는 음식이 몇 가지 있으니까 살다살다 정 안 되면 아내는 식당 주인하고, 내가 요리하고, 그런 얘기도 나눈다. 몇 개는 팔릴 것 같다고.

우리 집에는 승진, 취직, 출세, 그런 개념이 아예 없다. 집안의 대화 내용이라는 것도 다른 집과는 아주 다르게 최근의 환경운동연합 소식, 최근의 녹색연합 소식, 최근의 생협 소식, 주로 그런 내용들이다. 올해는 아이를 가지려고 노력 중인데, 벌써 아이 중학교 문제 가지고 논쟁을 벌인다. 나는 중학교 나올 필요가 없다는 주장이고, 아내는 중학교는 졸업할 필요가 있다는 주장이다. 두 가지 설이 팽팽하게 맞서지만 하여간 아내와 내가 동의하는 시점은, 열다섯 살이다. 정말로 하고 싶은 것을 열다섯 살 때부터는 하고 살 수 있어야 행복한 삶일 거라는 게 아내와 내가 동의하는 바다.

우리 집이나 아내 쪽 집안이나, 집안에서 좌파가 딱 한 명씩 나온 셈인데 나나 아내는 열다섯 살 때에도 하고 싶은 것을 못 하고, 바보처럼 부모님들에게 속아서 남의 삶을 살았다. 열다섯 살 때 도저히 우파 부모님들과는 살 수가 없어 집에서 나오고 싶었는데, 그때 왜 내가 진작 집에서 못 나왔을까? 내 인생에서 후회스러운 일이 딱 하나 있다면, 바로 그때 가출하지 못한 일이다. 결국 대학교 3학년 올라가기 직전에 집을 나왔는데 괜히 얼굴 보며 싸울 필요도 없고, 서로 안 보게 되니까 가끔 그립기도 했다. 그래도 「조선일보」 평생 보는 부모님과는 지금도 만나면 싸우고는 한다.

· · ·

결혼하기 전에 아내와 짧은 기간 동거를 했었는데 아내가 짐을 싸서 집에서 나오던 날, 그날이 지금 우리 집이 시작된 첫날이다. 그 동거로부터, 우리는 해방되었다.

결혼할 때 혼수니 예단이니, 이런 건 일절 없었다. 아내가 자기 혼수라고 주장하는, 아직도 버리지 않고 있는 배불뚝이 TV, 그게 전부였다. 요즘 우린 그놈을 침실에 놓고 주로 영화를 보고 있다.

사회가 '예의'라고 만들어놓은 것들, 우리 집에는 일절 없다. 남들다 하는 것, 그런 것은 절대 안 한다. 그 대신 얘기를 많이 하고, 영화를 같이 많이 보고, 책을 함께 읽고, 여행을 자주 다닌다.

좋은 남편이 되는 법에 대해서는, 조금은 이해를 할 것 같다.

어느
누님을 위한
연가

나이가 마흔이 넘으면서, 예전에 편하게 쓰던 단어들이 때론 남사스럽게 느껴지는 경우가 있다. '오빠' 같은 단어가 그렇다. 원래도 나한테 '오빠'라고 하는 사람들은 잘 없었지만, 대학 시절에도 난 이 오빠라는 단어가 영 불편했다. 그나마 가끔 오빠라고 부르던 후배들도 나이 마흔이 넘어가니 더 이상 그런 단어는 쓰지 않는다. 다행이다.

대신, '누나'는 간간히 섞어 쓰던 단어다. 돌아보면 내게는 삶의 중요한 순간이나 갈림길에서 조언을 해주거나, 하다못해 밥이라도 한 그릇 사주고 가는 그런 분들이 많았다. 나는 그들을 '누이'라고 부르고 싶었는데, 서울에서 주로 쓰던 누이라는 말이 너무 격 없다 해서 '누님'이라는 말을 꽤 오래 썼던 것 같다. 그래서 20년을 누님이라는 말을 입에 달면서 살았다.

대학 시절에 난 늘 돈이 없었고, 늘 배가 고팠는데, 국밥 한 그릇도 얻어먹으면서, 그렇게 참 많은 누님들의 도움을 받으면서 지금까지 살아온 것 같다. 남들은 '형님'이라고들 잘도 하는데, 나는 그 말이 지금도 입에서는 잘 나오지가 않는다. 형님보다는 지금도 언니라는 말이 먼저 나온다. 남자들끼리도, 손윗사람들에게 언니라고 하던 어린 시절 입버릇이 아직도 남아 있어서다.

특히나 술 좀 처먹고 정신없으면, "언니, 고마워", 그렇게 말하기 일쑤다.

그러면 경상도 성님도 너스레를 친다.

"원래 우리는 다 언니라고 그랬다 아니가."

언니나 누님이란 말은 오빠처럼 남사스럽지도, 형님처럼 무섭지도 (형님은 왠지 사시미를 들고 같이 집단행동 해야 할 것 같은 느낌이다) 않아서 좋다.

. . .

그런 누님 중 한 분이 밤에 휴대폰 문자 메시지를 보내셨다. 그간 힘든 사연을 적어놓으시고는, 당분간 잠적하시겠다고 하신다. 사태의 앞뒤 정황은 잘 모르겠지만 하여간 힘드신 상황인 것 같다. 몇 시간을 곰곰 생각해봐도 해법은 잘 나오지 않고 그냥 마음만은 함께 그런 하나마나한 생각을 하다가, 문득 '누님'이라는 단어에 얽힌 기억들을 떠올려보았다.

생각해보니 나는 아끼는 그분에게 누님이라고 별로 불러드리지도 못하고, 보통은 선배라고 불렀던 것 같다. 그 일제시대의 잔재나 다름없는 쓰레기 같은 용어를, 높인 격이라고 불렀던 셈이니…… 아쉬움이 남는다. 선배에게 나는 누님이라고 잘 부르지도 못했고, 더군다나 누이라고 불러보지도 못했던 것이다.

마흔이 넘어가니 그런 생각이 든다.

'왜 형들에게는 언니라고 부르지 못했고, 누님이라고 부르는 사람들에게는 왜 살갑게 누이라고 부르지 못했을까…….'

자장면이 표준어라고 하니 그렇게 쓰긴 쓰면서도 꼭 짜장면이라고 해야 그 기름에 볶은 고스름한 맛과 검은색 춘장의 살가움이 느껴지는 것과 같은 이치다(지금은 둘 다 표준어가 되었다). 법학과, 경영학과, 경제학과라고 쓰고, 꼭 '꽈'라고 읽는, 그 느낌. 왜 나는 선배라고 딱딱하게 부르며, 누님을 누이라고 살갑게 부르지 못했을까?

힘들게 살았던 어느 누님의 "당분간 잠적하겠다"는 짧은 문자 메시지를 보면서, 언제가 될지 모르겠지만 다음에 만나면 누님 아니 누이라고 불러드려야겠다는 생각을 했다.

마흔이 넘어가니 또 그런 생각이 든다.

오랫동안 알았던 사람들에 대해 '우리가 보면 얼마나 더 본다고…….' 이제 우리 앞에 남은 시간들이 더 적어서 그런지 살갑게 대해주지 못했던 시간들에 대해서 아쉬움이 남는다.

문득문득 헤어짐에 대한 생각과 함께 예전에 익숙했던 누님, 누이 같은 그런 단어들의 의미가 예전과는 전혀 다르게 느껴진다.

사랑한다는 말을 왜 그렇게 아꼈나…… 그런 후회와 같은 맥락일지도 모른다. 보면 얼마나 더 본다고…… 만나면 얼마나 더 만난다고…….

혹시라도 이 글을 그 누님이 보신다면, 다음에는 꼭 누이라고 불러드릴 테니 "인생 별거 없다, 힘내시라!" 그렇게 전해드리고 싶다.

작년에 몇 년 만에 연세대로 돌아와서 했던 첫 강의 주제가 '바다의 눈으로 보기'였다. 거의 10년 동안을 우주선을 모티브로 생각하다가(너무 뻔한 얘기지만, 우주선은 케네스 불딩의 '우주선 경제'에서부터 나온 것이다) 작년 여름, 일본 요코하마의 니혼마루라는 배 위의 박물관을 방문한 이후로 바다로 모티브가 바뀌었다.

거의 조건반사와도 같이, 바다를 생각하면 난 한없이 기분이 좋아진다. 속이 탁 트이고, 내가 생각해보지 못한 전혀 다른 세계가 또 있다는 생각에 새로 눈을 뜬 기분이랄까. 내 기억 속 가장 아름다운 바다는 노르망디 해안에서 본 바다였고, 가장 가슴이 뛰었던 바다는 모로코에서 보았던 지브롤터 해협이었다. 하지만 어느 순간 생각해보니, 나는 바다 근처에만 가서 바다의 껍데기만 보았던 거고 진짜 바다에 대해서는 한 번도 제대로 생각해보지 못했단 걸 깨달았다. 물론 해양생태학도 조금은 공부를 했고, 바다에 사는 물고기들의 지속가능한 채굴량 계산하는 미방식도 꽤 풀어보기는 했지만, 그래도 그건 그냥 머리로 아는 거고, 마음으로 바다를 이해하지는 못했던 거다.

'바다의 눈'이라는 모티브의 연장선에서 해양사까지는 아니더라도 항해사는 한번 정리해보고 싶어서 바다에 관한 자료를 모으고, 선박사 같은 기술적인 얘기들을 한참 찾아보려고 하는 즈음, 주경철 선배의 『대항해시대』가 출간되는 걸 보았다.

오, 주경철! 너무 오랫동안 선배를 잊고 있었다. 같은 생각을 공유한 사람들은 언젠가는 비슷한 질문에 다시 부딪히게 되는 셈인가? 서울대 철학과의 김상환 선배, 서양사학과의 주경철 선배, 여기에 이미 불귀의 객이 된 누님과 또 몇 사람을 더해서, 그렇게 종종 망년회 같은 것을 하기도 하고, 브로델이나 니체 같은 것을 같이 읽기도 했다. 오랫동안 같이 공부한 건 아니지만, 유학 기간이 일부 겹치기도 해서, 하여간 그때 참 많은 얘기들을 나누었던 것 같다. 내가 박사과정에서 철학과가 아니라 그냥 경제학과로 진학하니까, 얼마나 실망들을 하시던지……. 그러고는 주경철 선배를 직접 볼 일은 없었지만, 주변의 지인들이 워낙 겹쳐서 소식만큼은 건너 듣고 있었다.

그 주경철 선배가 '항해사'를 줄줄이 내는 걸 보고 "아, 이거 참 아쉽게 되었네!"했다. 물론 내가 보는 바다의 모습은 생태적이고, 자원과 관련된 것이며, 동시에 기술적인 얘기가 될 것이지만. 어쨌든 주경철 선배보다 많이 다르게 그리고 많이 새롭게 하기는 어려울 것 같았다.

그렇게 해서 나는 당분간 바다의 눈은 마음속에만 간직하기로 하고, 그 대신 하늘을 바라보기 시작했다. "하늘, 그래, 나는 아직 하늘의 눈으로 본 적이 없군." 천문학 공부를 뜨문뜨문 다시 시작하게 되었다. 별의 입장에서 지구를 보고, 나를 본다면? 하늘의 눈으로 생각

278

하는 연습을 조금씩 해보면서 느낀 건 하늘은 바다와 조금은 뉘앙스가 다르다는 점이다. 옛날 사람들이 바다를 어머니에 비유하고, 하늘을 아버지에 비유하던 것도 조금은 이해가 갔다.

바다의 눈이나 하늘의 눈은, 내가 아직 소년이었던 시절 "야, 바다다!" 혹은 "야, 은하수다!" 했던 그 시기로 나를 다시 안내한다. 그리고 만약 내가 한국에 태어나지 않고 스웨덴이나 스위스에서 태어났다면, 이 바다를 그리고 이 하늘을 어떻게 생각했을까? 그런 질문들을 품게 해준다.

. . .

어느 정도 성인이 되면 주변 상황과 주변 조건, 즉 기본적인 세팅은 끝난다. 그 안에 있으면 잘되든, 못되든, 비슷한 사람을 만나서 비슷한 얘기를 하고 그리고 결국은 비슷한 얘기로 서로를 위로하다가 끝이 난다. 학자에게는, 그야말로 죽음으로 가는 길이다. 반복되는 요소들을 최대한 버려야 조금이라도 뭔가 이해하는 첫길이 열리는 것 아닌가?

나에게는 이질성을 어떻게 확보하느냐가 최대의 질문이었다. 한국은 동질성이 아주 강한 사회이고, 유사한 사람들끼리 자체 세력화를 하는, 자기진화적 메카니즘이 동질성으로 향하는 전형적인 시스템에 가깝다. 최소한 왜정시대 이후, 우리는 그렇게 태어났고 또 그렇게 자라난 것 같다.

나는 내가 머리가 좋지 않다는 걸 잘 알고 있고, 특히 암기력에는 아주 치를 떨면서 살아왔다. 기계로 치면, 내 머리는 메모리가 너무

약하고 장기기억장치라고는 불량품에 해당하는 그런 육체와도 같다. 이런 내가 학자로서 사회에 기여할 수 있는 유일한 길은 이질성을 장착하는 것이라는 게 15년 전에 처음 학위를 받고 한국에 돌아와 9월부터 연세대학교의 창문 하나 없는 연구실에서 혼자 조용히 생각해보면서 찾은 나름의 답이다(아! 그때 그 연구실은, 연구실로서는 최고인지는 모르겠지만 '생각하지 않으면 죽는다'라는 것을 일깨워주기에는 최적의 장소였다).

. . .

같은 것을 반복하는 날, 그날이 내가 죽는 날이다. 이게 나의 최초의 명제였다. 원고든 강연이든 아니면 책이든 나는 같은 것을 절대로 반복하지 않으려고 한다. 물론 몇 개의 요소들은, 예를 들면 '토건', '생태', 이런 것들은 주기적으로 반복되기는 하지만 그 핵심을 같지 않게 반복하기 위해서는 이질성이 더욱더 필요하다. 그래서 나는 끊임없이 이질성들을 내 안에 채워넣으려고 노력했고, 계속해서 다른 사람의 눈을 빌려서 사물을 보고, 왜 그 사람은 나와 다르게 생각하는지, 그 근본 메카니즘을 이해하려고 노력했다. 그 결과 나는 한국에서는 아주 보기 드문 이질적인 존재가 된 셈이다.

폭행, 폭언, 사보타쥬, 멱살잡이, 이건 거의 내 일상 경험과 같다. 우파한테도 맞고, 좌파한테도 맞고, 할아버지한테도 맞고, 술병으로도 맞고, 접시로도 맞고, 욕먹는 것, 험담, 이건 그냥 익숙해진 내 삶의 피부와 같다. 박사고, 부장이고, 총리실에 근무하고 있으면 안 맞을까? 한국의 우파든 좌파든 비위에 거슬리면 누구나 밥상을 엎어버리고 소새끼, 쌥새끼가 기본이다. 그들은 균질성을 추구했고, 나는 이질성의 질문을 끊임없이 던졌기 때문이다.

나는 끊임없이 내가 아닌 다른 존재의 눈을 빌리고 싶었다. 어떤 때에는 20대 대학생의 눈을, 어떤 때에는 13세 소녀의 눈을 빌리기도 했다. 내가 다른 사람의 눈을 빌리는 것은, 동일한 사건을 이질적으로 관찰하기 위한 출발점과도 같다.

좌파는 알튀세르의 말마따나, '포지션'이다. 즉, 태도와 입장이다. 그러나 나는 좌파의 눈을 빌리고 싶지는 않았다. 이미 좌파이기도 한데 그 좌파의 눈을 또 빌린다면, 한국을 이해하기도 어렵고 다른 선택지들을 제시하기도 어려울 것 같았다. 솔직히 지금까지 좌파들이 한국의 문제를 제대로 해결하지 못한 게 사실이니까. 그것이 권력이 없어서든 힘이 없어서든 말이다. 어쨌든 나는 그 눈이 아닌 다른 눈을 빌리고 싶었다.

그런 내게 바다는 내가 처음으로 사람이 아닌 것 그리고 생명이 아닌 것으로 빌렸던 눈이다. '바다의 눈'이라는 것을 생각한 다음부터 나는 아주 많이 편해졌고, 내려놓는 데에 더욱 익숙해졌다.

바다를 좋아하는 사람도 있을 것이고, 산이나 하늘을 좋아하는 사람도 있을 것이다. 그야말로 자기 마음 끌리는 대로 좋아하는 법이다. 그러나 그 산이나 하늘, 바다 대신에 시험 등수나 돈이나 아파트 40평을 마음속에 담고 사는 학생들을 가끔 볼 때면, 가슴이 메어지는 것 같다. 정말이지 그들의 마음속에 평수나 단위로 계량되는 것이 아닌 초월적 존재에 대해 알게 해주고 싶다.

만국의
어린이들을 위한
레시피

하다 보니 외국 생활도 오래 했고, 외
국 나갈 일도 많다 보니 부부동반으로 만나는 외국인 친구들이 좀 있
는 편이다. 이렇게 여러 국적의 부부들을 초대할 때, 이 자리가 재밌
고 성공적이기 위해서는 무엇보다 술을 마시지 않는 게 제일 중요하
다. 일단 맥주 한 잔을 넘기면 아빠들이 술자리에만 집중해서 재미없
어지고, 어린이들은 집에 가고 싶다며 울고 만다.

우리 집에는 이제 세 살이 된 야옹구가 있어서, 일단 어린이들에게
는 반쯤 먹어주고 들어간다(물론 야옹구는 어린이를 제일 무서워해 책장 위에서
내려오지 않지만).

여기에 더해 필승의 어린이용 레시피가 필요한데 이때 주의해야
할 것은 어린이들 입에도 맛있어야 하지만, 지나치게 설탕을 많이 넣
거나 몸에 해로운 첨가제로 엄마들이 불편해하지 않을 음식을 준비
하는 것이다(내 주변에는 극단적인 생태주의자들이 많이 있어서 그들에게 흠잡히지
않는 것도 정말 까다로운 일이다).

• • •

　일단 국적불문, 필승의 간식은 딸기를 우유에 넣고 믹서에 갈아서 만든 '핸드메이드' 딸기우유다. 설탕이나 꿀을 넣지 않아도 대체적으로 필승이다. 이걸 한 잔 마시면, 어린이들은 이제 말 잘 듣는 얌전한 어린이로 돌변한다. 바나나를 우유에 넣고 간 것도 효과적인데, 여기엔 꿀을 약간 넣는 편이 좋다.

　본 식사로는 새우구이를 주로 쓴다. 이때에는 푸짐하게 보이는 게 포인트다(냉동새우를 쓰면 그렇게 비싸지 않다!). 별다른 양념 없이도 바베큐를 한 새우구이는 어린이들에게 잘 먹히는 메뉴다. 바베큐가 어려우면 프라이팬에다가 간장을 약간 쳐서 굽거나 혹은 그냥 굽다가 마지막에 토마토소스 같은 걸로 마무리하는 것도 대체적으로 환영받는다. 아이들이 일단 맛있게 먹고, 엄마들이 만족하면…… 아빠들은 아무거나 줘도 된다. 그냥 삼겹살 구워줘도 그들은 별 불만 없다.

• • •

　이렇게 한 라운드 돌고나면 밥을 먹을 차례다. 이때에는 쇠고기 무국이 국적 상관없이 늘 필승의 카드다. 한국 음식 중에는 매운 게 많은데, 그런 걸 외국 어린이들에게 주었다가는 신기한 경험이기는 할 테지만 다섯 번에 한 번 정도는 실패를 맛보게 된다. 뻔한 메뉴라도 쇠고기 무국이나 계란탕 같은 것들이 국적에 상관없이 잘 통한다. 여기에서 포인트는 전날 끓여 놓아서 충분히 깊은 맛이 나오게 하는 거다. 이건 일본의 국민 음식이라 불리는 카레를 그들이 제일 맛있다고

치는 게 끓여 놓은 지 3일 된 카레라는 얘기에서 착안한 것이다. 쇠고
기 무국 역시 별 요령이 있을 게 없는 누구나 끓일 수 있는 간단한 음
식인데, 하루가 지나면 깊은 맛이 우러나와 더 좋다.

어린이용 디저트는 제철 과일이 제일 무난하다. 괜히 접대한다고
외국 과일을 비싸게 살 필요는 없고, 그냥 그때그때 나오는 한국 과
일들, 약간 호사를 부리면 무농약 정도로 준비하면 충분하다.

자, 이제 엄마들을 위한 디저트.

여기의 필승카드는 흑임자 떡, 다른 떡은 안 된다. 흑임자가 탈모
예방과 새치에 도움이 된다고 얘기하면, 대부분의 엄마들은 아빠들
에게 이 떡을 계속 권하고 자신도 많이 먹는다. 탈모를 고민하는 건
전 세계 모든 40대의 공통점이다. 그리고 흑임자 떡을 약간씩 싸서
선물로 주면, 끝.

여기에 마지막으로 엄마들을 위한 커피.

포인트는 중남미의 반군들이 공정무역으로 만들어낸 커피 원두와
같은, 스토리가 있는 커피 원두를 준비하는 거다. 그리고는 미국이
중남미에서 벌였던 잔혹한 일들과 우리가 왜 그들을 심정적으로 지
지해야 하는가를 설명한다. 사연 있는 원두를 갈아 옛날식 모카포트
로 커피를 내려주면 다들 좋아한다.

· · ·

요령을 정리해보면,

1. 집에 초대를 할 때 한국 사람일 경우에는 1인당 식사비용을 만
   원이 살짝 넘어가게, 외국인일 경우에는 만 원이 넘어가면 안 된

다. 한국 사람들은 그 돈이 넘어가야 뭔가 대접받았다는 생각을 하고, 외국인인 경우에는 그 돈이 넘어가면 지나치게 신세졌다고 불편해하기 시작한다.

2. 어떤 경우든 일단 어린이들의 입맛에 맞아야 그 자리가 즐겁다. 어린이가 평소보다 맛있게 먹으면 엄마들은 기분이 좋고, 그 상황에서 보통의 아빠들은 아무것도 안 먹어도 배부르다.

3. 맛있는 걸 배부르게 먹는 것보다는 건강에 좋을 거란 생각이 드는 걸 준비하는 게 필승이다. 엄마들은 애들이 지나치게 설탕을 먹진 않는지, 식품첨가제가 많이 들어간 화학재료를 먹진 않는지, 이런 데에 신경이 잔뜩 곤두서 있기 마련이다. 딸기를 우유와 함께 갈아서 식전에 주는 건, 내가 그렇게 황당한 재료를 사용하지 않는다는 것을 알려주는 장치이기도 하다.

4. 아내가 거의 움직이지 않고, 기본적인 음식은 내가 준비해야 엄마들이 편하게 자리를 즐길 수 있다. 아내가 움직이면 엄마들도 뭔가 해야 할 것 같은 느낌을 받아서 부산해지기 시작하고, 그러면 이제 노는 자리가 아니라 일상적 가사노동의 연장이 된다.

어른들이 편안히 담소를 나누기 위한 마지막 팁 하나.

어린이들을 위한 DVD 감상 시간을 준비하는 거다. 이건 남녀 어린이가 섞이면 좀 골치 아파지고, 연령대가 차이 나면 또 어려워진다. 대개, 남자 어린이의 경우는 스타워즈 시리즈가 필승, 여자 어린이의 경우는 지브리 애니메이션이 필승이다. 남녀 어린이가 섞여 있으면? 그땐 아내의 태권도 4단 심사 때 국기원에서 기념으로 준 승단 비디오를 튼다. 만국의 어린이들은 모두 태권도를 좋아한다. 줄 맞춰 승단심사를 받는 장면 그리고 아내의 겨루기 장면을 보면 다들 넘어간다.

이렇게 시간을 보낸 어린이들이 다시 출출해진다면?

간식으로 국수를 삶아 준다. 자극적이지 않고 심심한 맛으로. 스파 게티든 잔치국수든, 애들은 국수를 좋아한다. 만들기도 편하지만 실 패 확률도 거의 없는 안전빵이다.

. . .

난 밖에서 남자들끼리 술 마시는 자리를 줄이는 대신에 가족동반 으로 집에서 한 끼 같이 먹을 수 있는 시간을 점점 늘리려고 한다. 엄 청나게 맛있거나 귀한 음식을 할 능력은 안 되지만, 어린이를 중심으 로 준비한 내 식단이 나름 성공 프로그램으로 자리를 잡아가는 것 같 다. 캐나다 어린이, 일본 어린이, 미국 어린이 그리고 우리의 까다로 운 한국 어린이들까지, 때 되면 우리 집에 놀러오는 것을 손꼽아 기 다리는 어린이 팬들이 좀 생겼다.

고객을 만족시키는 걸로는 안 되고, 졸도시켜라는 게 현대에서 내 가 배웠던 정신인데, 그걸 5~6세 어린이들에게 써본 셈이다. 나름 성심성의껏 모시니 까다로운 어린이들을 만족시킬 수는 있게 되었 다. 나야말로 인간 승리다.

책에
대한 얘기

     나는 책을 많이 읽는 편인데, 진짜로 책으로 먹고살 수 있게 될 줄은 꿈에도 몰랐다. 평균적으로 어떻게든 하루에 두 권이 내 손을 거쳐 지나간다. 그중에는 자세하게 읽고 독서 감상문을 쓰는 책도 있고, 그냥 넘겨보고 이런 책도 있군, 혹은 이렇게 책을 쓰지는 말아야지, 그렇게 생각하고 그냥 넘어가는 책도 있다.

    내가 책에 대해서 각별한 생각을 하게 된 데에는, 대략 세 번 정도의 큰 계기가 있었던 것 같다.

    첫 번째 계기는, 되바라질 것이라고 해서 유치원에 보내지 않았던 부모님의 교육방식이 컸다. 부모님 모두 초등학교 교사였는데, 유치원을 나와서 학교교육에 흥미를 못 느낀 학생들을 워낙 많이 봐서 그런지, 날 유치원에 보내지 않고 대신 그림책을 맘껏 볼 수 있게 해주었다. 처음부터 나에게는 다른 학생들과 달리 책을 접할 절대시간 자체가 많았던 셈이다. 글자를 배운 건 「임금님의 첫사랑」 같은 TV 드라마를 보면서 글씨라는 것을 어렴풋이 알게 되었고, 그때 떠듬떠듬 글자들을 익혔던 것 같다.

조기교육에 대해서 내가 지금도 반대하는 것은, 스스로 뭔가 찾아가는 재미를 처음부터 박탈하는 게 좋지 않을 것이라는 생각 때문이다. 조금 알더라도 스스로 깨친 것은 오래 가지만, 많이 알더라도 남이 먹여준 것은 결코 자기 것이 되지 못한다.

두 번째 중요한 계기는, 박사과정 때의 일이다. 전화번호부만 한 책, 그것도 나온 지 300년은 넘어서 구하기도 쉽지 않은 책을 당시의 지도교수와 거의 매주 두 권씩 읽고 대화를 해야 했다. 책을 겨우 구하거나 복사본을 구하면 이미 1주일 중의 하루나 이틀밖에 남지 않은 경우가 흔했고, 어떤 때는 전날 겨우 구한 적도 있었다. 책은 선생이 정해주는 것도 있고, 박사논문을 위해 내가 따로 읽어야 하는 책도 있었는데 그때 진짜 책 읽다가 눈물이 나기도 했다. 그걸 1년을 했는데 이 책들을 다 읽지 않으면 박사학위 못 준다는, 암묵적으로 그런 상황이었으니 울면서라도 어떻게든 읽어야 했고, 10분 동안 얘기할 수 있는 포인트를 찾아야 했다. 정독은 애당초 불가능한 상황이었고. 책의 즐거움이니 어쩌니, 그런 건 다 개뻥이었다. 죽지 않으려면 읽는 수밖에.

책을 재미로 읽는다고 하는 사람들을 볼 때마다 난 그 시절을 떠올리곤 한다. 좌파로 살아가면서 죽지 않으려면 일단 몇 배는 더 읽어야 했고, 재미없는 책들을 참아가면서 읽어야 했던 그때. 지금도 난 책이 재밌어서 보는 건 아니다. 재밌고도 살아가는 데 도움이 되는 책은 에코 책 일부 정도일 뿐. 대부분은 전화번호부만 한 두께에 재미는 전혀 없는 고전이 주가 된다.

세 번째 계기는, 직장생활 중에 찾아왔다. 당시 내게 일을 시키는,

소위 '오더'를 내리는 사람이 전무 시절의 이계안이었다. 그야말로 현대가의 집사이며 현대 그룹의 사령탑이었다. 나중에 그가 정치를 시작하고 나서야 그가 진보적인 인사로 분류된다는 것을 알았지만 그 시절에는 정말 현대가의 집사로, 사람을 자르는 정도가 아니라 아예 해마다 회사를 없애는 그런 일들을 하고 있었다(사장이 문제가 있으면 사장을 자르면 되지. 아예 그쪽 회사를 통합시키거나 없애버리거나 그런 일들을 종기실에서 했었다). 그 당시 우리끼리 부르는 그의 별명이 '피투성이'였는데 저 위치에 오르느라고 얼마나 많은 사람들을 잘랐을까 하며, "일장공성만골고—將功成萬骨枯"라는 표현까지 나왔다. 한 명의 장수가 명성을 세우기 위해서는 만 명의 해골이 뒹군다 그런 뜻이다. 당시에는 '자본가의 주구'라고 알고 있었는데 아, 이 양반이 줄을 쳐가면서 보는 책이 1주일에 두 권이고, 하루에 책 두 권씩은 꼭 그의 책상을 거쳐 가는 걸 보면서, "이래서야 재벌개혁이라는 게 가능한가", 그런 생각을 했었다. 그보다 독서량이 적어서야 좌파가 세상을 좋게 만드는 건 고사하고 당장 입에 밥 들어가는 것도 보장받기 어렵다는 생각이 뇌리를 팍 스치고 갔다.

현대 시절과 에너지관리공단 시절은 개인적으로 나에게는 사람들에 대한 불신감 때문에 힘들었던 시기였다. 그 공허함을 달래기 위해서 술도 많이 마셨는데, 만약 책 읽는 이계안을 보지 않았다면 나도 골프를 배우거나, 룸살롱에 본격적으로 들락거리는 삶을 시작했을지도 모른다. 어쨌든 내 주변의 사람들은 특별한 결심이 있던 일부를 빼고는 다들 그렇게 살았으니까. 아무튼 정서적으로 고통을 받고 있던 시기이기는 했지만, 그럼에도 독서량만큼은 줄이지 않았다.

솔직히, 직장인으로서는 남들이 누리기 어려운 호사를 누릴 수 있었던 것도 사실이다. 운이 좋은 건지 안 좋은 건지, 어쨌든 현대그룹이 '현대환경선언'이라는 걸 하면서 공약으로 내걸었던 그 연구소의 1호 박사가 되면서 연구원의 자료실을 만들어서 책을 채워 넣는 게 내가 해야 하는 일 중의 하나였다. 생태와 관련된 책들, 공학과 관련된 책들이 상당히 비싼데, 정말 원 없이 읽을 수 있었다. 에너지관리공단에서도 자료실 관리가 내가 있던 부서에서 하는 일이어서 소장할 수는 없지만, 책이 없어서 못 보는 고통은 받지 않아서 좋았다.

그러고 보면 책과 관련해서는, 나도 좀 특혜를 입으면서 살아올 수 있었던 것 같다. 책을 사는 데 내가 가진 용돈의 거의 대부분을 쓰면서 살아왔지만, 사는 책보다 더 많은 책을 어떻게든 읽을 수가 있었으니 말이다. 어느 정도 이름이 알려진 저자가 된 후에는 이제 출판사에서 원고 검토를 위해서나 혹은 책 홍보를 부탁하면서 책들을 보내온다. 매주 한 박스 정도는 되는 것 같은데, 부지런하게 소화하지 않으면 한 번 넘겨보지도 못하고 그냥 책이 쌓이게 된다. 책을 쓴 저자나 작가 혹은 출판사에 대한 예의가 아니라고 생각해서 어떻게든 짧게라도 보려고 하는데, 이게 쉽지가 않다.

. . .

책과 관련해서 정말 무서웠던 기억 하나가 있다. 강남 살던 시절, 강남 교보문고에 1주일에 두 번 정도 아내와 같이 갔을 때의 일이다. 책도 보고, DVD도 사고, CD도 사고, 그 시절에는 정말 돈이 없어서 사고 싶은 건 너무 많았지만 그렇게 원 없이 살 수는 없었다. 그때 우연하게도 강남 교보빌딩 지하주차장에서 종종 마주치는 아우디 타고 다니는 부부 한 쌍이 있었다. 강남 교보는 특히 외제차가 많지만 그런 사람들은 하나도 안 부럽고, 무섭지도 않았다. 그러나 서점에 같이 와서, 책과 CD를 양손 가득히 사들고 가는 젊은 부부, 그들은 정말 무서웠다.

"아니, 돈 있으면 골프장에나 가고, 룸살롱에나 가서 바람이나 피지, 왜 교보에는 오고 지랄이야?"

이상하게 시간대가 맞아서 그런지, 책을 사고 돌아갈 때 심심찮게 마주치던 그 아우디 탄 부부는, 지금 생각해도 모골이 송연하도록 무섭다. 골프장 다니는 우파, 외제차 타는 우파, 이런 건 하나도 안 무섭지만 읽든 안 읽든 양손 가득히 책을 사갖고 아우디 타고 집에 가는 젊은 부부는 정말 무서웠다.

그런 우파들을 유럽에 가면 흔히 볼 수 있다. 어느 우파의, 부모가 물려준 대저택에 초대받아 간 적이 몇 번 있는데 그때마다 놀란 게 이런, 책을 너무너무 많이 읽어서 도대체 모르는 게 뭐야 싶었다. 그렇게 모인 식구 중에는 젊어서 영화를 몇 편 찍어본 사람도 있고, 인기는 없어도 소설을 펴낸 사람들도 있었다. 그런 사람들이 유럽의 밑바닥을 깔아주고 있는 셈이다. 그런 우파를 이기기 위해 좌파도 더 죽어라 하고 책을 읽고 더 날카롭게 공격해야 하고 그런 공격으로부터 방어를 하려니까 우파들도 더 강해지고 더 독서를 많이 하고.

한국에서는 아마 이어령이나 남재희 같은 옛날 양반들이 그렇게 살고, 우파에서 한 명 더 꼽아보자면 김훈 정도? 예전에는 이계안이 날 잔뜩 긴장하게 만들었는데, 그도 요즘은 최소한 노회찬과 한자리에 앉아서 세상의 미래에 대해서 걱정할 정도는 되니 내가 새삼 긴장할 건 없고.

그 밑에 있는 한국의 우파들은 1주일에 세 번씩 골프장 가고, 두 번은 룸살롱 가느라고, 아주 스케줄표가 꽉꽉 찬다. 이명박과 함께 청와대에 들어가거나 내각을 꾸린 사람들은 최소한 독서와 음악감상, 영화감상 같은 거랑은 아예 담을 쌓고 살아가는 사람들이다. 그런 사람들이 통치를 한다고 나섰을 때 이건 좌우의 문제나, 진보와 보수의 문제를 떠나서 그들이 지독하게 교양과 상식과는 담쌓고 살아가는 사람들이라서 이 정권이 온전하기가 어렵다고 생각했다. 게다가 자기 돈이 아니라, 이렇게 저렇게 다 스폰서 받는다는 거 아닌가? 그나마 TV라도 좀 보면 정상적이고 평균적인 한국인 수준은 될 텐데, 그들은 TV도 안 본다. 1999년과 2009년 조사를 비교해보니 일요일에는 모든 한국인은 성별, 연령 그리고 학력의 구분 없이 4시간 정도 TV를 본다는데 명박과 함께 청와대에 있는 사람들은 그것조차 안한다. 오죽하면 한나라당의 정두언 의원이 9시 뉴스 할 때 되면, 한나라당 사람들이 전부 룸살롱 가 있거나 술 마신다고 개탄을 했겠는가. 상황이 그러니 장기적으로는 결국 정권은 진보 쪽으로 오게 될 것이라는 게 평소의 내 생각이다.

한국 사회과학과 인문학은 좌파들 아니면 독서목록이 다 무너진다. 그럴 수밖에 없는 게 좌파들이 특별히 책을 더 읽어서가 아니라 이번 정권에서 워낙 좌파들 사회생활을 꽁꽁 막아놨으니, 책 내는 것 외에는 마땅히 할 수 있는 일이 없다. 책을 내려면 당연히 앞에 나온 책들도 읽어야 하고, 좋든 싫든 먹고살기 위해서 책을 볼 수밖에 없다.

그래서 길게 보면, 책 읽는 좌파들의 세상, 책 만드는 에디터들의 세상 그리고 그렇게 만들어진 책을 관리하는 사서들의 세상이 내가 눈감기 전에 한 번은 펼쳐질 것이다, 이런 낙관으로 난 세상을 살아간다. 그런 공상도 안 하면 명박 시대에 숨 막혀서 어떻게 살아가겠는가?

그러나 나의 이 즐거운 공상을 두 손 가득히 책과 CD를 사들고 돌아가는 아우디 탄 부부가 산산이 깨뜨린다. 분명 부모가 부자일 텐데, 저 젊은 부부는 부모가 물려준 돈으로 각자 바람이나 피우고, 뷰티숍과 룸살롱에나 가지, 왜 교보는 오고 지랄이야!

내 눈에 보이는 게 다가 아니라는 이른바 바퀴벌레 확률론, 정확히는 사후 확률을 의미하는 베이지안 확률에 대해서 잠시 생각해봤다. 바퀴벌레 한 마리가 눈에 보이면, 이미 수만 마리가 있는 거라고 추정하는데, 한 사건이 이미 한 번 벌어졌다면, 그 사건이 다시 일어날 확률 즉 사후 확률은 사전 확률에 비해서 엄청나게 높아진다. 아우디 타고 교보에 오는 젊은 부부를 한 쌍 보았다면, 그 뒤에는 자신들의 세계를 만들기 위해서 책을 보는 한국의 젊은 우파 부부들이 만 쌍?

이래서야 좌파 집권의 그날이 아예 안 올 수도 있는 거 아냐, 그렇게 생각하면 머리털이 쭈빗 서면서 모골이 송연해진다.

. . .

다음 정권도 마찬가지다. 골프장 다니고 룸살롱 다니고 그런 사람들 위주로 청와대와 내각을 채우면, 진보든 보수든 그 정권은 바로 망한다. 진화론적으로 보면 그런 사람들이 바로 로비의 귀재이며 지저분한 모사꾼들이다. 그 사람들이야말로 남들 다 아는 일을 자기들만 모르는 바보들이다. 접대가 삶이 된 사람들이 과연 민중들 혹은 대중을 모실 줄 알겠는가? 모심만 받던 사람들은 다른 사람을 모실 줄 모르고, 국민을 무섭게 생각할 줄도 모른다. 그 무서움을 아는 공인들이 골프채 대신 책을 손에 드는 날, 그날이 우리가 선진국이 되는 첫길이 열리는 것 아니겠는가?

물론 책만으로 모든 문제가 풀리지는 않는다. "문무를 겸한다", 이게 언제나 진리라고 할 때 문은 룸살롱, 무는 골프장, 그런 게 한국 우파들이 개별적으로 진화하면서 선택한 방식이다. 좌파식 문무는, 책과 소주? 그게 1980년대의 특징이었던 것 같은데, 소주는 폭탄주로 바뀌고, 책은 골프채로 바뀐 것, 이게 노무현 정권이 진짜로 붕괴한 이유일 것 같다. 알았다면, 그래서는 안 된다고 나라도 좀 말을 했을 텐데, 난 골프장을 한 번도 가 본 적이 없어서 골프 치는지 안 치는지, 얼마나 치는지, 막상 그 시절에는 잘 몰랐다.

내가 생각하는 문무는 좀 복잡하다. 문이라는 것은 예나 지금이나 읽고 쓰기, 거기에서 멀어지지 않는다. 무는? 수학이나 과학 지식이라고 생각할 수도 있지만 나는 농업과 스포츠라고 생각한다. 농업에 대해서 조금이라도 계속해서 고민하지 않으면 "핸드폰 팔아 쌀 사먹으면 된다", 이런 바보 같은 생각이나 하게 된다.

. . .

한국에서 마흔이 넘으면, 이제 자연스럽게 책을 놓게 되는 나이가 되는 것 같다. 누가 책 보라고 하는 사람도 없고, 업무가 바쁘니 책

안 읽는다고 뭐라고 하는 사람도 없다.

그러나 앞으로도 살아야 할 날이 길지 않은가? 나이가 들면서 제일 먼저 해야 할 것은, 혹시라도 벌써 책이 손에서 떨어져 나간 사람은 다시 책을 손에 집는 일이다. 이미 혹은 이제 곧 노안이 시작될 텐데 돋보기의 도움을 받지 않고 편하게 책을 볼 수 있는 시간이 채 10년 도 안 되는 것이다. 삼성에서 퇴사하는 평균 나이를 요즘은 43세로 보는데, 조직의 힘을 빌어 위풍당당할 수 있는 시기는 마흔이 되면 3년밖에 안 되는 것이다. 죽고 싶지 않다면 책을 집어야 하는 나이, 그게 바로 마흔이다.

책에 길이 있다, 옛말 틀린 거 하나도 없다. 책을 많이 읽는 사람들 이 평가 받는 시기가 앞으로 한국에도 오게 된다. UN 협상 다니던 시절 외국의 높은 공직자들이 그 업무 와중에도 책을 들고 다니면서, 하다못해 그때 유행하는 베스트셀러 소설이라도 들고 다니는 걸 보 고 놀란 적이 있다. 우리가 선진국이 된다는 것은, 우리도 그런 경향 으로 천천히 이동하게 된다는 것을 의미한다. 노회찬, 심상정, 유시 민은 물론이고 지금 차세대 지도자로 일컬어지는 안철수, 조국, 박경 철, 박원순은 대표적인 열성 독서가들이다. '나꼼수'로 김어준의 시 대를 열어 제친 김어준 역시 독서 내공이 진짜 만만치 않다.

이런 걸 생각해보자. 책도 많이 읽고, 스스로 저자이기도 한 안철수 같은 사람이 대통령이 되면 청와대에 독서 대신 골프 치는 사람들을 자기 참모나 장관으로 앉히겠는가? 자기가 속터져 죽지. 한국이 선진 국이 된다는 것은, 골프장에서 지도자를 뽑는 게 아니라 책 많이 읽 고 교양 있는 사람들이 점점 더 고위직에 오를 확률이 높아진다는 것을 의미한다. 지금의 40대가 앞으로 겪게 될 시대의 변화는 승진을 위해서는 골프 정도는 쳐줘야 하는 시기에서 독서량으로 사람을 평가하는 시대로 변화하는 과정이 될 가능성이 높다. 아닌 것 같지만, 한국도 벌써 그 단계로 접어들었다. 한나라당은 이 변화의 의미를 아직 잘 모르는 것 같다. 그러나 최근에 야권에서 떠오르는 정치 지도자들을 보라. 미친 듯한 독서가이면서 동시에 저자인 사람들 아닌가?

* * *

책의 힘으로 조선은 500년을 버텼다. 부패로 망했다고 하지만 부패는 유럽의 왕국들도 만만치 않았고, 일본의 사무라이 시대에도 엄청났다. 그래도 그걸 독서로 버텨온 나라가 바로 조선 아닌가?

투기적 경제의 시대가 끝나면 진짜 경쟁의 시대가 온다. 그 경쟁은 지난 10년간에 골프장에서 했던 남성 사냥꾼들의 경쟁과는 좀 다른 양상을 보일 듯싶다. 안철수, 박경철, 조국…… 전부 골프장과는 어울리지도 않고, 책방이나 도서관 같은 데랑 더 잘 어울리는 새 시대의 지도자들 아닌가?

책 죽어라고 보는 상사들의 시대, 그런 시대가 한국에도 한 번은 올 것 같다. 아무래도 남성보다는 여성들에게 더 많은 기회가 생기는 그런 매력적인 시대가 우리에게 펼쳐지는 것 아닐까? 골프 치거나 룸살롱 접대 외에는 별로 할 줄 아는 게 없는 한나라당 떨거지들이 진화론적으로 곤란해지는 순간, 우리는 보편적 상식의 시대로 조금씩 나아갈 것이다..

내 주위에는 나한테 뭔가 배우거나 배웠던 사람들 몇 집단이 있다. 주로 대학원생이나 박사과정들인데 가끔은 학부생들하고도 뭔가 판을 벌려보기도 한다. 요즘은 주부를 본진으로 하는, 진짜 일반인들과도 글쓰기를 같이 해보는 중이다. 개별적으로만 만나는 건 10대들인데, 난 아직까지는 10대들을 위한 프로그램은 열어보지 못했다. 오히려 초등학생들이나 유치원생들하고는 생태캠프나 농업교육 같은 형태를 몇 차례 해본 적이 있는데 말이다.

그래서 기회가 되면, 대학교보다는 고등학교에 가는 일을 먼저 한다. 10대들의 삶, 이게 아마 사회적 문제에 대해서 내가 맨 처음 관심을 가졌던 주제일 것이다. 한데, 아직도 10대들과 대화하기는 영쉽지가 않다. 그 짧은 몇 년 사이에도 유행은 몇 번이나 바뀌고, 입시체계도 계속 바뀌니, 10대들은 늘 똑같은 것 같아도 그사이에 주요 관심사는 금방금방 바뀐다.

몇 년 전에 나랑 같이 작업하던 10대 친구들도 벌써 대학생이 되었고, 그새 군대 간 친구도 있다. 한국의 10대라는 존재는 참 변화무쌍하다. 사회 자체가 워낙 변화가 빨라서 이건가 싶으면 벌써 아니고, 저건가 싶으면 또 벌써 변했고. 그래서 연구하기가 쉽지가 않다.

어쨌든 내가 10대들에 대한 연구 축 하나를 계속해서 열어 놓고 있는 것은 조기유학 가지 않고, 학원 다니지 않는 10대들이 어떻게 하면 부모 잘 만나서 대충대충 살아가는 사람들에게 밀리지 않고 나름대로 행복을 찾을 수 있을까, 그런 걸 고민하기 때문이다. 특목고 가지 않고, 그냥 공교육에 있는 학생들이 어떻게 하면 평온하게 한평생 살아갈 수 있는 세상을 만들 수 있을까? 그게 수년 전부터 내가 가지고 있는 질문이다. 대충 이 정도의 문제의식을 가지고 나는 10대들을 만나고, 글을 쓴다.

. . .

이래저래 몇 년 전부터 격려편지 같은 거를 종종 받는데, 고등학생들이 보낸 편지를 받을 때가 가끔 있다. 내 책 읽고 보낸다는 고등학생들의 편지를 받을 때면, 솔직히 보람이 느껴지곤 한다. 가끔 가다나도 내가 이 짓을 왜 하고 있는지, 그런 생각이 들 때가 아주 없지는 않다. 회의감이나 후회가 없다 해도 거짓말이고. 가능하면 밝은 생각과 웃기는 생각을 멈추지 않으려고 하지만 때로는 아주 기분 더러운 일이 생기기도 하고, 무기력한 느낌이 들기도 한다. 아무 생각도 없이, 그냥 하기로 한 거니까 계속하자면서 술 처먹고 자는 그런 따분하고 반복적인 순간들도 많다.

"만일 총리실에 말뚝 박고 살았으면, 한국에서 10대들과 만나게 될 가능성도 거의 없었겠지……." 고등학생 편지 받고, 그런 생각을 하면 보람을 느끼게 된다(영화 DVD 처음 모을 때 생각도 난다. 원래 꼬박꼬박 DVD를 사지는 않았는데, 나중에 시골에서 살게 되면 동네 청소년들에게 영화 강좌 같은 거 열면 좋겠다는 생각에 필요한 자료용 DVD를 모으다 보니, 어느새 영화가 내 삶의 일부처럼 되었다. 영화가 좋아서 영화를 모으기 시작한 게 아니라, 목적은 딴 데 있었다).

나는 하고 싶은 일이 그렇게 많은 편은 아니었다. 중고등학교 시절부터 되고 싶은 것도 별로 없었고, 하고 싶은 것도 별로 없었다. 그때도 그렇고, 지금도 그렇다. 꼭 하고 싶은 것도 별로 없고, 꼭 갖고 싶은 것도 별로 없다.

중고등학생들이나 대학생들에게 뜻을 세우고 열정을 가지라고 하는데, 이걸 인간의 말로 바꾸면 "욕망을 가져라"는 말과도 같다. 그렇게 욕망의 화신이 되어, 뭔가를 하라는데……. 욕망에 사로잡힌 사람이 뭔가를 제대로 할 수 있을까, 난 그런 생각이 가끔 든다. 욕망이 지나치면 그게 바로 중독이다. 일중독, 성취중독, 그런 사람들이 사회 맨 앞에 서서 "나처럼 해봐요, 요렇게", 그런 걸 볼 때마다 솔직히 저 사람이 제정신인가 싶다.

인간이라 함은, 자신이 예수급 아닌 다음에야 늘 삶을 돌아보면 부끄럽고 또 자신이 우연히 얻은 것들에 대해서 부끄러워지는 게 마땅하다.

"나처럼 살아보세요, 여러분……."

장삿속이라면 알겠고, 피치 못할 사정 때문이라면 알겠다만, 진짜로 그렇게 생각한다면 그게 제정신일까 싶다. 부모의 심정이라는 것도 마찬가지다. 아무리 잘 살았어도, "딸아, 너는 나처럼 살지 말아라" 혹은 "아들, 내 인생보다는 잘 살아야 해", 이렇게 말하는 게 정상 아닐까? "나처럼만 살아라", 이렇게 얘기하는 부모는 좀 제정신이 아닌 것 같다.

· · ·

박경리 선생이 돌아가시기 얼마 전에 당신 집 마당에 동네 사람들을 모아 놓고 강연회 같은 걸 한 게 르포로 남아 있어서 본 적이 있다. 문인으로서는 정말 최고의 자리에 올랐고, 최고의 존경을 받아 마땅한 분인데, 늘 부끄러운 모습으로 사시는 거다. 그걸 보고 난 크게 배웠다.

사실, 나한테도 부끄러움 같은 게 있어서 특히 고등학생들하고 얘기하거나 강연 할 때에는 늘 고민거리가 한가득이다. "혹시라도 나처럼 빨갱이로 살아간다는 사람이 저기서 나오면 어떻게 하나……." 괜히 생고생하게 될 것 같아서, 내 입에선 도저히 '나처럼' 소리가 안 나온다. 살다보면 자기 생긴 게 그래서 빨갱이로 살면 모르겠지만, 일부러 좌파의 길을 선택하고 그래서 나처럼 요 모양으로 고생하면서 멸시 받고, 괜히 혼자 열 받아서 씩씩거리다가 술 처먹고 자고…… 요렇게 살라고는, 도저히 입이 떨어지지가 않는다.

자신 앞에서 당당하다는 것, 이게 사람이 살아서 성취할 수 있는 일인지, 그건 잘 모르겠다. 성취가 사람을 행복하게 해주는지도 모르겠고, 더 높은 성취가 자신감을 주는지도 모르겠다. 자신 앞에 서면 늘 부끄럽고, 늘 떳떳하지 못한 것, 그게 사람 아닌가?

모든 걸 다 자기가 해서 이루었다, 이렇게 생각하는 명박 같은 사람이 종종 있기는 하다. 아무리 봐도 제정신은 아닌 듯싶다. 여러 사람들이 떠받쳐 주니까 너무 기분이 좋아져서 자기가 보기에도 스스로 너무 대견한, 그런 상태 아닐까 싶다.

건전한 어른으로 살면 10대들에게 "나처럼 살아보쇼", 이렇게 말할 수 있게 될까? 제정신을 가지고? 어떻게 보면, 요즘 사회는 점점 더 부끄러움을 상실해가는 것 같다. 언젠가 제정신이 돌아오면 본인 스스로도 뜨악한 부끄러움을 느끼게 되겠지. 죽을 때까지 그런 마음을 못 느끼면? 그럼 그냥 지옥 가는 거고.

언젠가 노회찬과 술 마실 때, 나더러 사람들의 멘토 역할을 해주어야 한다고 해서 쥐구멍을 파고 숨어버릴까 싶었다. '멘토', '멘토링' 듣기만 해도 닭살 돋는 말이다. 사람이란 건 늘 허점이 많은 존재이고, 자애로운 듯한 사람이라도 순간적으로 분노가 치솟고, 흠결 없는 듯해도 헛된 망상 같은 것을 가지고 있게 마련이다. 제일 못 믿을 사람이 스스로를 '멘토'라고 말하고 다니는 사람 아닐까?

· · ·

돈이 자신의 권위를 만들어줄 거라고 생각하는 사람, 영혼의 측면에서 참 불쌍한 사람이다. 이만하면 되었다, 돈에는 그런 순간이 잘 없다. 지위가 권위를 만들어줄 거라고 생각하는 사람들, 은퇴해 봐라, 아무것도 남는 게 없다.

이런 복잡한 심경을 가지고 10대들을 대하는데, 아직까지도 어떤 얘기를 해주는 게 좋을지, 사실 잘 모르겠다. 대학생만 해도 좀 낫다. 하지만 직장인이면, 이제 바뀔 게 별로 없다. 그때쯤엔 삶이라는 게 어지간하면 지독할 정도의 틀에 박힌 삶으로 들어가게 되니까.

그러나 10대는 그들이 어떤 삶을 살지, 어떤 스타일의 어른이 될지, 아직은 전혀 알 수가 없다. 어린이는 왜 그 자체로 또 하나의 우주라고 하는지, 요새 조금 알 것 같다.

딱히 하고 싶은 건 없지만, 그래도 내가 눈감기 전에 꼭 해놓고 싶은 것은 가난한 10대 소녀들을 위한 수학 도서관, 그 정도다. 부모가 너무 가난해서 뭔가 해보고 싶은데 도저히 어쩔 수 없다고 생각하는 13세에서 18세 사이의 소녀, 그중에서도 수학 공부를 하고 싶은데 학원에는 도저히 갈 형편이 안 되는 소녀들을 위한, 혼자서 공부해볼 수 있는 책들이 정리되어 있고, 스스로 길을 찾아볼 수 있는 그런 수학 도서관 하나 한국에 만들고 싶다. 그림을 그리고 싶은 소녀, 음악을 하고 싶은 소녀, 영화를 만들고 싶은 소녀, 내 능력으로 그런 사람들의 길을 찾아주기는 솔직히 어렵다. 문학 하고 싶은 소녀, 그거야 지금도 그냥 하면 되고. 그러나 작은 수학 도서관 정도는 눈감기 전에 내가 가진 재산들 정리하면 만들어볼 수 있지 않을까 싶다. 죽으면서 유산 물려줄 그럴 생각도 애당초 없으니까.

당장 하면 좋지 않냐고? 생각보다 난 엄청 게으르다.

이런 복잡다단한 생각들을 가지고 살아가다 고등학생 편지를 받으면 보람차다. 보람이라는 게 뭐 별 거 있겠나? 내가 별 볼 일은 없어도 아주 막 살지는 않았구나, 그런 걸 확인하는 게 아닌가?

은행잔고를 확인할 때마다 보람을 느낀다는 사람들이 있다. 뭐, 별로 그렇게 부러운 삶은 아니다. 아파트 가격 올라갈 때 투자의 보람을 느낀다는 30대 여성들을 몇 년 전에 보고 아주 멍 때린 적이 있어서, 그것보다야 낫지 않겠나 싶지만. 은행잔고가 내려갈 때에는 얼마나 고통스러울까? 그런 생각이 가끔 든다.

. . .

자신의 자식에게 투자하는 게 남는 장사라며 그걸 보람이라고 말하는 엄마들을 볼 때마다 솔직히 무섭다. 부모의 무관심도 무섭지만, 전도된 집착은 더 무섭다. 이럴 때 야구에서 흔히 하는 얘기 하나를 들려주고 싶다. '무심타법', 마음을 비우고 타격에 임하는 것 말이다. 10대는 로봇도 아니고, 바보도 아니다. 자신은 사랑이라고 생각하지만 상대방이 전혀 사랑을 느끼지 못하면 그게 바로 스토킹이다. 부모라는 이름의 스토커질, 그런 생각하면 좀 무섭다.

외교부의 어느 인물이 자식이 외국에서 학점 잘 받는 게 보람이라고 자기 책에 그렇게 써놓은 걸 본 적이 있다. 그때 이 사람이 국정을 맡으면 안 된다는 생각을 했었는데 명박은 바로 그를 차관시키두만. 친구들에 대한 거의 스토커에 가까운 무서운 사랑, 그건 명박이 우리에게 제대로 보여주고 있다. 이처럼 자식에 대한 사랑이든 친구에 대한 사랑이든 뭐든 도가 지나치면 스토커질이 된다.

언젠가 이 시대를 돌아보면서 그땐 참 부모들이 자식에게만은 정말 끔찍했지, 그렇게 웃으면서 회상할 수 있었으면 좋겠다.

낭만과 해학으로 함께 가는 길

"낭만과 해학으로 함께 가는 길", 이 표현은 예전에 내가 초록정치연대 정책실장할 때 슬로건으로 썼던 표현이다. 국제 녹색당 네트워크에서 내세우는 구호이기도 하다. 좋은 말이긴 한데 아무리 작더라도 아무리 무의미하더라도 자기가 조금씩 하는 실천이 하나도 없다면, 이 표현은 정말 허망하다.

갈 길이 멀기는 하지만 어쨌든 2012년까지는 노회찬과 함께 길을 가겠다고 결심한 다음에 문득 낭만과 해악으로 함께 가는 길, 그 생각이 났다. '낭만과 해학으로'가 까닥 잘못하면, '문란과 해악으로' 돌변하는 것을 경험한 적이 있는데 그래서 "어맛, 뜨거라!" 하며 도망갈 수밖에 없었던 기억도.

...

한국에서 생태라는 간판을 내걸고 살아온 지난 15년, 진짜 우리는 소수파 중의 소수파였었다. 우파 내에서는 말할 것도 없고 좌파 내에서도 "저건 또 뭔 지방 방송이야?" 그게 나와 동료들의 현주소였다. 304

요즘은 '허방다리'라고 동네 호프집 오징어 안주 마냥 씹히기만 하는 민노총이라도, 그땐 그게 그렇게 부러웠었다. "야, 저게 얼마나 큰 조직인가?" 물론 요즘도 마이너인 사실이 바뀌지는 않지만 그래도 모이라고 해서 가보면, 금속노조라고 우르르 따로 가서 회의하고, 당권파라고 모여 있고, 또 뭐는 무슨 중앙파라고 하고, 또 어디는 인권 운동 계열이라 하고…… 이래저래 주로 얼굴 맞대고 뒤에 남는 사람들이 생태파와 성소수자 운동 그리고 기타 등등 듣도 보도 못한 희한한 의제를 들고 있는 사람들, 요렇게가 진짜 운동권 내에서 마이너 중의 마이너인 셈이다.

그리고 또 다르게 자리를 하면 여긴 또 기독교 한 무더기, 불교 한 무더기, 카톨릭 한 무더기, 이렇게 서로 진을 짜고 나면 에라, 나는 흡연파! 담배 피는 사람들끼리 로비에 옹기종기 앉아서, 이따 소주나 한잔? 눈빛으로 말해요다.

농지개혁 연석회의 만들 때만 해도 나도 증오가 참 많았던 것 같다. 이건 이래서 싫고, 저건 저래서 싫고, 얘는 또 쟤가 싫다니까 싫고, 어랍쇼, 이건 내가 그냥 싫네. "낭만과 해학으로 함께 가는 길", 그걸 구호로 걸고 있던 시절, 사실 나 역시 증오를 내려놓고 있지 못했다.

증오가 힘이 좋기는 하지만, 그 힘은 오래가지 못할뿐더러 무엇보다도 자기를 갉아먹을지도 모른다는 생각을 그 즈음에 했던 것 같다. 아마 20대를 넘어가면서 그 증오를 내려놓을 수 있었다면 나의 30대는 훨씬 발랄하고 즐거웠을 것 같은데 그게 맘처럼 잘 되지가 않았다. 생각한 대로 마음이 가면 벌써 득도하고 깨쳤소이다, 이랬겠지.

그럼 요즘은 증오를 다 내려놓았는가? 그대, 명박도 사랑할 수 있는가?

아나, 걘 좀 이상하잖아?

. . .

마흔이 넘으니, 나도 내 안의 증오를 그럭저럭 달래고 장수들이야 어떻게들 못하지만 병졸들과 막굴에서, 뒷수습하는 게 더 마음 편한 그런 퇴물이 되었다.

증오 위에 세울 수 있는 성은 없는 것 같고, 날카로움이 세상을 벨 것 같지만 자기 손만 다치고, 결국은 즐거움과 낭만 같은 그런 힘없어 보이는 무딘 칼들이 거대한 흐름을 베어버리더라……. 2012년을 회상하며 그렇게 쓸 수 있었으면 좋겠다.

2011년 힘든 한 해가 넘어갔다. 선거와 투표, 그 와중에 서로 큰 소리 질렀던 분들, 정치는 인생의 아주 작은 부분이고 이념도 삶을 설명해주지는 못합니다.

혹 딱 쏘아붙였던 사람이 있으면, 전화로 "소주나 한잔?" 인사 한 번씩 나눌 수 있기를 빕니다.

어느 날, 빌려준 책들을 돌려받길 포기했다. 내 머릿속에 없는 책은 내 책이 아니다! 책장 정리는 엉망이 되었지만, 그날부터 마음만은 편해졌다. 집착 하나를 그렇게 버렸다.

크든 작든 책방에 가면 난 괜히 가슴이 설렌다.

오랜만에 학창 시절 즐겨 찾던 홍익문고에 들러 위아래로 샅샅이 훑었다. 약속 장소로 요즘도 종종 그 앞에 가곤 했지만 안에 들어가서 책 구경한 건 10년도 더 된 것 같다. 이게 어쩌면 다 핸드폰 때문일지도 모른다. 서로 연락하기가 어려우면 책방 같은 곳에서 하염없이 시간을 보낼 일이 더 많아질 텐데, 이거야 원.

간만에 4층까지 뒤지며 묻혀진 책들을 볼 수 있어 좋았다. 마음 같아서는 이슬람 역사책 몇 권 탁 집으면 좋겠지만…… 요즘 내가 그렇게 넉넉한 편이 아니라서 뒤로 미루었다. 돈 들어갈 일이 한두 군데가 아니라서. 문재인 책은 어지간하면 기념 삼아서 한 권 사둘까 싶었는데, 역시 넉넉지가 않아서 패스. 쪼물닥 쪼물닥, 망설이다 내려놓은 것만 세 번째다. 하여간 책방 나들이는 생각해보지 않은 것들에 대해서 생각해보게 만드는, 그런 소소한 재미가 있다. 간만의 홍익문고 나들이, 교보와는 또 다른 찬찬한 느낌을 주어서 재밌었다.

웃으세요.

웃음이 안 나오면……

그래도 웃으세요.

웃고 사랑하고,

그러기에도 우리 삶은 짧아요.

6

여기 아닌
어딘가,
어제와 다른
내일을 꿈꾼다면

프랭클린 다이어리의 광고를 보면 "수첩이 아니라 플래너"라는 말이 있다. 삶을 그렇게 빽빽하게 채워 놓고 있으면 어떤 기분일까. 그걸 볼 때마다 그런 생각이 든다.

나는 노안이 온 이후로는 보통 크기의 수첩은 쓰기가 어려워 그보다 는 조금 더 큰 수첩을 사용하는데, 쭉 훑어보니 지난해 4월부터 6월까 지 강연을 하지 않은 날이 며칠 안 된다. 예전 같으면 빼곡히 뭔가 일 정이 적힌 수첩을 보면, 마치 손때 묻은 사전을 흐뭇하게 바라보던 것처럼 괜히 뿌듯했을 것이다. 지나온 시간이 좋았든 나빴든, 어쨌든 뭔가 흔적이 있으면 괜히 기분이 좋아지는 법이니까.

그러나 올해부터는 전혀 다른 생각을 하게 되었다. 내가 도대체 뭐 하고 있는 짓인가, 그런 생각이 머리를 딱 하고 때리고 지나갔다.

· · ·

나는 천사에 관한 이야기에 굉장히 흥미를 느끼는 편이다. 물론 성 경에 나오는 천사들은 우리가 흔히 상상하는 어여쁜 선녀나 사랑스런 아기천사가 아닌, 투박하고 수염 숭숭 난 아저씨들이다. 그중엔 예수와 밤새도록 씨름을 해서, 그의 갈비뼈를 부러뜨리는 그런 천사도 있다. 가끔 나는 만약 천사가 내게로 와서 나를 천국으로 데려다 주겠다, 그렇게 말했을 때 어떻게 대답할까 이런 상상을 해본다.

"지금 전 너무 바빠요. 제가 만나야 할 사람이 내일도 있고, 모레도 있고, 글피에는 강연도 있거들랑요. 게다가 그다음 날에는 오, 맙소사! 공중파 출연도 있어요. 그러니 다음 주, 아니 내달 초에 다시 연락을 주세요."

혹시 내가 이렇게 하면 어쩌나 그런 두려움이 있다.

만약 천사가 나에게 인류 아니, 한국 사람이라도 구할 경제학 공식을 알려주겠다고 찾아왔을 때 내가 수첩을 뒤적뒤적 하면서, "대단히 영광스러운 말씀이기는 하지만 에, 제가 지금 책 마감 중이라서, 한 3주쯤 후에 다시 연락주시겠어요?" 이래서는 안 되는 거 아닌가?

혹시 내가 바쁘다고 그냥 보내버린 수많은 사람들과 만남들 속에, 어쩌면 정말 천사가 왔다가 "아, 쟤 바쁘시댄다, 그러셔요", 이러고 벌써 가버렸는지도 모른다.

세상일에는 우선순위라는 게 있다. 나도 그렇다. 그러나 내가 믿었던 우선순위가 과연 맞는 걸까, 그걸 돌아보게 된 게 나에게는 너무 늦은 나이에 왔다.

목사님들 보다가도 가끔 그런 생각을 한다. 아, 이 분은 예수가 바로 앞에 나타난다고 해도 목회활동하고 선교활동 하느라 바쁘다고 하시거나 혹은 "천안함 안 믿으면 사탄입니다" 하실 분이구나.

스님 중에서도 가끔 본다.

부처가 직접 나타나서 "너, 나 좀 보자" 해도 "소승은 지금 해탈을 위해 면벽 수도 중이라 바쁘옵나이다" 하실 분들.

               ···

인생은 타이밍, 깨달음도 한순간.

이건 알았지만, 사실 별 소용은 없다. 당장 수첩을 버리고 싶지만 뒤에 적어놓은 일정들을 어딘가 옮겨 적기가 귀찮아서 여전히 들고 있다. 며칠 전에 다시 한 번 결심을 했다. 이제 계획은 세우지 않고, 약속도 하지 않겠다……. 그러나 지금 다시 수첩을 보니 11월도 빼곡, 12월에도 벌써 줄이 죽죽.

기도하는 수밖에 없다.

"천사님, 혹시라도 저한테 오실 생각이 있으시면 올해는 어려우니 내년에 오셔야 하고, 아침에는 자니까 꼭 오후에 오셔야 하고……."

인생인 타이밍, 내가 지금 제대로 사는 건지 잘 모르겠다.

한미 FTA 국회 본회의 통과를 저지하기 위해 인간띠 만드는 행사를 같이 하자는데, 그날따라 오후에는 특강이 있고, 저녁 때는 토론회에 참석하기로 되어 있다.

아, 이날 딱 그 자리에서 천사가 "그동안 수고했고, 이제 너의 수고했던 짐을 내려주마", 그럴 것 같은 불길한 예감이 막 드는 것은 왜일까?

간절히
원하는 것

자기계발서는 영어로는 'Self-Help'
라고 한다. 누군가 도와줄 수 없으니 스스로를 도와야 하는 상황에서
참고하는 책이라는 의미다. 자기계발서의 내용을 한마디로 요약한
다면, "간절히 원하면 이루어진다"는 문장과 "잘하면"이라는 기술적
제약 조건이 하나 붙는 걸 들 수 있다. 자기계발서와 재테크책의 기
본 구조는 거의 대동소이하다. '간절히 원하는 것'이 돈이면 경제경
영서고, 간절히 원하는 것이 권력이나 힘 같은 것이면 자기계발서로
분류된다. 그리고 대개는 무엇을 간절히 원하는가? 그런 질문들로
시작된다.

『마시멜로 이야기』 같은 것은 "무엇을 원하는가?"라는 도입부의
철학적 질문도 생략한다. 어차피 뭔가 원하니까 이 책을 집은 것 아
냐? 거의 독자 우롱에 가까운 사디스트적인 구조를 가지고 있는데,
집단적 매저키스트의 시대에는 이런 강렬한 구조가 잘 먹힌다. 약간
의 스타일 분석을 해보면 책의 저자, 즉 화자가 철저하게 사디스트의
위치에 서는 서술형이 하나가 있고, 그와는 반대로 스스로 자학에 가

까운 매저키스트 위치에 서는 서술형이 있는데, 한국에서는 사디스트형이 잘 먹힌다.

물론 자기계발서의 사회적 기능이 아주 없지는 않다. 전통적으로는 종교와 공동체가 담당했던 기능과 1970년대 이후부터 공공의 심리상담사가 했던 기능들을 담당하기는 한다. 외로우면 사람은 더 이상 버티기가 어렵고, 좌절이 커질 때에는 혼자 힘으로 이기기가 쉽지 않은데 그걸 완화하는 기능들을 자기계발서들이 했던 셈이다. 사실 그렇게 한다고 해서 실제로 문제가 풀리는 경우는 거의 없지만, 인간이라는 것이 언제나 그렇게 합리성과 명분만으로 움직이는 존재였든가?

역기능은? 엄청 많겠지. 자기계발서 사느라고 돈 쓰면 돈 쓴 만큼 손해, 혹시라도 그 책을 읽었다면 읽은 시간만큼 손해 그리고 정말로 시키는 대로 했다면? 하여간 자기계발서는 읽을 때의 심리적 안정을 위한 정신적 일탈과 같은 것에 불과하다.

하지만 한국은 자기계발서의 이런 일련의 과정을 통해서 "네가 이 모양 이 꼴인 것은 네가 자기계발에 소홀히 했기 때문이고, 그러니다 네 탓이다"라는 그런 담론 구조가 사회경제적 변화와 맞물리면서 생겨난 셈이다. 어느 사회에나 이런 게 있기는 한데, 우리는 그 도가 좀 지나쳤던 것 같다.

그 맨 밑에는 뭐가 있을까? "간절히 원하는 것"이라는 마법과 같은 주술이 숨어 있는 것 같다. 성공한 사람들은, 전부 자신들이 간절히 원했던 것에 대해서 이렇게 얘기한다. 간절히 원하는 것을 진심으로 추구하다 보면 하늘과 우주의 모든 것이 자신의 편이 되어 결국에는 도와주게 된다고.

우리가 구복신앙이라고 부르는 그런 정서들과 자기계발서가 유독 잘 맞아떨어져서일까? 하긴 자기계발서만 그러겠는가? 한국에 들어온 모든 종교 역시 돈 내고 정성을 표시하면 구원을 받는다는 구복신앙이 되어버린 셈인데. 수능이 가까워지면 교회에서는 아침기도회로 수능장사하고, 절에서는 수능기원 벽돌을 팔고, 참 별의별 짓을 다한다만…….

. . .

곰곰이 생각해보면, 나는 살면서 간절히 원하는 게 거의 없었던 것 같다. 고등학교 시절에 꿈 같은 건 종종 장래희망이라는 직업과 연결되는 경향이 있는데, 사실 나는 고등학교는 물론이고 그 이전에도 특별히 되고 싶은 뭐가 있지는 않았다. 그냥 아무것도 안 하고, 아무도 만나지 않고, 대충 혼자 놀면서 살면 좋겠다 정도. 대학에 들어갈 때에도 특별히 원하는 전공도 없었고, 되고 싶은 것도 없어서 대충대충 들어간 셈이다. 국문학과를 가볼까 했었는데 그건 국어 선생님이 특별히 원해서 그랬던 것이고. 경제학과는, 사실 경제학이 뭔지도 모르고 들어갔다. 대학교 1학년 문무대(대학생 병영훈련) 때부터 데모하는 맨 앞줄에 서기도 하며, 교통사고 나서 병원에서 수술받고 그러느라 1년을 그냥 보냈다. 술 처먹고, 온갖 깽판은 다 치고, 선배들한테 "니들 다 덤벼"라고 툭하면 어깃장을 놓으며 그야말로 10년에 한 번 나올까 말까 한 개차반 소리를 들으면서 학교를 다녔다. 기왕에 다니게 된 거 경제학이 뭔지 알아나 보자고 교과서를 잡기 시작한 것은 2학년이 된 후의 일이다. 그때에는 수학을 너무 못 해서 아예 책을 읽을 수가 없

는 정도여서 1년 동안은 선형대수와 같은 수학 공부만 했는데, 그것
도 1987년 6월을 맞으면서 그냥 흐지부지 끝났다.

그렇게 시작한 공부라서 무슨 대단한 목표를 가지거나 또 누군가
를 가르치는 일을 해야겠다는 엄청난 사명감을 가지고 있었던 것은
결코 아니었다. 대학 시간강사 하다가 현대에 입사할 때에는, 선생들
이 엄청 말렸다. 기업에 가는 것보다는 국책연구소라도 가는 게 낫지
않냐고. 하지만 이미 나는 좌파라고 찍힐 만큼 찍혀서 김영삼 정권
시절, 정부연구소에 가는 건 글렀다. 갈 데도 없었고, 무슨 엄청난
생각이나 포부를 가지고 취직한 것도 아니었다. 그냥 입에 밥이나 들
어가면 되는 삶, 나는 그렇게 생각하고 살았던 것 같다.

사명감 비슷한 것을 느꼈던 적은 두 번 정도 있다. 총리실에 있던
시절, 마침 총리나 국무조정실장이 드물게 스타일이 잘 맞는 사람들
이라서 재미있게 지냈고, UN에서 협상가로서 했던 일들도 생각보다
는 잘 풀렸던 것 같다. 그때는 사명감을 좀 느꼈었다. 또, 녹색당 만
든다고 할 때에도 사명감을 느꼈던 것 같다. "내가 한국에 녹색당이
생기기를 정말 간절히 원했었나?" 가끔 그 질문을 스스로에게 던져
보는데 어떻게 생각하면 간절했던 것 같기도 하고, 어떻게 생각하면
그렇게 복잡한 고민은 하지 않고, 내가 할 수 있는 선에서 최선을 다
한다는 정도로 덤볐던 것 같다.

이제 나도 마흔 초반을 어느덧 훌쩍 넘겼고, 낼 모레면 마흔도 중
반으로 넘어간다. 곰곰이 생각해보면, 내가 간절히 원했던 것은 아무
것도 없었던 것 같다. 무엇인가를 간절히 원한다, 그건 마법과도 같
은 얘기지만, 주술은 주술이다.

· · ·

"무언가를 간절히 원한다면……"

가끔 내게도 그런 말을 던지려고 하는 사람을 만나게 되면, 나는 심드렁한 표정을 짓고 금방 도망가버린다. 『파우스트』의 악마의 제안이 꼭 그럴 것 같다. 자기가 정말로 원하는 것이 생기면 그 순간부터 자기 영혼이 무엇인가의 노예가 되는 것 아닐까? 나는 잘살고 싶은 생각도 없고, 출세하고 싶은 생각도 없고, 누군가에게 기억되는 사람이 되고 싶은 생각도 전혀 없다.

이청준 선생이 말하지 않았던가. "살아서 동상을 세우지 말라." 가끔은 굶더라도 대체로 입에 세 끼 밥이 들어오고, 남들한테 갚지 못할 빚을 남기지 않고 가는 삶, 그런 거면 충분치 않을까 싶다. 때때로 작은 소망이 생기는 거야 사람이니까 어쩔 수 없지만, 간절히 원하는 것을 만들지 않는 삶, 그런 삶을 40대가 되면서 배운 것 같다. 소소한 물건에 대한 집착까지 내려놓으며 말이다(하지만 미학적 취미까지 몸에서 다 떼어내기는 어려울 것 같다).

누군가 내게 정색을 하며 "무언가를 간절하게 원한다면", 이런 얘기를 또 한다면 난 소주병으로 머리를 한 대 때려주겠다.

큰 걸 보다가 우리는 너무 쉽게 작은 것의 함정에 빠진다. 마케팅 사회, 자기계발서의 덫에 걸리면 '원하는 것'에 영혼을 파는 아주 이상한 삶을 살게 될지도 모른다. 간절하게 원하는 것, 그게 바로 악마가 바쁠 때 대신 보내는, '자기계발서'라는 악마의 대리인이 내뱉는 첫 번째 속삭임이 아닐까 싶다.

"아버지는 낙타를 타고, 나는 롤스로이스를 타고, 내 아들은 제트기를 타고, 내 아들의 아들은 다시 낙타를 탈 것이다."

사우디에서 요즘 유행하는 말 하나가 발전에 대한 이런저런 생각을 하게 만든다. "석유로 흥한 자, 석유로 망하리라", 그런 얘기일 텐데, 결국 석유는 고갈되고 만다. 석유가 사라지고 나면 지금의 오일머니는 무엇으로 대체될 수 있을까?

현업 시절에 카타르를 대상으로 에너지 절약과 관련된 정책교육을 하면서, 카타르 버전 에너지관리공단 신설을 지원하는 일을 한 적이 있다. 카타르에서 무슨 에너지 수요관리인가 싶지만, 거기도 결국은 석유가 고갈되는 시점이 올 것이고, 그것에 대비해 조금씩 준비를 하고 있다는 것을 그때 나도 처음 알게 되었다.

중동의 석유와 관련해 가장 마음이 짠했던 얘기는, 이라크전 이후 이라크 중산층들이 추운 밤을 보내기 위해 등유를 사는 돈이 식료품 비용보다 높아서 고생한다는 사연이었다. 산유국이자 석유를 수출하는 나라면서도 자신들의 중추 지지기반들에게도 석유를 제대로 공급할 수 없다는 것, 그야말로 정치가 얼마나 중요한 것인가를 절감하게 하는 사건이었다.

. . .

발전이 멈춰가는 이들 나라들과 비교해보았을 때 떠오르는 질문, 자, 그렇다면 우리는 과연 발전하고 있는가? 수치상으로는 여전히 일정한 성장률을 유지하고 있고, 대기업들의 실적은 나날이 호전되어 가며, 수출과 관련된 지수는 아주 좋게 나오고 있다. 최소한 한국에서 수출과 관련된 지표들만 보고 있으면 위기라는 생각은 전혀 들지 않는다. FTA를 비롯한 무역 관련 제도들만 확충하면 영원한 번영이 지속될 것 같기도 하다.

물론 현실에서는 환각이자 환상이다. 우리 경제는 지독할 정도의 독과점 구도로 변해가고 있고, 최상위 고위층을 제외한 사람들의 삶은 점점 더 어려워지고 있다. 이걸 보여주는 다른 지표는 없을까? 물가상승률이나 소득불평등도를 나타내는 지니계수 혹은 가처분소득이나 저축률과 관련된 다른 지표들이 있긴 있지만, 일반인들이 이런 수치들을 찾아보는 경우는 거의 없을 뿐만 아니라 그런 것들에서 실제적 의미를 느끼는 경우도 거의 없다.

이런 복잡한 개념이 나올 때마다 나는 우리 어머니와 장모님 생각을 한다. 우리 어머니는 초급 대학인 2년제 시절 교대를 나오셨는데, 세상의 복잡한 일이라는 건 전혀 모르신다. 우리 어머니가 아는 모든 것은 「조선일보」와 동창생들끼리 나누는 정보가 전부다. 뒤늦게 그림

320

을 그리기 시작해 이제 막 개인전을 준비하고 계신 장모님은 4년제 대학을 나오셨고, 유치원을 잠깐 운영하셨으며, 역시 「조선일보」와 친구들 사이에 오가는 정보가 대부분이신 분이다. 지니계수? 이 두 분 모두, 도저히 이해할 수 없는 얘기다. 소득불평등도 같이 어려운 개념은, 북한의 지령을 받은 좌익들이나 하는 얘기라고 생각하시는 분들이다. 우리의 식탁에서 싸늘한 침묵의 시간이 흐르지 않기 위해 서는 세상 살아가는 얘기가 대화 메뉴로 올라와서는 안 된다.

교회 설교 시간 또는 절의 법회 시간은 어떻게 보면 지루하도록 긴 시간일지도 모르지만 뭔가를 전달하기에는 턱없이 짧은 시간이라서 직관적인 얘기들로 채울 수밖에 없다. 대중 강연이나 신문 칼럼도 마찬가지로 아주 짧은 시간이나 짧은 지면만으로 간단하게 얘기를 전개해야 해서 성급히 마무리할 수밖에 없다. 물론 술을 마시면서 밤새 워 얘기한다고 해도 어차피 평행선을 달리는 두 개의 생각은 절대로 하나로 모이지 않고 누군가에게 "그래, 그게 맞다", 이런 결론을 끌어 내는 것은 미션 임파서블과 같다.

세상에 존재하는 서로 진심으로 동의할 수 있는 순간은 이미 오래 전부터 상대방과 결혼하기로 마음먹은 두 사람이, "우리 결혼합시다" 라고 하는 그 한순간밖에 없는 거 아닐까? 얼마나 많은 청춘 남녀들 이 자신이 흠모하는 대상에게 "그래, 나도 너와 결혼하고 싶어"라는 말을 듣기 위해서 밤잠을 설치는가? 그렇지만 그렇게 생각하지 않는 사람을 설득해 결혼하게 할 수는 없지 않는가!

이처럼 발전에 대해서 혹은 경제에 대해서 전혀 다른 생각을 가진 사람을 설득하거나 납득시키는 것은 사실상 불가능한 일일지도 모른다. 그래도 난 이 질문을 멈출 수가 없다.

『88만원 세대』를 준비하는 과정보다 내가 제일 먼저 품었던 질문은 발전이란 무엇인가 그리고 우리는 어떻게 발전이라는 것을 알 수 있는가, 그런 질문들이었다.

첫 번째 의문 중의 하나가, 과연 중산층의 자식이 다시 중산층이 될 수 있는가였다. 40평 아파트를 소유한 부모의 집에 사는 대학생이 언젠가 자신이 독립하게 되었을 때 부모가 스스로 장만했던 것만큼의 거주 조건을 마련할 수 있을까?

그에 대한 서베이로 삼성과 현대의 평직원들과 대리직들의 삶을 살펴보았다. 그중에서 자신의 힘으로 집을 장만한 사람은 딱 한 명뿐. 사내 결혼한 경우였고, 아버지는 유명한 공기업의 상무였다. 물론 부모가 집을 장만하는 데 경제적 도움을 주지는 않았지만, 사내 결혼으로 부부가 힘을 합쳐 겨우 가능했던 것이다. 결론은, 삼성전자나 현대자동차에 다닌다 할지라도 혼자 벌어서는 작은 아파트 하나 장만하는 게 불가능하다는 거다. 그것도 벌써 5년 전에 했던 서베이다. 최근에 유사한 서베이를 다시 한 번 해봤는데 지금은 그렇게 사내 결혼을 한다고 해도 집 장만은 불가능하다. 그동안에 신입사원 초봉이 삭감되었기 때문이다.

즉, 최소한의 중산층이라는 기준으로 보면 중산층 2세는 다시 중산층 수준이 되기 어렵다. 상위 5퍼센트라는 기준을 들이대도 마찬가지다. 행정고시, 사법고시, 이런 데 합격한 사람들의 경우도 조사를 해봤는데 변호사가 되어 아주 유명한 로펌에 들어가서 상상을 초월할 만큼의 연봉을 받는 경우를 제외하면 역시 별수 없다.

이 문제는 여전히 현재진행형이다.

지금의 10대가 경제적으로 독립하게 되었을 때 사정은 더욱 어려워질 것이다. 나아진다는 전망은 아무것도 없고, 아파트 가격이 훨씬 더 내려가게 될 것이라는 장기적 전망치 외에는 모든 것이 나쁜 방향을 가리키고 있다. 아파트 가격이 내려간다고 하더라도 평균적인 실질 노동임금의 하락률이 더 높을 가능성이 크다. 질적 변화를 포함한다면 말이다.

자기 자식이 자기보다 경제적으로 더 열악할 것이라는 걸 한국의 중산층이 집단적으로 받아들이는 순간, 그때가 사회 변화의 첫 지점이 될 가능성이 높다. 물론 지금도 개별적으로는 이걸 이해하고 있는 편이지만, 그러면 그럴수록 더욱더 사교육에 목매달고 '내 자식주의'로 빠져드는 게 문제라면 문제다.

• • •

자, 우리의 자식이 자신보다 더 나은 삶을 살 수 있는가?

이게 한국의 40대에게 보편적으로 던져진 질문이다. 과연 우리는 발전했는가? 부모가 우리에게 물려준 것만큼을 우리는 다음 세대에게 물려줄 수 있고, 우리가 누렸던 경제적 혜택만큼을 다음 세대도 누릴 수 있게 되는가?

이 질문에 대해서 국가적이고 대승적인 시각으로 바라본다면 자신은 숨어버릴 수도 있지만, 개개인의 삶으로 돌아가 자신을 둘러싼 일상성만을 본다면, 어쩌면 우리는 심각하게 퇴보하고 있는 것인지도 모른다.

한 번 생각해보자. 더 좋은 스마트폰을 가지고 있다는 게 우리가 나아지고 있다는 걸 보여주는 징표라도 되는가? 생태적으로만 본다면, '낙지'를 기준으로 생각할 수 있을 것 같다. 6·25가 끝나고 가난했던 사람들이 종로 뒷골목에서 먹던 싼 안주 중의 하나가 낙지볶음과 산낙지였다. 하지만 낙지는 이제 그렇게 싼 음식이 아니다. 세계에서 가장 좋은 조건이라는 우리 갯벌에서 나는 낙지와 조개 등의 어패류는 우리 다음 세대에게는 귀족들이나 맛볼 수 있는 귀한 음식이 될 것이다. 이미 갈치가 그렇게 되었고, 예전에는 먹지도 않던 전어 역시 가을의 별미로 금값이 되면서 서민 밥상에서 구경조차 하기 힘들어졌듯이 말이다.

1960년대 후반, 진공관으로 만든 TV가 한국에 보급되기 시작했는데 나는 내가 태어난 그해 아폴로호가 달에 가는 모습을 보기 위해서 진공관 흑백 TV를 샀던 수십만 명 중의 한 명인, 교사 부모님을 두었기 때문에 아주 어려서부터 TV를 보고 자라난 최초의 TV 세대였다. 당시에 진공관 TV를 갖는다는 것은 요즘 시대에 풀 프레임 DSLR을 갖는 것보다 더 호사스러운 취미였다. 하지만 이제는 방마다 TV가 있는 시대고, 곧 아날로그 TV는 종료되어 디지털 시대로 전환될 것이다. 과연 이게 발전한 것이라는 것을 보여주는가?

삶의 기본은 의식주이고, 이것은 영원히 변하지 않는 진리다. 지금 한국은 최상위 일부를 제외하면, 의식주 자체가 힘든 시대를 살고 있다. 그리고 그 편하지 않은 의식주 조건은, 시간이 지나면서 점점 더 악화될 것이다. 시간이 지날수록 우리보다 나이가 어린 세대들은 점점 더 살기 어려워지는데, 도대체 우리는 무엇을 위해서 경제성장을 하고 경제발전을 한 것일까? 그리고 진짜 경제적 발전을 하기는 한 것일까?

. . .

1950년대에 전쟁이 끝나고 경기고 등 좋은 엘리트 고등학교를 나온 할아버지들이 꼭 하는 말이 있다. 당시에 자신은 집이 가난해서, 고등학교 때는 이미 과외를 하면서 자수성가했다⋯⋯. 그런 분들에게 난 꼭 이렇게 얘기한다.

"그런데 왜 지금의 고등학생은 그렇게 할 수 없는 세상을 만드셨어요?"

나는 전두환 때 고등학교를 다녔는데, 당시 학교가 끝나면 3시경에 오후반이 끝난 초등학생들과 같이 집으로 돌아왔다. 그 얘기를 내가 하면 경기고 나온 할아버지들이, 자신들도 3시에 집에 돌아왔다고 하면서 전차를 타고 돌아오며 즐거웠던 10대 시절의 얘기를 풀어놓는다. 그럴 때마다 내가 또 이렇게 쏘아붙여준다.

"그런데 왜 지금은 3시에 고등학생들이 집에 돌아갈 수 없는 세상을 만드셨어요?"

고등학생들이 3시에 집에 돌아와서 책을 읽거나 혼자서 공부하거나 아니면 그냥 놀거나, 과외를 해서 자신의 학비를 마련했던 1960년대에서 1980년대, 한국 경제가 튼튼하게 움직일 수 있었던 힘은 그렇게 놀았던 고등학교 시절의 자유와 그리고 대학 강의는 아예 들어가지 않아도 되던 그런 자율적 분위기에서 만들어진 것 아닌가? 정량적 지표로 잡히지는 않지만, 정성적 지표로는 그렇게 말할 수 있다.

지금 40대들은 자신이 번 모든 돈을 아파트와 사교육에 쏟아 붓고 있다. 물론 그렇게 해서 망하는 건 자신의 선택이지만, 위험한 건 그것이 자신들의 2세가 스스로 발전할 수 있는 가능성을 죽이고 있다는 점이고, 인권이라는 눈으로 보면 청소년 학대의 주범이라는 점이다. 자신들은 3시에 학교가 끝나 집에 돌아갈 수 있었고, 학점 같은 건 신경쓰지도 않고 자유를 만끽하며 연애하고 독서할 수 있었던 삶을 살았는데, 왜 자신의 2세에게는 그럴 기회조차 주지 않는가?

우리 주변을 가만히 살펴보자. 도대체 무엇이 발전한 것인가? 우리가 발전한다는 것은, 최소한 우리가 10대 때에 누렸던 만큼의 자유라도 우리들의 2세에게 주는 것으로부터 시작해야 하는 거 아닐까?

10대 우울증, 10대 자살…… 이게 발전인가?

자신이 받은 것보다 다음 세대에게 더 줄 수 있고, 자신이 사회로부터 받은 것보다 더 내놓을 수 있을 때, 그것이 진정한 발전 아닐까?

. . .

드라마 「커피프린스 1호점」에 보면 이런 대사가 나온다.

"왜, 네가 내게 준 것은 마음이고, 내가 네게 준 것은 돈이라서?" (한결이 은찬에게)

지금의 한국 40대 중산층은, 부모에게는 마음을 받고, 자식에게는 돈을 주려고 한다. 그것도 직접 주는 게 아니라 '사교육'이라는 형태의 학벌로 말이다. 자신은 부모에게서 마음을 받았는데, 왜 자기 자식에게는 그 마음을 직접 표현하지 못하고, 돈으로 주려고 하는가? 마음을 주는 법을 잊어버렸는가?

40대 아빠들에게 물어보고 싶다. 자신의 딸과 언제 마지막으로 진짜 대화를 했고, 자신의 자녀는 언제 아빠에게서 마음을 받고 있다고 느끼고 있는지? 돈으로 뭔가 보상할 수 있다고 생각하지만, 돈이 해결해주는 건 생각보다 적다.

우리의 2세들은, 개인적으로나 사회적으로나 애정과 관심이 필요하고 대화가 필요하다. 학원에 바치는 돈, 그건 사랑도 아니고 정성도 아니고 암것도 아니다. 그냥 청소년 학대, 자식 학대다.

우리는 과연 발전하고 있는가?

이 질문을 한 번쯤 진지하게 하지 않는다면, 자신은 물론이고 자신을 둘러싼 가족 모두를 불행하게 만들지도 모른다.

흐르는 물,
다시 오기
어려워라

고등학교 강연을 시작한 지 어느덧 한 5년쯤 되는 것 같다. 고등학생들이 학교 동아리활동 연장 같은 것으로 부를 때면 어지간하면 돈은 안 받으려고 하고, 아주 바쁠 때 아니면 웬만하면 모두 가보려고 하는 편이다. 10대 연구를 꽤 오래 했지만 여전히 고등학생들하고 얘기하는 건 아주 어렵다. 그래도 처음 시작할 때보다는 좀 나아진 것 같다.

『촌놈들의 제국주의』를 쓸 당시, 몇몇 고등학생들한테 도움을 많이 받기도 했다. 쉽다, 어렵다와 같은 코멘트도 일일이 받았고 특히 후기는 당시 10대들이 주문하는 내용으로 갔다. 몇 가지 버전이 있을 수 있었는데, 인권 얘기로 마감을 해달라고 해서 그렇게 했다. 그때 그 원고 봐줬던 친구 중에 한 놈은 나중에 대학을 갔고 지난 여름에 사회과학방법론 기초 강좌까지 들으러 왔었다. 시간이 참 빨라서 이 녀석도 이제 군대 간단다.

고등학교 강연을 많이 다니다 보니 이제는 약간의 팁도 생겼다. 고등학생에게는 내용의 전달이나 메시지가 중요한 게 아니라, 일단 안 재우는 게 최고로 어려운 일이다. 그도 그럴 수밖에 없는 게 보통 강연은 저녁 7시 정도에 하는데, 저녁밥 먹고 강당에 200~300명씩 모여 있는 상황에서, 안 자면 오히려 그게 이상한 거다. 그렇게 밤 9시 정도에 끝나면 한 시간 정도 더 공부를 해야 한단다……. 5년 전에 처음 강연했을 때에는 나도 절반 정도 재웠다. 아, 고민스러웠다. 이것도 일종의 기술이라 그런지, 하다 보니 약간의 요령이 생겨서 요즘은 재우지는 않는다.

한 번은 어느 보수 인사가 수능 끝난 고3들 붙잡고 강연한 얘길 듣고 아주 웃었던 일이 있다. 순국선열에 대한 묵념, 그렇게 묵념부터 시작하고 강연을 시작했단 거다. 안 재우려고 목숨 걸고 해도 정말 잠 안 재우기가 어려운데, 5분 동안 묵념을 시켜? 대부분의 학생들이 그 길로 숙면모드에 들어갔을 것이고, 아마 상당수는 강연 끝날 때까지도 일어나지 않았을 일! 그게 고등학생들의 현실이다.

어떤 연구자들은 대학생 연구가 더 편하다고 말하기도 한다. 일단 입시를 끝냈고, 상대적으로 여유가 있는 상황의 사람들을 대상으로 하는 거니까. 그래도 몇 년 지내다 보니 난 이제는 고등학생 연구가 더 편하다. 워낙 고민을 많이 하다 보니 이제는 그들이 뭘 생각하는지도 좀 알겠고, 뭘 하고 싶은지도 약간은 알 것 같다.

내가 10대 교육과 관련해서 현장이라 생각하면서 만나는 집단이 있는데 이제는 세 개의 집단으로 어느 정도는 정형화가 되었다.

첫째, 학생들이다.

난 기회가 닿는 대로 여건이 닿는 대로 학생들을 많이 만나보려고
한다. 경향성도 조금 변화가 생겼다. 초기에는 간디학교, 이우학교,
하자학교, 이런 대안학교 학생들을 주로 만났는데, 5년 전부터는 공
교육 내에 있는 학생들을 주로 만나려고 하는 편이다.

둘째, 선생님들이다.

교육대학원 수업을 오래 해서 선생님들은 학생으로 많이 만났다.
그래서 언제나 선생님들과는 주제를 가지고 토론할 수 있는 기회가
많았다. 보수 쪽 선생님들은 멀리 갈 것도 없다. 우리 어머니, 우리
아버지 그리고 그 주위의 수많은 교사들. 내 주변에는 그런 보수주의
교사들이, 사실 많아도 너무 많다.

셋째, 학부모들이다.

학부모들을 만나는 경로는 몇 가지가 있다만, 사교육과 관련된 모
임을 제외하면 정형화되어 있지는 않다. 아직 진도를 많이 못 나간
연구 주제 중에 30~40대 여성들에 관한 주제가 하나 있는데 어떻게
보면 경제적 주체, 즉 '젠더 이코노미'라는 틀을 통해서 만나기도 하
지만 이 사람들을 또 뒤집어서 보면 학부모이기도 하다. 생각보다 참
신한 주제들을 종종 학부모들을 통해서 접하게 된다.

. . .

몇 년 동안 이런 현장 만남들을 통해 '10대들과 대화하기' 정도의
주제로 언젠가는 한 번쯤은 정리할 기회를 가져보면 좋겠다고 생각

하지만 과연 그렇게 될 수 있을지…….

10대들의 변화는 아주 빠르다. 이번의 '교내체벌 전면금지' 이후로
도 또 분위기가 많이 바뀔 것 같다. 지난 시간들을 생각해보면, 그동
안 10대들의 패턴은 참 많이 바뀌었는데, 바뀌지 않은 것은 교복 정
도?

우리는 고등학생들이 언제나 같은 고등학생들이라고 생각하지만,
그 안에서도 변화의 속도는 아주 빠르고, 또 생각보다 많은 변화가
있다.

"흐르는 물을 다시 만질 수는 없다."

고등학교에 갈 때마다 난 이 말을 떠올리곤 한다.

꿈 같은 건
없어도 괜찮아

　몇 년 전부터 중고등학교에서 진로교육이라는 이름으로 꿈을 가질 것을 가르치기 시작하더니, 요즘은 노골적으로 꿈을 욕망하라고 한다. 꿈, 많은 사람들을 설레게 하는 말이지만 이것처럼 자본주의의 작동방식에 충실한 것도 없다. 게다가 예전의 가치관들이 무너지고 새로운 가치관들을 아직 만들어내지 못한 곳에서는, 꿈은 최대의 이데올로기가 된다.

　생각해보면, 나는 꿈 같은 걸 가져본 적이 없었던 것 같다. 되고 싶은 것도 없었고, 하고 싶은 것도 없었고. 중고등학교 때는 정말 되고 싶은 게 없어서, 희망 직업란에 뭐라도 써야 한다고 해서 시인을 몇 번 썼다가 이러면 안 된다고 해서 그냥 외교관이라고 썼다. 별 뜻은 없었고, 짝꿍 아버님 직업이 외교관이라서. 학창 시절, 인생 모토처럼 생각했던 게 딱 하나 있다면, '교사는 되지 않겠다'였다. 교사 부모를 모시고 살면, 그런 생각이 자연스럽게 들게 된다.

　고등학교를 졸업할 때까지도 직업에 대해서 생각해본 적이 없고, 대학을 졸업하고 나서도 마찬가지였다. 대학에서 시간강사를 시작했을 때에도 앞으로 특별히 되고 싶은 것도, 하고 싶은 것도 없었다. 사실 대학 입학했을 때에도, 부모님은 내가 문학을 전공하는 걸 죽어라고 싫어했고, 내가 벌어서 대학 다닐 수 있는 형편은 안 되니 또, 죽도록 문학을 해야겠다는 생각도 별로 없어서 그냥 점수 맞춰서 경제학과에 들어갔다. 그러고는 그냥 4년 내내 술이나 마시면서 대학에 다녔을 뿐이다.

가끔 자기계발서 내는 출판사에서 나에게 공부하는 법이나 인생을 정리해서 팔리는 책 좀 만들어보자고 하는데, 내 인생에서 남들에게 존경 받을 만한 그런 모티브나 특이한 점은 없을뿐더러 누군가에게 모범이 될 만한 일은 하나도 없어서 고사한다. 오죽하면 장관표창 받을 때, 상사들이 "쟤가 우수직원일지는 몰라도, 모범직원은 아니다"라고 했겠는가. 난 유달리 꿈도 없고, 순리대로 살아가자는 생각이 전부다.

. . .

꿈을 갖고 어떤 시련이 있어도 그걸 넘어서라고 요즘 다들 그렇게 말한다. 나는 그 소릴 들을 때마다 그건 사람을 만드는 게 아니라 괴물을 만드는 거 아닐까라는 생각에 쭈뼛함이 든다. 사람이란 아프면 쉬어가고, 힘들면 누웠다 가고, 피곤하면 자다가는, 그런 존재다.

꿈이 삼성전자 직원이거나 교사이거나 혹은 공무원이라는 학생들을 볼 때면 이런 게 꿈이 될 수 있나 싶다. 꿈은, 지구를 지킨다, 하늘을 날고 싶다, 혹은 시인이 되고 싶다, 무대에 서고 싶다, 그런 것들이어야 하는 게 아닐까? 물론 사람마다 생긴 모습이 다르듯이 꿈에 대한 생각도 좀 다를 테지만 그래도 달나라에 가고 싶거나, 지구를 지키고 싶다, 이런 추상적인 형태가 아닌 꿈을 가졌을 때 까딱 한 발만 잘못 디디면 불행의 구렁텅이로 빠지기 십상이다.

박사가 될 때 내가 학위를 그렇게 목숨 걸고 받았나? 혹은 그걸 꿈이라고 생각했나? 떠올려보면 난 그렇지는 않았다. 그냥 공부를 하다 보면 학위는 받을 수도 있고 못 받을 수도 있고. 학위를 받는다고 해서 삶이 크게 바뀔 것이라는 생각을 해 본 적은 없다.

사실, 꿈 같은 건 꾸지 않아도 삶을 행복하게 꾸려나가는 데에 아무런 상관이 없는 것 같다. 꿈이 있고, 그 꿈에 동반하는 엄청난 열정이 있어야 성공한 사람이 되고, 그래야 돈과 명예가 따르고, 그래야 행복해질 수 있다고 하는 「조선일보」식 가르침…… 그건 사람을 로봇으로 보는 것이다. 그러나 사람은 그보다는 훨씬 더 섬세하고 복잡하지 않은가.

가끔 내게 머리가 좋아서, 꿈 없이도 살아갈 수 있었지 않느냐고 말하는 사람이 있기도 하다. 머리라…… 전화번호도 절대 외우지 못하고, 사람 이름도 거의 기억하지 못하는 머리도 머리라고 할 수 있나? 이사 온 지 3년이 되었지만 집 전화번호를 아직도 못 외우고, 몇 달 전에 아내의 전화번호가 바뀐 다음에는 아내 전화번호도 못 외운다. 병적으로 외우지 못하는 아주 이상한 머리를 타고 태어났다는 걸, 난 5학년 때쯤 어렴풋이 알게 되었다.

다시 말해, 난 꿈도 없었고 머리도 좋은 편은 아니었다.

요즘은 다들 꿈이 없는 게 문제라고 10대들을 윽박지르는데 "꿈 같은 건 없어도 괜찮아"라고 말하는 나 같은 사람이 한 명쯤은 있어도 되질 않나, 그런 생각이 든다. 꿈이 없었던 대신에, 희망 같은 것도 가져본 적이 없었던 대신에, 난 눈물은 많았다. 책 보면서 울고, 드라마 보면서 울고, 야구 보다 말다가도 울고. 눈물은 많았던 것 같다. 다른 사람의 아픔을 같이 느끼는, 그런 건 좀 한다.

곰곰이 생각해보면, 꿈 같은 걸 만들어놓고 자기 플레이만 하다 보면, 다른 사람들의 삶이 눈에 들어오지 않는 것 같다. 그래서 꿈을 키운다고 하면서 정작은 다른 사람을 이해하거나 마음을 나누는 감수성과 공감 능력 같은 것을 죽이는 셈인지도 모른다.

다른 사람을 이해하지 못하는 사람이 사회의 리더가 되어서 진짜로 사람들을 행복하게 해줄 수 있을까? 우리의 대통령, 명박에게 가장 없는 능력은 공감의 능력과 삶의 감수성 같은 게 아닐까? 한나라당 사람들이 가장 못 하는 것 역시, 자기들 세계의 바깥의 사람들을 돌아보는 능력인 것 같다. 그들은, 그들 안에서만 너무 오래 살아서 말은 서민이라고 하지만 진짜로 지금 이 시기를 살아가는 사람들이 어떤 어려움에 부딪혀 있는지 사실은 잘 모르는 것 같다.

. . .

중고등학생들에게 국가가 나서서 꿈을 꾸라고 한다. 그리고 대학을 졸업하는 순간, 이번에는 대통령이 직접 나서서 눈높이를 낮추라고 한다. 그다음에는, 정몽준 같은 기업가가 나서서 말한다. 창업의 꿈을 가지라고.

진로교육으로 꿈을 가지라고 해서 진짜 자기 꿈이 아닌 가짜 꿈을 갖는 순간, 10년 후의 삶은 평균적으로 너무 뻔하다. 꿈 같은 것은 없어도 괜찮다. 10대에는 더더군다나 꿈 같은 것은 없어도 좋다. 삼성전자에 취직하는 꿈, 그런 꿈 따위는 말이다.

인간이 인간으로서 가진 좋은 미덕들이 있다. 그 미덕들을 지키려고 하고, 악마가 되지 않으려고 조금씩 노력하다 보면, 입에 세 끼 밥은 들어가게 된다. 그게 교회가 가르치려고 했던 것 아닌가? 불가에서는 아예 꿈에 대한 그런 생각마저 버리라고 가르친다. 그러면 해탈할 거라고. 원래는 다 같다. 이상한 꿈이나 욕심 따위는 갖지 말라고 한다. 우리가 고등 종교라고 부르는 것들이 대체적으로 다 그렇게 가르치고 있지 않나?

직업을 갖는 것과 돈을 버는 것과 꿈을 갖는 것, 그 각각은 다르다. 나도 엄청 부잣집에서 태어난 게 아니라 내가 돈을 벌어야 먹고살 수 있다는 건 중학교 때부터 알았다. 그리고 그 직업이 꿈이 될 수 없다는 것도 그때 알았다.

. . .

욕망을 투사시켜 꿈이라는 이름으로 만들어놓은 허상, 이게 잘못 설정되거나 지나치게 강렬해지면 악마에게 영혼을 빼앗긴 로봇과 같아진다. 경제 근본주의가 어른들의 욕망의 창에 투영되어 10대들에게 적용되면 그건 "꿈을 가지라"는 악마의 재생산 방정식 같이 될 위험성이 있다.

강요된 꿈, 그건 많은 사람을 결국은 불행하게 만들지도 모른다. "내려놓을수록 더 많이 찬다"는 자연의 이치가 사람의 이치와도 크게 다르지 않다는 것을 잊지 말아야 할 것이다.

로봇교육은
이제 그만

　　　　　　　몇 달 동안 거의 매일 강연이었는데,
다음 달부터는 다시 문 걸어 잠그고 조용히 지내려고 한다. 강연은
아예 안 한다는 게 기본 입장이기는 한데, 살다보니 신세 진 사람들
이 꽤 많아서, 이렇게 저렇게 부탁을 받다 보니, 아예 안 하기가 좀
어렵다. 남들 앞에 나서는 걸 좋아하는 사람들도 있기는 한데, 나는
체질상 뒤에 있는 걸 좋아하고, 혼자 있는 걸 좋아한다. 집회에 나가
도 마이크를 집어야 분이 풀리는 사람들도 있는데, 난 조용히 머릿수
나 채워주고 오는 쪽이 더 편하다.

　한동안 계속하던 강연을 접으면서 곰곰 생각해보니 처음 했던 강
연도 전교조였고, 가장 많이 한 강연도 전교조라는 생각이 들었다.
몇 번이나 했는지 기억은 잘 나지 않지만, 조금만 더 하면 100번은
채우겠다. 제일 처음 했던 전교조 강연이 2004년이었나 사회과 교사
모임이었는데……. 어쨌든 내가 하는 일이 경제나 생태 관련된 일
이다 보니, 선생님을 만나도 주로 사회과 교사들이나, 환생교(환경을
생각하는 교사 모임) 그런 분들을 많이 만나게 된다. 새만금 때 환생교 선

생님들을 처음 만났는데, '환생'이래서 난 무슨 원불교의 한 분파인 줄로만 알았다. 뭐니뭐니해도 선생님들과의 만남 중 제일 즐거운 건 사서 선생님들 만날 때다. 재판 걸려서 짤릴지도 모른다는 인천의 어느 사서 선생님은 너무너무 유쾌하시다. 민노당 당비 냈다고 짜르는 건 해도해도 참 너무한다 싶었다.

가만 보면 교사들 욕하는 사람들이나 괜히 미워하는 사람들이 좌파 중에도 꽤 많다(신해철 같은 경우, 선생님들 엄청 미워하는 것 같더만). 그래도 막상 보면 한국 교사들의 자질이, 국제적으로 보면 매우 우수한 편이다. 보수 쪽 교사들 중에는 이상한 사람들도 많을 것 같지만 꼭 그렇지는 않다. 개인적으로 얘기해보면 어지간해선 말이 다 잘 통한다. 교사들 사이에서는 교장이 종종 악마처럼 비춰지기도 하는데 개인적으로 만나보면 의외로 괜찮으신 분들도 많다. 그게 막상 현장에서 부딪히는 구조 문제에 더 가깝다는 생각이 든다.

하여튼 한국 교사가 학력 수준이 낮은 편도 아니고 대체적으로 교육에 대한 보람감도 낮지는 않은데 "선생님들 형편없다", 이게 다 학원쟁이들이 만들어낸 이데올로기 아닌가 싶다. 우파와 학원쟁이들의 이해가 딱 맞아떨어지는 게 전교조 욕하고, 전교조 아닌 교사들도 욕하고, 학교 선생님은 무능하다고 일단 매도하고, 그러니 학원으로 어여들 오셔…… 아니겠는가!

. . .

2000년대로 넘어오면서, 시민단체의 교육 논의는 주로 대안교육으로 옮겨져서 다들 대안학교 만드는 데 신경들을 많이 썼다. 대안학교가 우선이 아니라 공교육을 살리는 게 더 중요하다고, 아마 나 혼자 그런 목소리를 냈던 것 같다. 지금도 그 생각은 별로 변함이 없다. 그 10년 동안 공교육은 더 어려워졌기 때문이다.

『88만원 세대』를 쓰기 전, 처음 중등교육 문제에 내가 관심을 가지게 된 계기는 사실 일반계 고등학교가 아닌 실업계 여고 문제 때문이었다. 진짜 놀랐다. 몇 개 샘플 조사를 해봤는데, 한 반에 절반 가까운 학생들이 결국 술집으로 간다는 사실에, 성매매 관련 입법이 생기기도 전이었는데, 정말 시꺼했다. 몇 년 지나기는 했는데, 그 뒤로는 별도로 조사해 본 적이 없어서 잘 모르지만 아마 큰 차이는 없을 듯싶다.

나는 아직도 소신이, 교육은 중등교육 단계에서 시민으로 살아갈 수 있는 최종 교육이 완료되어야 한다는 것이다. 실제로 스위스도 그렇고 프랑스도 그렇다. 그러나 한국의 중등교육은, 지금 길을 잃었다. 중등교육은 어느 학생이든 밥 벌어먹고 평생 살 수 있게 해주어야 한다. 그렇게 사회적 분위기를 바꿔야 공교육도 살아나고, 그 위로 지식경제든 창의성이든, 한창 설레발들 쳤던 그런 얘기들을 내세울 수 있는 것 아닌가?

난 우리나라 선생님들이 좀 더 사명감을 가지고 일할 수 있는 사회 분위기가 생기기를 바란다. 한국 교사들, 절대로 사교육 강사들보다 무능하거나 비겁한 사람들이 아니다. 그건 사교육과 결탁한 일부 교육 공무원과 한나라당식 교육 정책이 분위기를 그렇게 몰아가는 것에 가깝다.

한나라당에서 교육 얘기할 때마다 내가 쏘아붙여주는 말이 있다.

그렇게 학교교육 중요하게 생각하시는 분들이 아직도 때리지 않고 교육하는 방법에 대해서 한 번도 생각을 안 해보셨냐고…….

$\cdots$

갈 일도 없고, 어지간해선 잘 안 가려고 하는 강남에 얼마 전에 갔다가 '자기주도형 학습'이라고 떡하니 플랜카드 걸어놓은 노란색 학원 버스를 보고 엄청 웃었다.

집 앞에서 태워가고 집 앞까지 데려다주는 노예선 같은 버스에 올라타서, 무슨 자기주도형 학습이 가능한가? '빙신' 만드는 교육 아닌가? 그렇게 내가 얘기했더니, 그게 요즘 강남의 유행이라신다. 다행이라고 한마디 해줬다. 돈과 권력을 다 틀어쥔 강남 자제분들께서 진짜로 한국을 지배하면 우리 모두가 불행해지겠지만, 그렇게 노예선 타고 왔다 갔다 자기주도형 학습이나 하시는 분들이 한국을 지배할 일은 없을 테니 말이다. 도련님들!

한나라당이 교육에 대한 전권을 잡으면서, 초등학교까지 평가한다고 난리다. 미친 짓이다. 이러다가는 공부 스트레스로 초등학생 자살도 나오게 된다. 한나라당이 특히 못 하는 게 경제인데 그보다 더 못하는 게 교육이다. 교육 무능 집단, 그게 바로 한나라당이라고 정의하면 딱 맞을 거다.

공교육에서는 학생들 때리고, 승진하면 공무원과 결탁하고, 조금만 유능하다 싶으면 학원으로 데려가서 원장 시키는 거, 이게 한나라당이 가장 아름답게 생각하는 교육 철학 아닌가?

초등학생한테 경제교육 시킨다고 하는 거 봐라, 쯧쯧……. 교육을 이념으로 만든 건 전교조가 아니라 한나라당과 전경련 그리고 기획재정부다.

초등교육에서는 무엇보다 노는 것과 자신을 사랑하는 법을 가르치고, 중등교육에서는 자생력을 가르치는 게 맞지 않나?

중고등학생들을 '암기 기계', 즉 빙신으로 만들고, 경제 괴물로 만드는 게 딱 한나라당식 교육이다. 그 앞에서 그래도 버팀목이 되어주고 있는 게 전교조 선생님들이시다.

그래서 힘들어도 어지간하면 전교조 선생님들 강연에는 가려고 한다. 진짜 100번은 채울 생각이다.

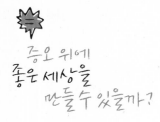

증오 위에
좋은 세상을
만들 수 있을까?

박근혜가 대통령이 되는 날이 올까?
아마 어려울 것 같다. 천지개벽할 정도의 변화가 있기 전에는 그 역
시 명박과 함께 그냥 잊혀지는 옛날 사람이 될 것 같다. 반MB 정서
는 이제 어느덧 본류가 되었고, 그 흐름과 파장은 더 커져갈 것이다.
이명박에 대한 사람들의 생각은, 증오와 혐오가 뒤범벅된 그런 묘한
감정이다. 사람이란 게 본래 사랑하기는 어렵지만, 증오하기는 아주
쉬운 동물인지도 모른다. 그냥 가만히 있으면 중간은 갈 텐데, 그 집
단이 그렇게 얌전히 있는 집단이 아니라서 또 뭔가 엄청 혐오스러운
일을 해서 강물을 격랑으로 만들 듯싶다.

. . .

이런저런 반MB 정서의 흐름을 보다 최근에 진짜 근본적인 질문이
하나 생겼다. 누군가를 너무너무 미워해서 모인 사람들, 즉 증오의
힘 위에 무엇인가를 세울 수 있을 것인가? 어쩌면 한국 역사에서 우
리는 한 번도 무엇인가를 정말로 사랑해서, 혹은 누군가를 지키기 위

해서 힘을 모아본 적은 없었던 것인지도 모른다는 생각이 들었다.

4·19혁명은 이승만이 너무너무 싫어서 고등학생들이 움직인 것이고, 1987년에는 전또깡이 너무너무 싫어서 대학생들이 움직인 것이고, 촛불 집회는 명박이 너무너무 싫어서 사람들이 길거리로 나선 것이다. 이걸 안티테제라고 한다면, 우리에게는 증오의 정치 그런 게 실제로 사람들을 움직인 힘이라고 할 수 있다.

그러나 역사를 통해 보더라도 증오는 단기적으로는 강렬했어도 오래가지는 못했다. 무엇보다, 계속 증오하게 되면 결국에는 지쳐서 아무것도 할 수 없는 상태가 된다. 사랑도 영원한 것이 아니라고 하지만 증오보다는 오래 간다.

이익은 사람을 움직인다(아마 분명히 삼성은 자, 이제 누구에게 줄을 대야 하나, 한참 그런 계산하며 보험 들기 위한 준비를 하겠지. 다른 대기업들도 움직이기 시작할 것이고). 그러나 이익보다 강한 게 증오의 힘이다. 이익은 '가늘고 길게', 증오는 '짧고 굵게', 이런 양상을 보이기 때문이다. 증오의 힘을 이길 수 있는 건 없다.

우리의 대통령은, 그 증오를 너무 키웠다. 어지간한 사람들은 "아! 저 사람들이 나를 싫어하는구나"를 본능적으로 아는데, 우리 대통령은 그런 걸 너무 모르는 것 같다(그런 점에서는 그는 참 지독할 정도로 천진난만한 사람이다). 그러나 그 증오로, 과연 우리들이 바라는 좋은 세상이 열릴 수 있을까? 그런 근본적인 질문이 든다. 자, 그럼 우리는 누구를 사랑해야 하지?

제각각일 거다. 안철수를 사랑하는 사람, 문재인을 사랑하는 사람, 유시민을 사랑하는 사람, 가끔은 노회찬을 사랑하는 사람. 그리고 대

343

부분은 다 싫어, 그러나 명박은 그보다 더 싫어, 이런 것 같다. 최소한 정치라는 영역에서 지금은 사랑이 아니라 증오가 사람들을 움직이는 국면이다. 그러나 그 증오 위에 과연 무엇을 세울 수 있을까?

. . .

반MB라는 도도한 흐름 속에, 공통점은 우리는 그 사람을 너무너무 증오하고 혐오한다는 것 외에는 없다. 그러나 증오는 가치가 되지 못한다. 증오와 가치, 모두 정신세계에 속하긴 하지만, 증오는 가치가 될 수 없다.

한국의 보수들이 정신세계 구축에 실패한 것은 그들이 북한에 대한 증오 위에 그들의 정신을 세우려 했기 때문이다. 그게 바로 레드 콤플렉스 아닌가? 증오 위에 한국을 세우려 했지만 그건 영원히 지속될 순 없는 시스템이다. 돈과 권력, 이런 걸 보수들이 전부 쥐고 있고 지금은 대학까지 확실하게 틀어쥐고 있지만 그래도 두 번이나 정권을 빼앗겼다. 증오는 힘을 주지만, 지속성을 주지는 못한다.

왜 20대들이 군복 입은 할아버지들의 집회를 이상한 눈으로 볼까? 증오는 증폭은 될지언정, 공감을 이끌어내기가 어렵기 때문이다. 보수들이 말하는 '자유'는 철학적 의미에서의 자유도, 정신적 의미에서의 자유도 아닌 그저 전체주의 국가 북한을 싫어하고, 자유 대한을 좋아한다는, 그런 의미일 뿐이다. 그래서 민주주의를 내세웠던 민주당에게 거푸 정권을 내어준 것 아닌가?

머지않아 지금 사람들이 가지고 있는 증오의 힘으로, 다시 한 번 정권을 되찾아오게 될 것이다. 그러나 그 힘만으로는 좋은 세상이 생겨나지 않으며 민주주의가 제대로 지켜지지도 않고, 독점은 완화되지 않는다.

증오 위에 세울 수 있는 것은, 사실상 아무것도 없다.

이건 보수주의자들에게도 마찬가지로 적용된다. 그들은 너무너무 노무현을 미워했던 것 같다. 인간적으로 그를 너무 미워하다 보니 이명박을 내세운 건데, 그들은 모든 것을 쥐고도 증오 위에 아무것도 세우지 못했다.

증오 위에는 가치가 서지도 않고, 정신세계가 서지도 않으며, 정의가 서지도 않는다. 증오는, 부패를 키울 뿐이다. 그래서 이명박 정권이 결국 무너져내려가는 것 아닌가?

증오와 공포, 그게 아닌 힘으로 세상이 바뀌는 걸 보고 싶다. 그리고 그래야만 한다. 그래야만 다음 대선의 승리가 지속될 수 있고, 세상이 더 좋은 방향으로 나갈 수 있다. 너무너무 증오하다가, 결국에는 자기 영혼을 먹히고 마는 그런 승리, 그건 이겨도 이긴 게 아니다.

진짜로 이기고 싶다. 증오와의 싸움에서 난 이기고 싶다.

우리가 차를 마시며
혁명을 논할 수
있었다면

아내와 결혼을 하고 제일 크게 바뀐
건 귀가 시간이다. 아내가 나한테 정해 놓은 귀가 시간, 즉 통행금지
시간은 저녁 9시다. 원칙대로 하면 9시까지는 들어와 있어야 하는
데, 그렇게는 잘 못하고 9시쯤 전화통에 불이 나고서야 겨우 자리에
서 일어난다.

자신과 같이 있다면 좀 봐주지 않을까, 잘 얘기를 해주겠다며 전화
를 걸었던 분들도 몇 분 있다. 소용없다고 아무리 얘기해도 양해를
구해주겠다며 전화했다가 결국 머쓱해지셨다. 공지영 선배, 진중권
선배…… 뭐 요런 양반들, 소용없다.

젊어서 너무 술을 마셔서 이제는 예전처럼 그렇게 맘껏 술을 마실
수 있는 건강 상태가 되질 않아 귀가 시간이 그렇게 정해졌다. 그래
도 가끔 술 마시는 걸 아내가 봐주는 정도로도 난 만족한다.

밤 12시 넘어서까지 있는 걸 허락 받은 유일한 경우가 노회찬 대표
와 처음 술자리를 할 때였는데, '안기부 X파일 공개사건'으로 피선
거권이 박탈되었으니 얼마나 힘들겠나, 잘 좀 위로해주라는 말을 하

며 시간을 연장해주었다!

어쨌든 밖에서 오랜 시간을 보낼 수 없으니 자연스럽게 저녁 약속 자리를 피하게 되고, 오후에 차 한잔 마시는 자리를 주로 가지게 된다.

물론 9시 통금 시간을 맞추기 위해서는 낮술을 마시면 되지만 그런 식으로 꼼수를 부려봐야 통금의 강도만 더 높아지게 된다. 술을 못 마시게 내가 외출할 때면 아내는 꼭 차를 가지고 나가도록 시키는데, 대중교통을 이용한다고 하는 날에는 불 보듯 뻔하게 9시에 이미 술이 떡이 되어 들어올 걸 알기 때문이다. 차를 가지고 나가도 술을 마실 수야 있지만, 몇 가지 이유로 나는 대리운전은 하지 않는다.

어차피 아내는 나를 믿지 않는다, 적어도 술에 관해서는. 이걸 이해해야 집안이 편안해진다. 내가 알아서 할 수 있어, 그걸 절대로 믿지 않는 아내와 사는 것, 그게 나의 결혼생활이다.

아무튼, 이렇게 몇 년을 지내다 보니 좋은 건 술을 마시지 않고도 세상에 대해서 얘기할 수 있고, 술자리에서 늘 먼저 일어날 수밖에 없어서 끝내 결론을 같이 나누지 못했던 여성 동지(!)들과도 이젠 차 한잔을 놓고 이런저런 결심에 관한 얘기들을 할 수 있다는 거다.

. . .

술 마시면서 세상 얘기하는 거, 대학에 들어간 그 순간부터 너무너무 좋아하긴 했다. 어떻게 맨 정신으로 군사 정권에 대해 얘기할 수 있었겠나…….

마흔이 되어서야 딱 머리를 스치고 지나간 것은 우리가 20대, 그 화려했던 시절에 차를 마시면서 혁명을 논할 수 있었다면 진짜 혁명

347

이 벌어졌을지는 잘 모르겠지만, 한 가지 확실한 건 한국의 모습이 지금보다는 더 나아졌을 것이라는 점이다.

우리는 우리가 가졌던 대부분의 시간을 술 마시면서 보냈고, 술 마시면서 생겼던 오해를 다음 날 또 술을 마시면서 풀고, 그러고 나서는 또 기분 좋다고 술 마시고. 그리하여 정작 중요한 일들은 아예 까먹거나 혹은 취중에 생긴 각자의 이해대로 생각하고, 그 오해를 풀기 위해서 또 술을 마시고, 또 진짜 중요한 것은 까먹고.

우리가 꿈꿨던 정말 아름다운 세상에 대한 꿈은 그렇게 뒷골목 오바이트 사이로 문득 튀어나와 시궁창으로 흘러 들어가버렸다는 것, 그걸 마흔이 되어서야 알 게 되었다.

아, 우리가 차를 마시면서 혁명을 논할 수 있었다면…….

그걸 꽃다운 그 나이에 우리들은 왜 몰랐을까!

가을이 오면 우리 집 야옹구가 제일
먼저 안다. 배불뚝이 TV의 배 위로 올라가서 따뜻하다고 낮잠을 자
기 시작하면, 가을이다. 그보다 조금 더 추워지면 이제는 무릎 위로
올라오기 시작한다. 옛사람들이 고양이의 성정은 할머니와 같다고
했는데, 그렇기는 그런 것 같다.

요즘 길고양이의 평균 수명을 2년 반에서 3년으로 보는데, 우리 동
네는 그 정도도 안 될 것 같다. 처음 우리 집 고양이를 집으로 데리고
왔을 때 그 시기에 같이 태어난 길고양이들이 작년에는 한참 보였었
는데, 요즘은 거의 보이질 않는다. 최근에 마당에서 놀기 시작한, 이
제 태어난 지 석 달 되었음직한 새끼고양이는 벌써 3대째다.

우리 집 야옹구는 이제 2년 넘게 살았으니 자연 속에서 자기 수명
만큼은 산 것이고 앞으로는 그 여분의 삶을 살아가는 게 아닌가, 그
런 생각을 해본다. 새끼를 낳은 적이 없어서 아직도 하는 짓은 새끼
고양이지만, 이젠 성묘이고 길고양이로 본다면 살 만큼 산 셈이다.

고양이와 노는 것은, 익숙하지 않았던 이별에 대한 준비를 배우는

것과 비슷하기도 하다. 내 손을 거쳐간 고양이가 열 마리는 족히 넘는 것 같은데 1대째, 2대째 엄마고양이가 기억에 남고, 그 중간에 있었던 수많은 새끼고양이들은 이제 잘 기억도 나지 않는다.

대학 시절, 내가 집을 나오면서 더 이상 우리 집에서도 고양이를 키우지 않았는데 그러고 보니 고등학교 때부터 고양이를 기르기 시작해서 대학 시절까지 참 열심히 길렀다. 그때는 나도 막 스무 살을 넘으면서 삶의 끝이라는 것은 생각해본 적도 없고, 그런 게 있을 거라고 생각지도 않던 시절이었다. 그러다 쥐약 먹은 쥐를 먹고 1대 왕엄마고양이가 죽었을 때, 참 서럽기도 하고 마음도 아팠다만. 그 당시 난 고양이들과의 이별에 대한 생각을 거의 해보지 않았던 것이다.

마음을 준 것이 사라질 때면 언제나 마음이 아프지만, 자연은 그렇게 만나서 헤어지는 것들의 연속이고, 세상이라는 게 원래 그런 것 아닐까…… 이젠 조금 알 것 같다.

· · ·

낮에 KTV를 보는데, 조정래 선생이 나오셨다. 다음 시리즈는 중국의 얘기를 쓸 거라고 하시면서, 조정래 문학은 이제 "인간은 어디에서 왔고, 어디로 가는가?"라는 질문에 천착하면서 마감하려 한다고 말씀하셨다.

마감이라는 얘기를 들으니 가슴 한쪽이 좀 짠하기도 하고, 한때 한국의 발전에 대해서 같이 고민하면서 시민단체에서 논의하던 10여년 전의 생각도 나고. 아, 이 양반도 이제는 슬슬 문학의 종지부에 대해서 고민하기 시작하는구나…… 괜히 내가 다 가슴 한편이 저리는 듯했다.

나도 청춘 시절에, 손에 쥐고 싶은 것도 많았고, 가보고 싶은 곳도 참 많았다. 이젠 그런 것들이 조금씩 부질없이 느껴지기 시작하고, 죽어라고 하고 싶은 일, 그런 것들이 하나씩 몸에서 빠져나간다. 그런 게 더 자연스러운 일인 것 같다.

"사람은 마흔 살에 죽고, 예순 살에 묻힌다."

성공회대의 친구 김정훈이가 얼마 전에 해준 얘기다. 딴은 의미 있는 말인 것 같다. 마흔이 되면, 이제는 놓아 보내야 할 것들에 대해서 조금은 더 많이 생각하게 되는 듯싶다.

그리고
아무 말도
하지 않았다

은퇴라는 것을 하겠다고 공언한 지도
벌써 몇 년이 되었다.

　다작으로는 절대로 따라갈 수 없는 강준만 선생, 예민성으로는 절
대로 범접할 수 없는 진중권 선배, 얼굴 뜯어먹고 살 수 있는 거의 유
일한 학자 조국 교수, 영특함으로는 도저히 수를 겨루어볼 수 없는
박경철 원장, 아! 또 20킬로그램 이상을 감량한 김어준 총수, 이런
사람들과 동시대를 살아갈 수 있었던 것은 솔솔치 않은 재미를 만들
어주었다.

　어쨌든 요런 잘난 사람들 옆에서 '나도 꼽사리', 이렇게 한 구석탱
이에서 엄청 수다를 떨 수 있었던 것은 내게도 큰 즐거움이었다.

　가끔 빨리 은퇴해라, 왜 안 하냐, 이런 얘기를 들을 때면…… 조금
만 기다리시라, 2012년 대선 끝나면 '너' 분께서 그리 말씀하시지 않
아도 은퇴하고, 뒷방 늙은이로 소일하면서 살 테니까, 그런 생각이
든다.

　원래는 딱 마흔이 되면 은퇴한다는 게 애초에 생각이었는데, 명박

이라는 골 때리는 분을 만나, 잠시 대선까지 은퇴를 미룬 상태다.

· · ·

마흔 살에 은퇴를 하겠다는 생각은, 스무 살에 했다. 그때는 왜 살아야 하는지도 모르고, 삶의 의미도 잘 모르고, TV만 틀면 대머리 전또깡이 나오고, 뭐 특별히 잘하는 것도 없고, 하고 싶은 것도 없고.

나트륨 등을 밝힌 성산대교를 술 먹고 건너는 걸 참 좋아했는데, 다리 위에 서면 갑자기 센치해지면서, "난 왜 살아?"

그런 질문들이 매번 들었다.

당시 난지도에는 쓰레기를 치우는 사람들이 살고 있었는데, 그들은 쓰레기 더미에서 금방 먼지가 뽀얗게 앉은 라면을 먹고 있었다. 나는 그 라면을 차마 먹진 못하겠더라. 집에 가서 밥 먹거나, 학교 앞에 가서 친구들하고 술 처먹으면 되는데, 뭘.

그러나 그들에게는 그게 삶이었다.

성산대교 위에서 난지도에서 나오는 쓰레기 태우는 매캐한 냄새를 맡으며 문득 머리를 때리고 간 생각이, "그냥 죽을 거면, 난지도의 어린이들을 위해서 야학 선생이라도 내가 할 수 있지 않나", 딱 그 생각이 들었다.

물론 그렇다고 당장 야학을 하지는 않았지만, 그때 내가 정리한 생각이 마흔까지 열심히 살아보고 그래도 별거 없으면 저 난지도에서 살아가는 어린이들을 위한 야학 선생을 하자, 그거였다. 그때가 처음으로 내가 마음에 평온을 얻은 순간이었다.

. . .

　마흔이 되었을 때, '만으로'라는 핑계를 한 번 댔고, 그다음 해에 진짜 은퇴를 결심했는데, 꽤 많은 사람들이 명박 시대를 우리 후손에게 넘겨줄 수는 없지 않은가, 대선 때까지 만이라도…… 하여간 그렇게 해서 비겁한 변명으로 은퇴를 미루고, 여기저기 신문이나 잡지에 수다를 떠는 일을 아직은 계속하는 중이다.

　그러고 보니 마흔이 넘어서도 계속해서 글을 쓰고, 정열적으로 "이건 맞다, 저건 틀리다", 이렇게 얘기하는 사람들이 인생을 보통 열심히 사는 게 아니라는 걸 알게 되었다. 맞고 틀리고는 둘째치고, 앞에 서 있는 것 자체가 엄청 피곤한 일이다. 죽이겠다고 덤벼드는 사람들은 시간과 정비례해서 늘어나고, 사방에 덫을 파놓고 기다리고 있는 스나이퍼들을 달고 살아야 한다. 가끔은 그걸 즐기는 성격들도 있는 모양이지만, 그 속이라고 편할 리가 있겠나?

　은퇴하면 뭐 할까, 가끔 그런 생각을 해보는데 그게 나름 재밌는 일이기도 하다. 지금까지 생각해본 것 중에서 제일 재밌을 것 같은 일은, 우리밀을 조금 키우고, 그걸로 소주를 내리는 거다. 30도에서 35도 정도 되는 내린 소주를 생각하고 있는데, 그게 내 입에 제일 잘 맞는 술의 도수니까.

　물론 술을 잘 만들 수 있을지 자신은 없지만, 내 입맛에 괜찮다고 생각이 들면 어지간한 정도는 될 것이다. 그래서 만 원 내외의 유기농 우리밀로 만든 35도짜리 소주, 그건 한번 해볼 만한 일이라 생각한다.

은퇴한다고 생각하니 소비를 늘려서는 힘들고, 너무 비싼 것을 소비하는 데 익숙해져도 어려울 것 같고, 좋게 말하면 검소 제대로 말하면 '궁상 브루스', 그런 삶에 자연스레 익숙해지게 된다.

꼭 글을 쓰거나 학문을 하지 않더라도 얼마든지 소소한 재미를 찾을 수 있을 것 같고, 보람 있는 일도 많을 것 같다. 좀 멋있게 이걸 표현하기 위해서 앞의 20년은 부모를 위해서, 뒤의 20년은 국가와 사회를 위하여, 그리고 남은 20년은 자연에 맡기고. 이런 표현을 생각해본 적도 있는데, 가슴에 손을 얹고 생각해보니 그건 다 개뻥이다.

어쨌든 은퇴할 날 받아놓고 하루하루를 살다 보니 의도한 건 아닌데 확실히 좋은 점 한 가지는 있다. 평생을 걸쳐 이루어야 할 금자탑 혹은 나만의 작품, 이런 생각을 하면서 괜히 무거워졌던 마음이나 뭔가를 움켜쥐려고 하는 욕구 같은 것이 사라지게 된다. 어차피 잠시 있다 떠날 것, 그러니 맘도 가벼워진다(그것만큼 몸도 가벼워지면 좋겠지만, 배에 살이 자꾸 늘어가는 것마저 피할 수는 없다).

이 스토리에서 내가 상상할 수 있는 가장 화려한 결말은, 대선과 함께 명박의 시대를 종료하고, "그리고 아무 말도 하지 않았다", 이런 스펙타클한 엔딩이다. 언젠가 다시 사람들을 만나게 될 때, "이게 내가 내린 소주야, 맛있지?" 이럴 수 있는 것.

그리고 언젠가 내 학자로서의 모든 인생과 학문은, 명박 시대를 종료시키기 위해서 준비되었던 것이라고 환갑 즈음해서 화려한 개뻥을 한번 치는 것!

인간의 삶에서 평생을 바쳐서 해야 할 일 따위는 존재하지 않고, 목숨을 걸어서 만들어야 할 작품 같은 건 존재하지 않는 것인지도 모른다.

행복이든 목표든 불안한 균형일 뿐.

내 40대의 절반은 안타깝게도 명박과 함께 보내게 되었지만, 그 나머지 절반은 명박 없는 세상에서 평온하게 살고 싶다. 그렇게 생각하고 나면, 6·25 전쟁의 무용담을 기리기 위해서 평생을 살았다고 말하는 양반이나, 김정일과의 싸움을 위해서 자신의 인생을 바쳤다고 얘기하는 할아버지들의 삶에도 위로를 건넬 수 있는 여유가 생기게 된다. 나름 안된 양반들이기는 하다. 그리고 그 사람들의 정성을 모아서 정치를 해야 하는 정몽준이나 박근혜나 참 안쓰러워 보이기도 하고. 또 이런 열정들 위에서 겨우 간판을 유지할 수 있는 한나라당이 딱해 보이기도 하고.

은퇴를 결심하면서 제일 아쉬웠던 것은, 한국이 발전한다는 것은 언젠가 합법적으로 공산당을 만들어도 아무 문제가 없는 상황이라고 얘기하면서, 언젠가 우리 손으로 사민주의 정당도 만들고, 녹색당도 만들고, 그리고 나서 죽기 전에 공산당을 꼭 만들자, 그렇게 친구들과 했던 그 다짐이다. 시방 우리는, 합법적인 공산당을 만들 만한 힘도 없고, 우리들의 정성을 모두모두 모아서 이 어처구니없는 명박의 시대를 겨우겨우 종료시킨 정도?

. . .

옛말에 사람이 나이를 먹으면 입은 다물고 지갑은 열라고 했다.

열 지갑이 없으니 입이라도 다무는 수밖에.

마흔이 넘어서 돌아보니, 염치는 줄고, 뻔뻔함은 늘게 된다. 지하철에서 아줌마들이 자리 날 때 용감해지는 모습을 보면서 예전엔 한참 웃었었는데, 지금 보니 마흔이 딱 그런 나이다.

그만두는 순간과 내려놓는 순간을 상상하지 않으면 한없이 부여잡고 싶어지고, 한없이 움켜쥐고 싶어져서, 결국 추레하고 탐욕스런 노인으로 남는 길을 걷게 될까 봐 두려움이 있다.

우리가 살면서 사랑할 것도 많고, 보살필 것도 많다. 마흔을 넘어선 나의 친구들에게, 이제 우리는 슬슬 내려놓을 준비를 하면서 비우는 것을 시작해야 하지 않을까, 그런 얘기를 해주고 싶다.

그래야 진짜로 사랑할 것들이 보이게 될 것 같다.

가을비 내리는 밤, LP 한 장을 꺼내서 들었다.
와. 너무 좋은 거라.
이젠 음악을 듣는 게 아니라 추억을 듣는다.

비가 오면 감정의 변화가 생겨난다. 어쨌든 비는 지나간 날들을 자꾸 생각나게 하는 존재
니까. 왜 그렇게 미워하고, 또 미워하면서 20대를 보냈는지 지금 생각해도 잘 모르겠다.
하고 싶은 꿈을 키우는 대신에 싫은 사람에 대한 미움만 키우면서 시간을 보낸 것 같다. 앞
으로 내가 살 날은 얼마나 남았을까?
아, 가슴의 소리를 들으려고 조용히 마음을 비우니 내 안의 내가 얘기한다.
"쌈빡하고 귀여운 5.5인치짜리 스피커 한 조 사면 좋겠다…….
비오는 날 어울리는 노래들을 애잔하게 뽑아줄 그런 놈으로."
결혼할 때 혼수 삼아서 스피커 사보고는 사는 게 결국은 지지리 궁상이라, 바꿈질도 다 끊
고 6년째 버티는 중인데 새로운 스피커에 대한 충동은 사라지지가 않는다.
비는 내리고, 나는 새 스피커 사고 잡고.
중년이 되니까 내가 봐도 심성도 영혼도, 정말로 아저씨다.
흰머리와 함께 짜릿한 충동과 열정은 사라지고, 유독 스피커와 앰프에 대한 추억만 더욱
깊어지는 것 같다.

우리 집은 내가 여섯 살 때부터 지금까지 변함없다. 부모님은 30년이 넘도록 같은 집에 살고 있다. 넓지는 않지만 마당도 있는데, 이 마당이 완전히 와일드 번치다.

개도 키우고, 고양이도 키우고, 내가 한참 개구쟁이였던 시절 학교 앞에서 병아리도 사와서 닭이 될 때까지 키워도 봤다. 잠깐이지만, 악어도 키운 적이 있다. 금붕어도 키웠고, 하여간 이것저것 많이 키웠다.

. . .

병아리와 강아지에 대한 슬픈 얘기가 하나 있다. 봄에 학교 앞에서 사온 병아리들과 메리라는 강아지를 같이 키웠는데, 사이가 좋았다. 내가 사온 병아리는 요즘 같은 병든 병아리가 아니라서 그랬는지, 하여간 꼬꼬댁 하고 울 만큼 그러니까 가을까지 컸다. 강아지는 자기가 엄마라도 된 것처럼 이 병아리 두 마리를 먹이고 재우고, 자기 밥을 기꺼이 나누어주었다. 그러니까 병아리들은 내가 키운 게 아니라 사실은 메리라는 강아지가 키운 셈이다.

문제는 병아리가 조금씩 바뀌면서 어른 닭이 되어간 데서 생겼다. 어느 날 자기 친구 병아리를 물끄러미 바라보던 강아지가 이제는 닭이 된 병아리를 덥석 물어버렸다.

"너는 누구야?"

강아지의 이 철학적 질문에 병아리는 자기가 이미 다 큰 닭이라는 대답을 할 길이 없었다. 한 마리는 강아지에게 물린 상처가 이내 도져 죽었고, 또 다른 한 마리는 다리에 빨간약을 바르고 한 달 정도를 그래도 친구처럼 지내다가, 또다시 강아지가 던진 "너는 누구야?"라는 질문에 답하지 못하고, 피하려고 벽을 넘어 올랐다가 그만 떨어져 죽었다. 우리 집은 언덕 위에 축대를 쌓아올려 지은 집이기 때문에 앞쪽 벽을 넘으면 바로 2층 낭떠러지다(조그만 벽 정도는 날아오를 수 있던 어른 닭이 된 병아리에게 '축대'라는 개념은 너무 어려운 개념이었나 보다).

사실 이미 다 큰 닭의 처리를 놓고 우리 식구들은 갑론을박 중이었다. 병아리를 사온 나는 잘 지낼 수 있다고 얘기했고, 아버지는 그냥 삶아 먹자고 했다. 만약 내가 조금만 더 지혜로웠다면 방법을 찾았을 것이지만 그때 나는 그냥 초등학교 4학년, 그야말로 열 살짜리 애였을 뿐이다. 아버지 역시 닭 잡는 것과 같은 복잡한 일은 한 번도 해본 적이 없는, 그저 초등학교 선생님이었을 뿐이다.

우리가 어쩔까 하고 시간을 보낸 그 한 달 동안 어른 닭이 된 병아리들은 두 마리 모두 그렇게 죽음을 맞이했다.

동물들도 철학을 한다는 걸 난 그때 처음 알았다. 강아지는 끊임없이 묻는다. "너는 누구야?" 닭은 이 질문에 답했어야 했다. 하다못해

"삐악삐악"이라도 했었어야 했다. 어쩌면 했는지도 모른다. 소리가 "꼬꼬댁" 하고 나와서 그렇지.

. . .

닭을 키우는 데 실패한 나는 고양이를 키우고 싶었지만, 정말 고양이를 키울 수 있게 된 건 몇 년이나 지나서였다. 부모님이 고양이는 재수 없다고 생각했기 때문이다.

사람들은 흔히 고양이는 똑똑하고 개는 멍청하다고 한다. 그렇지는 않다. 개는 때로 고민도 한다. "넌 누구야?" 그러나 고양이에게는 "넌 누구야?"라는 질문이 없다. 내가 20년 동안 관찰한 바로는 고양이는 강아지처럼 복잡한 생각보다는 '먹는 거와 먹는 데가 나오는 거'로 세상을 인식한다.

또, 개는 주인을 알아본다. 그러나 고양이는 주인을 알아보지 못한다. 고양이가 인식하는 것은 이곳은 먹을 것을 주는 곳, 주인은 먹을 것을 가지고 오는 사람, 그 정도의 인식을 할 수 있을 뿐.

그리고 고양이를 키우면 대가족을 각오해야 한다. 개는 담벼락을 넘어가지 못하지만, 고양이는 담벼락의 장벽 같은 건 장벽 축에도 속하지 않아 막 돌아다닌다. 고양이가 3미터쯤 되는 담벼락을 뛰어서 넘는 걸 본 적이 있는가? 아름답다. 그 도약이 아름답다. 내가 아는 고양이는 아름다운 존재다. 생각도 아름다운지는 모르겠지만…….

내가 처음 키운 고양이는 좋은 종자였다. 얼룩 털을 가지고 있었는데, 얼핏 보면 호랑이를 닮았다. 그 직전에 죽은 강아지를 슬퍼하며, 고양이로 전공을 바꾼 난 무척이나 고양일 예뻐했다. 지금껏 내가 키웠던 열 마리가 넘는 고양이 중에 처음의 이놈은 그래도 애교도 있는 편이었다.

· · ·

고양이를 키우는 건 쉽다. 음식도 안 가린다. 다만 비린내가 나게 해주는 것이 요령이다. 남은 밥에 참치캔의 국물을 조금 부어주거나 하는 식으로. 하여간 비린내가 조금만 나게 해주면 고양이는 아무 군소리 없이 신나는 만찬을 벌인다.

닭뼈가 목에 걸려서 고생하는 강아지랑 달리, 고양이의 식사는 섬세하다. 고양이는 멸치 눈은 먹지 않는다. 제대로 된 멸치 같은 걸 한 마리 주면 오물오물 먹는다. 나는 처음에 무척 귀엽게 음식을 먹는다고 생각을 했는데, 그게 아니라 눈을 골라내는 과정이었다. 다 먹고는 멸치 눈을 퉤 하고 마당에 뱉는다. 성질머리 하고는…… 고양이는 눈이 소화가 잘 안 된다는 것을 아는가 보다.

굶기면 어떻게 될까? 그러나 난 모질지 못해서 그런 실험은 해보지 못했다. 굶기면 눈을 먹을지도 모른다. 그러나 대개의 고양이는 멸치 눈은 먹지 않는다.

마른오징어를 고양이에게 주면 반응이 없다.

이건 딱딱한 나무 같아…….

생선인데?

아니야…… 비린내가 나지 않잖아?

오징어를 고양이에게 먹이려면 물을 조금 바르면 된다.

음…… 생선 맞아. 금방 정신을 놓으면서 허겁지겁 먹는다.

• • •

이 고양이가 매일 밥을 주는 나에게 교태를 떠는 순간이 있다.

"나 이뻐?"

어떻게 알았는지 모르지만, 녀석은 우리 집에 출몰하는 쥐가 부모님을 설득해서 자길 들이게 된 걸 알았던 것 같다. 하여간 영민한 고양이라서 그런지 쥐는 잘 잡았다. 우리 집의 쥐는 금방 없어졌다. 그러나 고양이는 어디에선가 계속 쥐를 잡아왔다. 나중에는 꽤 먼 곳까지 원정을 갔다는 걸, 동네 사람들이 고맙다는 얘기를 해줘서 알게 되었다.

문제는 "나 이뻐?" 하기 위해서 쥐를 잡았다는 걸 자꾸 보여주려는데서 생겨났다.

몸통은 먹고, 쥐 머리를 마당에 늘어놓는다. 어떤 때에는 두 개, 어떤 때에는 세 개……. 고양이가 우리 식구에게 친근감을 표시하는 방법이었다. 그러나 부모님이 보시기 전에 잽싸게 나가서 마당의 쥐머리를 치우는 것은 꽤 귀찮은 일이었다. 행여나 한 번이라도 본다면 고양이 따위는 당장 치우라고 할 것 같아서 참 열심히 숨겼다.

고양이는 끊임없이 외쳤다.

"나 이뻐?"

전혀 예쁘지 않지만, 고양이는 열심히 먼 동네까지 가서 쥐를 잡아왔다. 몇 년간을 쭉.

그러나 사실 이 고양이는 예뻤다. 가만히 있어도 너무 예뻤지만, 끊임없이 나 이뻐? 하고 외치는 그 모습이.

그래, 너 예뻐…… 예쁜 짓만 안 하면…….

난 그때 몰랐다. 이 예쁜 고양이가 새끼를 네 마리씩 낳고도 엄마 고양이로 우리 집에 붙어 있었던 것은 끊임없이 물어오는 쥐 때문이었다는 것을.

에피소드 2 • 나 밥 줘?

지금 아버님 댁에는 강아지 대신 고양이 두 마리가 있다. 도둑고양이였는데, 겨울에 떨고 있는 게 불쌍해서 아버지가 밥을 몇 번 주었더니 매일 찾아왔단다.

두 노인네가 고양이 밥을 주기 위해서 밥을 한다. 사실 그냥 사료를 줘도 되는데, 고양이 밥을 주기 위해서 사료를 산다면 굶주린 사람들에 대한 죄악이라고 아직도 두 노인네는 철석같이 믿고 있다. 그래서 밥을 한다. 음…… 나는 여기에 대해서 별 얘기 안한다.

• • •

정월에 집에 갔더니 어머님이 단단히 화가 나셨다.

"글쎄, 도둑고양이를 그만큼 잘 해줬는데, 새끼를 낳더니 제일 예쁜 놈을 데리고 도망가버리드라고. 도둑고양이는 도둑고양이야……

옛날 고양이들은 안 그랬는데⋯⋯."

웃겨 죽는 줄 알았다. 당연하다. 고양이는 새끼를 낳으면 어미는
도망가기 마련이다.

간단하다. 고양이의 인식 세계에서 '밥을 준다'는 개념은 아예 없
다. 그냥 그 시간에 규칙적으로 먹이가 생긴다라는 인식밖에는 없다.

고양이는 보통 세 마리에서 네 마리 정도 새끼를 낳는데, 젖이 떨
어지는 순간부터 어미고양이는 계산을 시작한다.

자기가 먹던 먹이를 네 마리가 먹을 수 있을까?

고양이 먹이느라고 필요도 없는 밥을 하는 우리 집 두 노인네가 설
마 새끼들 밥을 안 줄라고.

그러나 고양이는 개보다는 훨씬 야생에 가깝다. 그걸 이해시켜야
하는데, 어미고양이에게 밥 줄 테니까 걱정하지 말라고 얘기하는 게
생각보다 쉽지 않다.

자기가 매일 먹던 밥을 네 마리가 나누어 먹으면, 당연히 모자라
지⋯⋯. 고양이에게는 주인 개념이 없다. 개는 가출하지 않는다. 주
겠지, 주인인데⋯⋯. 불행히도 고양이에게는 이 주인 개념이 없다.

젖이 떨어질 때쯤 어미고양이는 가출을 한다. 새끼니까 두 마리 정
도는 먹을 수 있겠지⋯⋯. 가장 강한 놈을 데리고 고양이는 가출을
한다. 남은 두 마리를 살리기 위한 끔찍한 모성이다.

그래서 이 의리 없는 어미는 키워준 공도 모르고 도망갈 뿐더러,
제일 예쁜 놈을 데리고 나간다. 왜냐하면 어미가 보기에는 그놈이 제
일 튼실해서 사냥도 하면서 살아갈 수 있을 것이라고 판단하기 때문
이다.

쥐가 많이 있다면 어미는 그런 고민을 하지 않는다. 모자라면 사냥을 하면 되니까. 그러나 이제 서울에 쥐는 별로 없다. 우리 집에도 식구들이 줄면서 쥐도 줄었다…… 두 노인네가 먹어야 얼마나 먹는다고, 쥐까지 키우겠는가.

그러니까 어미까지 키우고 싶다면, 새끼를 낳은 다음에 밥을 많이 줘야 한다.

"괜찮아…… 너까지 키울 수 있어……. 밥, 밥은 많이 있으니까 고민하지 마."

물론 강아지를 키울 때에도 고민은 있다. 개는 새끼를 낳을 때 누가 보면 새끼를 물어 죽인다. 슬픈 모정이다. 빼앗기거나 남한테 죽느니 내가 안락사 시키는 게 낫다……. 이건 잘 알려져 있다. 그렇지만 고양이가 자기 생태계에 대해서 고민한다는 사실은 잘 알려져 있지 않은 것 같다.

에피소드 3 • 오, 와일드 번치!

고양이는 정원이나 마당에서 키워야 한다.

지금도 잊을 수 없는 아름다운 장면의 추억이 있다. 내가 대학에 다닐 때 우리 집은 모두 바빴다. 아버지는 방통대를 다니느라고 바빴고, 어머니는 전국교육위원에 임명되어, 소위 정치를 하느라고 바빴고, 나는 노느라고 바빴다.

그래서 우리 집 정원은 아무도 가꿀 사람이 없었다.

장마가 지나고 나니까 잡초가 내 허리만큼 올라왔다. 허리만큼 올라온 무성한 잡초들 사이로 고양이 여섯 마리들이 뛰어다닌다고 생각해보라……. 아름다웠다. 와일드 번치가 따로 없었다. 현관문만 나서면 우리 집은 사파리였다.

그때의 아름다웠던 기억을 지금도 가지고 있다. 언젠가 다시 한 번 해보고 싶지만 그러려면 정원이 있는 집에서, 손보지 않은 잡초 덤불과 여섯 마리의 고양이가 필요하다.

나는 어쩌면 그렇게 만들어진 '정글(!)'에서 자연을 그리워했던 것인지도 모른다.

우리 집 정원의 후박나무는 강서구에서 가장 키 큰 나무다. 섣불리 집 공사한다거나 팔려고 하면 30년씩 된 나무들이 아깝다…… 솔직히 아깝다…….

우리 집보다 좋은 정원을 가진 부자 아저씨들은 많다. 그러나 그들은 고양이를 키우는 것을 귀찮아한다. 가장 야성적이며 길들지 않는 그 키우기 편한 고양이를 말이다…….

에피소드4 • 인내

공부 마치고 서울에 돌아온 이후, 잠깐 집에 들어가 살았다. 갈 데가 없었기 때문이다.

그때에는 지금은 유학 가 있는 막내 동생이 고양이를 길렀다. 그당시 막내는 한가했다. 기타 학원을 다니는 걸 제외하면 빈둥거리면서 집에서 먹는 일 외에는 아무것도 안 했다.

"형, 고양이가 참새 잡는 거 알아?"

"몰라, 어떻게?"

"고양이가 가만히 있거든. 몇 시간쯤 가만히 있으면 새들이 고양인 걸 까먹나 봐. 점점 가까이 오거든…… 그러다 적당히 가까워지면 확 잡지."

"잘 잡아?"

"꼭 다 잡는 건 아니고 두 번에 한 번 정도 잡는데, 못 잡으면, 다시 가만히 있어……. 하루에 한두 마리 정도 잡나 봐."

"근데, 넌 그걸 어떻게 알아?"

"봤거든……."

몇 시간씩 참새를 잡기 위해 돌부처처럼 버티는 고양이도 대단한 놈이지만, 그걸 며칠씩 지켜보고 있던 동생도 대단하다……. 다들 정말 할 일이 아무것도 없었나 보다.

막내의 얘기는 이렇다. 어느 날 고양이가 참새를 먹고 있더란다. 궁금해서 견딜 수가 없었단다.

. . .

사람들은 다들 너무 바쁘다.

참새를 잡는 고양이의 인내를 배우고, 소일거리로 남들 괴롭히기보다는 방 안에 틀어박혀서 긴긴 여름날을 참새 잡는 고양이를 구경하던 나의 막내 동생의 인내를 배울 필요가 있다. 잠시도 심심한 걸 참지 못해 누군가를 괴롭히는 사람에게 고양이의 사냥을 구경하라고 권해주고 싶다.

나도 막내를 따라서 고양이의 사냥을 보려고 했지만, 두 시간 정도

기다리다가 지쳤다…….

"형, 오늘따라 참새들이 잘 안 속아주는데?"

에피소드5 • 불쌍해!

나락이라는 말이 있다. 밑도 끝도 없는 구렁을 나락이라 한다.

나락으로 떨어지는 느낌이라고 멋있게 표현하지만 그냥 우리들 용어로는 '죽겠다'고 하는 게 그런 거다.

나도 이런 나락에 떨어져본 적이 있다. 탈출구는 보이지 않고, 끝없이 떨어져만 간다. 살려고 발버둥을 쳐보지만, 잡히는 것은 아무것도 없이, 그냥 추락할 뿐이다. 높이 나는 새가 오래 떨어진다고 했던가. 나락…… 다시는 그런 나락에 떨어지는 경험 같은 것은 하고 싶지 않다.

그렇게 어려울 때 고양이 생각을 한 적이 있다.

정말 불쌍한 고양이에 대한 기억이다. 새벽에 잠이 깨서 화장실에 갔더니 고양이가 죽는 소리를 내고 있었다. 조금만 늦었으면 정말 고양이 잡을 뻔했다. 담을 타고 화장실 안으로 멋지게 들어온 것까지 좋았는데, 화장실에는 욕조가 있었다. 타일 욕조, 이 욕조에 고양이가 그대로 다이빙한 거다. 물은 절반 정도 차 있었는데, 천하의 고양이라도 타일 앞에서는 어쩔 도리가 없어서, 그렇게 물을 싫어하는 고양이가 허우적거리고 있었던 거다.

기진맥진한 고양이를 들고 물을 닦아주면서 눈물이 났다. 고양이, 탈진해서 소리도 내지 못한다. 너무 불쌍해서 난 고양이를 껴안고 눈물을 멈출 수가 없었다.

밖에서 키우던 고양이였지만 그날은 이불을 덮어주고, 꼭 껴안고 같이 잤다. 온몸이 얼어 있었다. 죽을지도 모른다는 생각에 무서웠을 만큼 정말 너무 불쌍했다…….

* * *

나락으로 끊임없이 떨어지던 순간, 욕조에 빠졌던 어린 시절의 그 고양이가 생각났다.

누가 날 건져주지 않을까?

건져주는 사람은 아무도 없었지만 시간이 지나니까 조금씩 나도 기력을 회복하고 그러곤 그냥 별거 아니었잖아, 하며 나락에서 홀로 걸어 나올 수 있었다.

그러나 그때의 고양이는 너무너무 불쌍했다. 고양이는 정말이지 물을 제일 싫어한다.

에피소드6 • 방안의 기억

고양이를 여러 마리 키우다 보면, 새끼 때 귀엽다고 방 안에서 키웠던 고양이와 귀찮아서 처음부터 밖에서 키운 고양이로 나뉘게 된다.

겨울에는 언제나 고양이 때문에 말썽이다. 문을 열면, 어릴 때 방에서 지냈던 고양이들은 꼭 안방의 아랫목으로 쏜살같이 날아온다.

여기가 바로 집이야!

방 안에서 지냈던 기억이 없는 고양이는 현관문이 열려도 집으로 들어오지 않지만, 따뜻한 겨울날 아랫목을 경험한 고양이들은 몇 년이 지났어도 마음속의 고향은 안방 아랫목이다.

그때부터 난리가 난다. 이미 커버린 고양이를 방 안에 들이기는 어렵다. 쫓아내려 하면 예전에 자기가 잘 도망가던 장롱 밑으로 들어가려 한다. 몇 년이 지났는데도 그런 걸 기억하고 있다는 것이 신기하기도 하지만 하여간 귀신 같이 기억해낸다.

그러나 이미 덩치가 커져버린 어미고양이는 장롱 밑으로 들어갈 수 없다. 슬픈 목소리를 내면서 밖으로 끌려가지만 언제나 고양이는 현관문이 열리기를 기다리며 고향을 노리고 있다.

· · ·

나도 그렇게 기회만 기다리면서 돌아가고 싶은 고향이 있는 것일까? 나에게도 그런 마음의 고향이 있었으면 좋겠다.

에피소드7 · 고양이와 놀기

난 고양이를 데리고 안 해 본 장난이 거의 없다. 강아지를 데리고 응용할 수 있는 '다방구', '술래잡기'를 다 해본 것처럼 고양이와 놀 수 있는, 상상할 수 있는 놀이는 다 해본 셈이다.

그중에 가장 재밌는 놀이는 고양이에게 탁구공을 던져주는 일이다. 사실 고양이에게 탁구공이 무슨 의미가 있는지는 모르겠지만 어쨌든 상당히 건방진 존재로 보이나 보다. 쥐를 잡듯이 손톱을 세워서 탁구공을 덮쳐 보지만, 탁구공은 고양이 손에는 잡히지 않고 탁 튀어서 저 멀리 가버린다.

그러면 고양이는 무안하다. 다시 탁구공을 노려본다. 1분 정
도…… 그리고 날렵하게 도약한다. 탁구공…… 못된 놈이다. 그런
고양이의 노력을 무시하듯이 다시 튀어버린다. 탁구공이 쥐였으
면…… 아무리 쥐를 잘 잡는 고양이라도 탁구공을 잡기는 어렵다.

고양이는 하루 종일 탁구공과 전투하며 야성을 키운다. 고양이가 탁
구공을 실눈 뜨고 노려보는 걸 지켜보는 것도 유쾌한 즐거움이다. 쥐
와 눈싸움을 하듯이 탁구공과도 눈싸움을 한다. 가끔은 튀어오르는
탁구공을 잡기 위해서 고양이는 다른 손으로 탁구공을 쳐보기도 한
다. 순간 응용동작이다. 테켄의 필살기인 연속동작 같은 걸 다섯 번에
한 번 꼴로 볼 수 있다.

. . .

그런 고양이의 끈질긴 탁구공과의 전투를 바라보면서, 내 눈빛은
그렇게 살아 있을까 하고 생각해본다.

고양이 만도 못 하게 아무 생각 없이 하루를 사는 건 아닐까?

에피소드8 • 길들지 않는 고양이

고양이에게 주인 개념이 없다는 것은 개보다는 더 야성에 가깝다
는 말이다. 아무리 오래 고양이를 길러도 고양이는 길드는 법이 없
다. 조금 익숙해질 뿐이지만, 강아지처럼 이름을 불러서 오거나 뭔가
훈련시키는 것은 불가능하다.

'명순이'라고 불렀던 멍청한 강아지 — 음, 명순이의 추억에 대해서도 다음에 한번 써볼까? — 가 종이팩에 든 우유를 먹게 둘째 동생이 훈련시키는 것을 본 적이 있다. 둘째 동생은 종이팩을 열게 하는 것까지 훈련시키고 싶었지만, 그건 좀 무리였다. 어쨌든 명순이는 종이팩의 우유를 먹고, 팩을 찢어서 남은 우유를 핥아먹는 정도로까지는 되었다. 둘째 동생은 분무기를 가지고 훈련을 시켰다. 독한 놈이다. 그러나 그런 둘째도 고양이를 훈련시키는 데에는 성공하지 못했다.

· · ·

난 고양이의 이 야성이 좋다. 직장이나 조직은 사람을 순치馴致시킨다. 길들인다는 말이기도 하지만, 바보로 만든다는 얘기와 마찬가지다. 그러나 어미고양이가 '지혜롭게' 새끼들을 위해서 떠나가듯이, 고양이는 야생을 간직하며 길들지 않는다.

지식인은 길들어져서는 안 된다.

한 조각씩 던져주는 고기조각에 길들여져 사는 강아지보다는 언제나 야성으로 남는 고양이에게 배워야 한다. 지식인들은 말이다…….

성대를 끊고, 손발톱을 다 끊어도 고기조각만 때맞춰 던져주면 꼬리를 살랑살랑거리는 강아지를 바라보면 나는 화가 난다. 속에서 불같은 분노가 치밀어 오른다…….

고양이는 길드는 것을 거부한다. 나는 그런 고양이가 좋다. 강아지같이 살기보다는 다소 모자라고, 때론 불쌍한 고양이 편이 더 좋다.

에피소드9 • 나는 마당을 가지고 싶다

언젠가 아이를 낳게 되면 난 한 뼘만큼이라도 마당을 주고 싶다.

그리고 아이가 글자를 쓸 나이가 되면 고양이 한 마리를 키울 수 있게 해주고 싶다. 때론 어떤 어른이나 선생님도 가르쳐줄 수 없는 것을 한 마리 짐승이 가르쳐 줄 때도 있다.

나는 나의 아이에게 강아지처럼 꼬리 흔들며 사람들과 친해지는 방법보다는, 설령 주인의 손을 본의 아니게 할퀴어 미움 받기도 하지만, 당당하게 사람과 같이 사는 고양이의 삶을 배우게 해주고 싶다.

• • •

도시는 아파트와 콘크리트로 사람들 길을 들인다.

여자들은 대부분 주택보다는 아파트에 살고 싶어 한다. 그편이 편하고 돈도 될 테니까. 그러나 그건 도시가 강아지로 주민들을 길들이고 있는 것인지도 모른다.

나는 못사는 동네에서 그래도 한 뼘의 땅이라도 가지고, 흙내음을 맡으며, 고양이도 키우고, 장마가 지면 잡초가 자기 키만큼씩 자라는 그런 마당을 나의 아이에게 주고 싶다.

내가 길들지 않고 살아온 것처럼 나의 아이도 길들이고 싶지 않다. 조기교육이나 과외 같은 걸 시킬 생각은 추호도 없다. 그러나 나는 자연과 우주를 호흡하면서, 별을 볼 수 있는 작은 마당을 주고 싶다. 마당이 있어서 고양이를 키운 것이 아니라, 고양이를 키우고 싶어서 마당을 갖는 거다. 내가 살아가는 도시의 슬픈 이야기다.

결국 마당 딸린 집에서 살게 되었고,
고양이도 다시 기르게 되었다.
그러나 나는 나이 앞에
아주 유순한 사람이 되었고,
아저씨가 되어버렸다.
고양이는 다시 돌아왔지만,
청춘은 다시 돌아오지 않을 것이다.

그러나 어느 선생보다도 나의 고양이들은 나에게 많은 것을 배우게 해주었다…….

음…… 일요일에는 오랜만에 집에 가서 부모님들, 그 노인네들에게 재롱도 부리고, 어미와 큰 형이 도망가고 남은 두 마리 고양이나 보고 와야겠다.

고양이와 관련된 이 글들은 2001년 겨울, 총리실에 있던 시절 다시 글을 시작할 때 썼던 초기 습작 중의 하나다. 당시 나는 아파트에 살고 있었는데, 체리필터의 '낭만 고양이'를 모티브로 했던 글 등 고양이에 관한 습작을 많이 썼다. 그때 바로 내 위의 상사가 지금 금감원장인 권혁세 국장, 그리고 그 위의 국무조정실장은 김진표 장관이었다. 요즘 모피아와의 싸움을 벌이면서, 한때 내 상사들과 싸우게 되어서 마음이 편치만은 않다. 이 글을 쓰고 6개월 후, 총리실 근무를 결국 마무리 지었고, 1년 후 에너지관리공단에 사직서를 제출하면서 8년간의 직장생활을 마쳤다. 그리고 난 자유인이 되었다.

국립중앙도서관 출판시도서목록(CIP)

1인분 인생 : 진짜 나답게 살기 위한 우석훈의 액션大로망
/ 지은이: 우석훈. — 서울 : 상상너머, 2012
　p. ;　cm

ISBN　978-89-966320-7-8 03810 : \14000

수필집[隨筆集]

818-KDC5
895.785-DDC21　　　　　　　　　　　CIP2012000635

이 도서의 국립중앙도서관 출판시도서목록(CIP)은
e-CIP홈페이지(http://www.nl.go.kr/ecip)와
국가자료공동목록시스템(http://www.nl.go.kr/kolisnet)에서
이용하실 수 있습니다.(CIP제어번호: CIP2012000635)

1인분 인생

진짜 나답게 살기 위한 우석훈의 액션大로망

1판 1쇄 발행 | 2월 29일
1판 3쇄 발행 | 3월 16일

지은이 | 우석훈
펴낸이 | 노창현
기획실장 | 이건범　기획위원 | 김명진
편집장 | 성화현
책임편집 | 이선지
기획자문 | 배소라
디자인 | 오필민 디자인
출력·인쇄·제본 | 상지사　용지 | 월드페이퍼

펴낸곳 | 상상너머
출판등록 | 2010년 6월 1일 제313-2010-288호
주소 | (121-893) 서울 마포구 서교동 394-93 광명빌딩 5층
전화 | (02)3142-3324
팩스 | (02)3142-3326

값 | 14,000원　ISBN | 978-89-966320-7-8　03810